JN021505

2025年度版

よくわかる社労士

4 国年・厚年

TAC社会保険労務士講座●編著

合格するための

過去10年

本試験問題集

TAC出版
TAC PUBLISHING Group

はじめに

　社労士試験は10科目と出題範囲も広く、また内容もかなり細かくなってきています。その結果、多くの受験生が学習の的を絞れずに困惑しているのが現状ではないでしょうか。ところが、過去10年間の試験問題を子細に分析・検討してみると、各科目とも、内容の類似した、極端な場合には全く同じ問題がくり返し出題されていることがわかります。したがって過去の出題傾向をしっかり把握しておけば、ムダのない的を絞った学習が可能となるわけです。

　以上のことを踏まえ本書は、過去10年間の本試験問題を、科目ごとに項目別に「一問一答形式」にまとめました。ここ最近の択一式試験では、「組合せ問題」や正解の個数を選ばせる「個数問題」も出題されていますが、一問一答形式で学習を進めていけば、どのような出題方式にも対応しうる力をつけることができます。また、選択式問題では、本試験の出題形式のまま載せてありますので、実践的な演習が行えます。

　さらに、本書の解説においては、過去問を「解く」だけでなく、あわせて確認しておきたい「ポイント」や「プラスα」の知識も充実させました。また、同シリーズの『合格テキスト』と併用していただくと、より学習効果が高まります。

　以上のような特徴をもった本書を学習することにより、「社労士本試験において何が求められているか」を明確につかむことができ、自信をもって本試験に臨むことができるはずです。

　受験生の皆さんが本書を利用され、限られた学習時間を少しでも有効に活用されて、所期の志を達成されることを心よりお祈りいたします。

2024年9月

TAC社会保険労務士講座
教材制作チーム一同

　本書は、2024年9月13日現在において公布され、かつ、2025年本試験受験案内が発表されるまで施行されることが確定しているものに基づいて作成しております。

　なお、2024年9月14日以降に法改正のあるもの、また法改正はなされているが、施行規則等で未だ細目について定められていないものについては、2025年2月上旬より、小社ホームページにて「法改正情報」を順次公開いたします。

TAC出版書籍販売サイト「サイバーブックストア」
https://bookstore.tac-school.co.jp

本書の構成と効果的な活用法

本書の構成要素

令和6年度の本試験問題を各項目の冒頭に掲載し、最新の本試験傾向が把握しやすい構成となっています。
その他は年度に関係なく、同シリーズの『合格テキスト』にあわせた順に掲載しています。

難 難問マーク
この問題は、最初は解けなくても不安になる必要はありません。解説をみて、最終的に解けるようになることを目標に進めていきましょう。

1 労働条件の原則、労働基準法の適用

問1 労働基準法第1条にいう、「人たるに値する生活」とは、社会の一般常識によって決まるものであるとされ、具体的には、「賃金の最低額を保障することによる最低限度の生活」をいう。
R6-1A

問2 在籍型出向(出向元及び出向先双方と出向労働者との間に労働契約関係がある場合)の出向労働者については、出向元、出向先及び出向労働者三者間の取決めによって定められた権利と責任に応じて
R6-1D

問2 労働基準法第1条は、労働保護法たる労働基準法の基本理念を宣明したものであって、本法各条の解釈にあたり基本観念として常に考慮されなければならない。
H28-17

問3 労働基準法第1条にいう「人たるに値する生活」には、労働者の標準家族の生活をも含めて考えることとされているが、この「標準家族」の範囲は、社会の一般通念にかかわらず、「配偶者、子、父母、孫及び祖父母のうち、当該労働者によって生計を維持しているもの」とされている。
難

問4 労働基準法第1条にいう「労働関係の当事者」には、使用者及び労働者のほかに、それぞれの団体である使用者団体と労働組合も含まれる。
R4-4A

問5 労働基準法第1条第2項にいう「この基準を理由として」とは、労働基準法に規定があることが決定的な理由となって、労働条件を低下させている場合をいうことから、社会経済情勢の変動等他に決定的な理由があれば、同条に抵触するものではない。
R3-1A

問6 同居の親族は、事業主と居住及び生計を一にするものとされ、その就労の実態にかかわらず労働基準法第9条の労働者に該当することがないので、当該同居の親族に労働基準法が適用されることはない。
H29-2?

【出題年度と問題番号の見方】
全問、出題年度と問題番号つきです。年度マークの見方は次のとおりです。
R5-1A　令和5年の択一式、問1のA肢で出題
R5-選　令和5年の選択式で出題
※出題年度・問題番号に「改」と表示している問題は、法改正等により、一部改題が入っているものです。

なお、出題年度によって、年度マークを太字と細字で分けて表示しています。
令和6年～令和2年の直近5年分は太字で強調(例 **R5-1A**)。さらにさかのぼった6～10年前の問題(令和元年～平成27年)は細字で(例H30-1A)となっています。
※労働保険の保険料の徴収等に関する法律については、労働者災害補償保険法の問8～10、雇用保険法の問8～10に分けて出題されることから、以下のように表示しています。
H30-災8A　平成30年の択一式、労働者災害補償保険法、問8のA肢で出題
H30-雇8A　平成30年の択一式、雇用保険法、問8のA肢で出題

答1　×　法1条。労働基準法第1［　　　　　　　　］に値する生活」とは、日本国憲法法第25条第1［　　　　　　　　最低限度］の生活を内容とするもの［　　　　　　　　　　　　　　　］を保障することによってのみ達せられ［　　　　　　　　　　　　　　　］によって決まるものである。

答2　○　法10条、昭和61.6.［　　　　　　　　　　　　　　　］。なお、移籍型出向については、［　　　　　　　　　　　　　］しての責任を負う。

答2　○　法1条、昭和22.9.13発基［　　　　］、設問の通り正しい。

答3　×　法1条、昭和22.9.13発基17号、昭和22.11.27基発401号。標準家族の範囲は、その時その社会の一般通念によって理解されるべきものであるとされている。

答4　○　法1条2項。設問の通り正しい。

労働関係とは、使用者・労働者間の「労務提供＝賃金支払」を軸とする関係をいい、その当事者とは、使用者及び労働者のほかに、それぞれの団体、すなわち、使用者団体と労働組合を含む。

答5　○　法1条2項、昭和63.3.14基発150号。設問の通り正しい。

設問の規定（法1条2項）については、労働条件の低下が労働基準法の基準を理由としているか否かに重点を置いて判断するものであり、社会経済情勢の変動等他に決定的な理由がある場合には、当該規定には抵触しない。

答6　×　法116条2項、昭和54.4.2基発153号。同居の親族であっても、常時同居の親族以外の労働者を使用する事業において一般事務又は現場作業等に従事し、かつ、事業主の指揮命令に従っていることが明確であり、就労の実態が他の労働者と同様であって、賃金もこれに応じて支払われている場合には、その同居の親族は、労働基準法上の労働者として取り扱われ、同法が適用される。

同居の親族のみを使用する事業は、労働基準法の適用が除外されているが、同居の親族のほかに1人でも労働者を使用する事業は、労働基準法の適用事業となる。

付属の「こたえかくすシート」で解答を隠しながら学習することができるので、とても便利です。

【解答の見方】

TACの過去10の解答は、問題の論点をおさえるだけでなく、周辺知識のインプットも効果的に行えるよう、解説にとくにこだわっています。

Point　超重要事項のまとめです。

プラスα　問題と一緒に確認しておきたい内容です。

まず1周目は、問題を解き、解答をあわせていくことに専念し、2周目以降は、解説を読みながら、知識の拡充をしていってください。

➕ ここが便利！

過去問検索索引

本書の索引は過去問の番号から該当頁の検索ができるように組み立てられています。解きたい問題がすぐに探し出せて便利です。

効果的な活用法

○受験経験のある方は、年度順に解きましょう！
①　まずはR6～2問題を解く（年度マークが太字の問題）
②　終わったらR元～H27問題を解く（年度マークが細字の問題）
③　間違えた問題を中心によく復習。同シリーズの『合格テキスト』も併用し、全体をマスターしましょう！

○初学者の方は、優先順位の高いものから順に解きましょう！
①　マークなし問題を解く
②　①が確実に解けるようになったら🈔マークのある問題にチャレンジ！

|参考|　学習スケジュールのイメージ

	～3月	4月～6月	7月、8月
受験経験者	R6～2（太字）	R元～H27（細字）	間違えた問題を中心に繰り返し演習
初学者	マークなし	🈔問題	

よくわかる社労士シリーズの活用法

　「よくわかる社労士」シリーズは、社労士試験の完全合格を実現するための、実践的シリーズです。過去10年分の本試験傾向を網羅的につかめる『合格するための過去10年本試験問題集』と、条文ベースの本文で確実に理解することができる『合格テキスト』を中心としたシリーズ構成で、常に変化していく試験傾向にも柔軟に対応できる力を身につけていくことができます。

学習の流れ

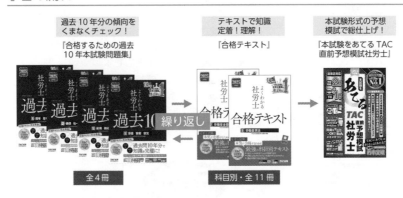

過去10年分の傾向をくまなくチェック！

『合格するための過去10年本試験問題集』

全4冊

テキストで知識定着！理解！

『合格テキスト』

科目別・全11冊

本試験形式の予想模試で総仕上げ！

『本試験をあてる TAC 直前予想模試社労士』

社会保険労務士試験の概要

試験概要・実施スケジュール

受験案内配布	4月中旬～
受験申込受付期間	4月中旬～5月下旬(令和6年は4月15日～5月31日) ※インターネット申込み、または郵送申込み
試験日程	8月下旬(令和6年は8月25日)
合格発表	10月上旬(令和6年は10月2日)
受験料	15,000円

主な受験資格

学校教育法(昭和22年法律第26号)による大学、短期大学、専門職大学、専門職短期大学若しくは高等専門学校(5年制)を卒業した者(専攻の学部学科は問わない)
行政書士となる資格を有する者

※詳細は「全国社会保険労務士会連合会試験センター」のホームページにてご確認ください。

試験形式

選択式	8問出題（40点満点〈1問あたり空欄が5つ〉）　解答時間は80分 文章中の5つの空欄に、選択肢の中から正解番号を選び、マークシートに記入します。
択一式	70問出題（70点満点）　解答時間は210分 5つの選択肢の中から、正解肢をマークシートに記入します。

合格基準

　合格基準について、年度により多少の前後がありますが、例年総得点の7割程度となります。それぞれの試験における総得点の基準と、各科目ごとの基準との両方をクリアする必要があります。

参考 令和5年度本試験の合格基準
選択式：総得点26点以上、各科目3点以上
択一式：総得点45点以上、各科目4点以上

試験科目

科目名	選択式	択一式
労働基準法	2科目 混合問題で1問	7問
労働安全衛生法		3問
労働者災害補償保険法	1問	7問
雇用保険法	1問	7問
労働保険の保険料の徴収等に関する法律	なし	6問
労務管理その他の労働に関する一般常識	1問	10問
社会保険に関する一般常識	1問	
健康保険法	1問	10問
厚生年金保険法	1問	10問
国民年金法	1問	10問

過去5年間の受験者数・合格者数の推移

年　度	令和元年	令和2年	令和3年	令和4年	令和5年
受験申込者数	49,570人	49,250人	50,433人	52,251人	53,292人
受験者数	38,428人	34,845人	37,306人	40,633人	42,741人
合格者数	2,525人	2,237人	2,937人	2,134人	2,720人
合格率	6.6%	6.4%	7.9%	5.3%	6.4%

詳細の受験資格や受験申込み及びお問合せは
「全国社会保険労務士会連合会試験センター」へ
https://www.sharosi-siken.or.jp

● C O N T E N T S ●

1　国年（国民年金法）

2　厚年（厚生年金保険法）

1 国年
(国民年金法)

国民年金法

凡　例

法	→国民年金法
法附則	→国民年金法附則
(60)法附則	→昭和60年改正法附則
(6)法附則	→平成 6 年改正法附則
(12)法附則	→平成12年改正法附則
(16)法附則	→平成16年改正法附則
(23)法附則	→平成23年改正法附則
(24)法附則	→平成24年改正法附則
(25)法附則	→平成25年改正法附則
(26)法附則	→平成26年改正法附則
令	→国民年金法施行令
措置令	→国民年金法等の一部を改正する法律の施行に伴う経過措置に関する政令
整備政令	→公的年金制度の健全性及び信頼性の確保のための厚生年金保険法等の一部を改正する法律の一部の施行に伴う関係政令の整備等に関する政令
改定率改定令	→国民年金法による改定率の改定等に関する政令
則	→国民年金法施行規則
厚年法	→厚生年金保険法

国年：目次

国年：択一式出題ランキング

1位　老齢基礎年金－年金額 (34問)
2位　保険料 (30問)
3位　被保険者の種類 (26問)
3位　届出 (26問)

1 目的、権限の委任等

1 問1

□□□

R6-1E

　国民年金事業の事務の一部は、法律によって組織された共済組合、国家公務員共済組合連合会、全国市町村職員共済組合連合会、地方公務員共済組合連合会又は日本私立学校振興・共済事業団に行わせることができる。

---

1 問1

□□□

H30-3E

　国民年金事業の事務の一部は、政令の定めるところにより、法律によって組織された共済組合、国家公務員共済組合連合会、全国市町村職員共済組合連合会、地方公務員共済組合連合会又は私立学校教職員共済法の規定により私立学校教職員共済制度を管掌することとされた日本私立学校振興・共済事業団に行わせることができる。

1 問2

□□□

H28-4オ

　任意加入の申出の受理に関する厚生労働大臣の権限に係る事務は、日本年金機構に委任されており、当該申出の受理及び申出に係る事実についての審査に関する事務は、日本年金機構が行うものとされていて、市町村長がこれを行うことはできない。

1 問3

□□□

R3-6C

　死亡一時金の給付を受ける権利の裁定の請求の受理及び当該請求に係る事実についての審査に関する事務は、市町村長(特別区の区長を含む。)が行う。また当該請求を行うべき市町村(特別区を含む。以下本問において同じ。)は、当該請求者の住所地の市町村である。

1 問4

□□□

H29-10E

　日本国籍を有し、日本国内に住所を有しない国民年金の任意加入被保険者に係る諸手続の事務は、国内に居住する親族等の協力者がいる場合は、協力者が本人に代わって行うこととされており、その手続きは、本人の日本国内における最後の住所地を管轄する年金事務所又は市町村長(特別区の区長を含む。)に対して行うこととされている。なお、本人は日本国内に住所を有したことがあるものとする。

1答1 ○ 法3条2項。設問の通り正しい。

1答1 ○ 法3条2項。設問の通り正しい。

1答2 × 法3条3項、法109条の4,1項1号、令1条の2。設問の申出の受理及び申出に係る事実についての審査に関する事務は、市町村長が行うこととされている。

1答3 ○ 令1条の2,3号へ、則62条。設問の通り正しい。

1答4 ○ 令2条1項、平成21.12.28厚労告528号、平成19.6.29庁保険発第0629002号。設問の通り正しい。

❶問5 被保険者又は被保険者であった者からの国民年金原簿の訂正請求
□□□ の受理に関する厚生労働大臣の権限に係る事務は、日本年金機構に
R4-4E 行わせるものとされている。

❶問6 被保険者から、預金又は貯金の払出しとその払い出した金銭によ
□□□ る保険料の納付をその預金口座又は貯金口座のある金融機関に委託
R2-8ア して行うことを希望する旨の申出があった場合におけるその申出の
難 受理及びその申出の承認の権限に係る事務は、日本年金機構に委任
されており、厚生労働大臣が自ら行うことはできない。

❶問7 日本年金機構は、あらかじめ厚生労働大臣の認可を受けなけれ
□□□ ば、保険料の納付受託者に対する報告徴収及び立入検査の権限に係
R2-7A る事務を行うことができない。
難

❶問8 被保険者の資格又は保険料に関する処分に関し、被保険者に対
□□□ し、出産予定日に関する書類、被保険者若しくは被保険者の配偶者
R2-8イ改 若しくは世帯主若しくはこれらの者であった者の資産若しくは収入
難 の状況に関する書類その他の物件の提出を命じ、又は職員をして被
保険者に質問させることができる権限に係る事務は、日本年金機構
に委任されているが、厚生労働大臣が自ら行うこともできる。

❶問9 受給権者に対して、その者の身分関係、障害の状態その他受給権
□□□ の消滅、年金額の改定若しくは支給の停止に係る事項に関する書類
R2-8ウ その他の物件を提出すべきことを命じ、又は職員をしてこれらの事
難 項に関し受給権者に質問させることができる権限に係る事務は、日
本年金機構に委任されており、厚生労働大臣が自ら行うことはでき
ない。

❶問10 被保険者又は被保険者であった者が、国民年金法その他の政令で
□□□ 定める法令の規定に基づいて行われるべき事務の処理が行われなか
R3-5B ったことにより付加保険料を納付する者となる申出をすることがで
難 きなくなったとして、厚生労働大臣にその旨の申出をしようとする
ときは、申出書を市町村長(特別区の区長を含む。)に提出しなけれ
ばならない。

1答5 ○　法109条の4,1項4号。設問の通り正しい。

1答6 ○　法92条の2、法109条の4,1項17号。設問の通り正しい。

1答7 ○　法109条の8,1項。設問の通り正しい。

1答8 ○　法106条1項、法109条の4,1項28号。設問の通り正しい。

1答9 ×　法107条1項、法109条の4,1項29号。設問の権限に係る事務は、厚生労働大臣が自ら行うことができる。

1答10 ×　法附則9条の4の7,1項、令14条の14。設問の申出書は、「日本年金機構」に提出しなければならない。

1問11
□□□
H30-4B

日本年金機構が滞納処分等を行う場合は、あらかじめ、厚生労働大臣の認可を受けるとともに、日本年金機構が定め、厚生労働大臣の認可を受けた滞納処分等実施規程に従って、徴収職員に行わせなければならない。

1問12
□□□
R4-5D
難

厚生労働大臣から滞納処分等その他の処分の権限を委任された財務大臣は、その委任された権限を国税庁長官に委任し、国税庁長官はその権限の全部を納付義務者の住所地を管轄する税務署長に委任する。

1問13
□□□
R元-1イ

国民年金法第10章「国民年金基金及び国民年金基金連合会」に規定する厚生労働大臣の権限のうち国民年金基金に係るものは、厚生労働省令の定めるところにより、その一部を地方厚生局長に委任することができ、当該地方厚生局長に委任された権限は、厚生労働省令で定めるところにより、地方厚生支局長に委任することができる。

2 定義

過去問

2問1
□□□
H28-7D

保険料を納付することが著しく困難である場合として天災その他の厚生労働省令で定める事由がある被保険者からの申請に基づいて、厚生労働大臣は、その指定する期間に係る保険料につき、すでに納付されたものを除き、その一部の額を納付することを要しないものとすることができるが、当該保険料につきその残余の額が納付されたものに係る被保険者期間(追納はされていないものとする。)は、保険料納付済期間とされない。

2問2
□□□
R5-5A

保険料の一部免除の規定によりその一部の額につき納付することを要しないものとされた保険料について、保険料4分の1免除の規定が適用されている者は、免除されないその残余の4分の3の部分(額)が納付又は徴収された場合、当該納付又は徴収された期間は、保険料納付済期間となる。

1答11 ○　法109条の7,1項、法109条の6,1項。設問の通り正しい。滞納処分（国税滞納処分の例による処分）等に関する厚生労働大臣の権限に係る事務は、日本年金機構に委任されているが、日本年金機構が滞納処分等を行う場合には、あらかじめ、厚生労働大臣の認可を受けるとともに、滞納処分等実施規程に従い、徴収職員に行わせなければならない。この滞納処分等実施規程は、日本年金機構が定め、厚生労働大臣の認可を受けなければならないこととされている。

1答12 ×　法109条の5,5項～7項。財務大臣から設問の権限を委任された国税庁長官は、当該委任された権限の全部又は一部を納付義務者の居住地を管轄する「国税局長」に委任することができ、国税局長は、当該委任された権限の全部又は一部を納付義務者の居住地を管轄する税務署長に委任することができるとされている。

1答13 ○　法142条の2。設問の通り正しい。

2答1 ○　法5条1項、法90条の2,1項3号、2項3号、3項3号。設問の通り正しい。

2答2 ×　法5条1項、6項。保険料4分の1免除の規定によりその4分の1の額につき納付することを要しないものとされた保険料について、その残余の額（4分の3の部分）が納付又は徴収されたものは、保険料納付済期間とはされず、「保険料4分の1免除期間」とされる。

2問3
□□□
H28-7E

第1号被保険者が保険料を滞納し、滞納処分により徴収された金額が保険料に充当された場合、当該充当された期間は、保険料納付済期間とされる。なお、充当された期間は、保険料の一部の額を納付することを要しないものとされた期間ではないものとする。

2問4
□□□
R3-6E

保険料の一部免除の規定によりその一部の額につき納付することを要しないものとされた保険料につき、その残余の額が納付又は徴収された期間、例えば半額免除の規定が適用され免除されない残りの部分(半額)の額が納付又は徴収された期間は、保険料納付済期間ではなく保険料半額免除期間となる。

2問5
□□□
H28-1オ

国民年金法第5条第3項に規定される保険料全額免除期間には、学生納付特例の規定により保険料を納付することを要しないとされた期間(追納された保険料に係る期間を除く。)は含まれない。

2問6
□□□
R2-5B

保険料全額免除期間とは、第1号被保険者としての被保険者期間であって、法定免除、申請全額免除、産前産後期間の保険料免除、学生納付特例又は納付猶予の規定による保険料を免除された期間(追納した期間を除く。)を合算した期間である。

3 被保険者の種類

最新問題

3問1
□□□
R6-4A
難

技能実習の在留資格で日本に在留する外国人は、実習実施者が厚生年金保険の適用事業所の場合、講習期間及び実習期間は厚生年金保険の対象となるため、国民年金には加入する必要がない。

3問2
□□□
R6-4B

日本から外国に留学する20歳以上65歳未満の日本国籍を有する留学生は、留学前に居住していた市町村(特別区を含む。)の窓口に、海外への転出届を提出して住民票を消除している場合であっても、国民年金の被保険者になることができる。

2 答 3 ○　法5条1項。設問の通り正しい。

2 答 4 ○　法5条4項、5項、6項。設問の通り正しい。

2 答 5 ×　法5条3項。法第5条第3項の保険料全額免除期間には、学生納付特例の規定により保険料を納付することを要しないとされた期間(追納された保険料に係る期間を除く。)も含まれる。

2 答 6 ×　法5条1項、3項、(16)法附則19条4項、(26)法附則14条3項。国民年金法における保険料全額免除期間に、「産前産後期間の保険料免除」の規定により保険料を免除された期間は含まれない。国民年金法において、産前産後期間の保険料免除に係る被保険者期間は、保険料納付済期間とされる。

3 答 1 ×　法8条2号、4号、厚年法13条、平成24.6.14年国発0614第2号・年管管発0614第3号他。設問の技能実習の期間のうち「講習期間」については厚生年金保険の適用はなく、一般に国民年金の第1号被保険者の資格を有することとなる。また、設問の技能実習の期間のうち「実習期間」については厚生年金保険の被保険者となり、原則として、国民年金の第2号被保険者の資格を有することとなる。

3 答 2 ○　法附則5条1項3号。設問の通り正しい。設問の者は、任意加入被保険者となることができる。

3問3
☐☐☐
R6-9A

甲（昭和34年4月20日生まれ）は、20歳以後の学生であった期間は国民年金の加入が任意であったため加入していない。大学卒業後7年間は厚生年金保険の被保険者であったが、30歳で結婚してから15年間は第3号被保険者であった。その後、45歳から20年間、再び厚生年金保険の被保険者となっていたが65歳の誕生日で退職した。甲の老齢基礎年金は満額にならないため、65歳以降国民年金に任意加入して保険料を納付することができる。

過去問

3問1
☐☐☐
R元-5A

被保険者の資格として、第1号被保険者は国籍要件、国内居住要件及び年齢要件のすべてを満たす必要があるのに対し、第2号被保険者及び第3号被保険者は国内居住要件及び年齢要件を満たす必要があるが、国籍要件を満たす必要はない。

3問2
☐☐☐
H29-10C

20歳未満の厚生年金保険の被保険者は、国民年金の第2号被保険者となる。

3問3
☐☐☐
R5-3D

62歳の特別支給の老齢厚生年金の受給権者が、厚生年金保険の被保険者である場合、第2号被保険者にはならない。

3問4
☐☐☐
H27-1E

厚生年金保険の在職老齢年金を受給する65歳以上70歳未満の被保険者の収入によって生計を維持する20歳以上60歳未満の配偶者は、第3号被保険者とはならない。

3問5
☐☐☐
H27-1D

日本国内に住所を有しない20歳以上60歳未満の外国籍の者は、第2号被保険者の被扶養配偶者となった場合でも、第3号被保険者とはならない。

3答3 ✕ (6)法附則11条1項、(16)法附則23条1項。設問の者は、65歳に達した日において老齢基礎年金の受給権を有しているため、特例の任意加入被保険者となることはできない。

3答1 ✕ 法7条1項。第1号被保険者について、国籍要件は問われない。また、第2号被保険者は国内居住要件を問われず、原則として、年齢要件も問われない。

3答2 ○ 法7条1項2号。設問の通り正しい。

3答3 ✕ 法7条1項2号、法附則3条。厚生年金保険の被保険者が65歳未満である間は、その者が特別支給の老齢厚生年金の受給権者であっても、第2号被保険者とされる。

3答4 ○ 法7条1項2号、3号、法附則3条。設問の通り正しい。65歳以上で在職老齢年金を受給する厚生年金保険の被保険者は第2号被保険者ではないため、その者によって生計を維持する20歳以上60歳未満の配偶者は、第3号被保険者とはならない。

3答5 ✕ 法7条1項3号、則1条の3,4号。日本国内に住所を有しない20歳以上60歳未満の外国籍の者であっても、第2号被保険者が外国に赴任している間に当該第2号被保険者との身分関係が生じた者であって、「外国に赴任する第2号被保険者に同行する者」と同等と認められるものであれば、第3号被保険者となり得る。
※ 出題当時は、第3号被保険者について、国籍要件及び国内居住要件が問われていなかったことから「✕」とされていた。

3 問6
□□□
R3-3A

第3号被保険者が、外国に赴任する第2号被保険者に同行するため日本国内に住所を有しなくなったときは、第3号被保険者の資格を喪失する。

3 問7
□□□
R3-3B

老齢厚生年金を受給する66歳の厚生年金保険の被保険者の収入によって生計を維持する55歳の配偶者は、第3号被保険者とはならない。

3 問8
□□□
R3-3D

第2号被保険者の被扶養配偶者であって、観光、保養又はボランティア活動その他就労以外の目的で一時的に海外に渡航する日本国内に住所を有しない20歳以上60歳未満の者は、第3号被保険者となることができる。

3 問9
□□□
R3-3C

日本の国籍を有しない者であって、出入国管理及び難民認定法の規定に基づく活動として法務大臣が定める活動のうち、本邦において1年を超えない期間滞在し、観光、保養その他これらに類似する活動を行うものは、日本国内に住所を有する20歳以上60歳未満の者であっても第1号被保険者とならない。

3 問10
□□□
R3-5A

年間収入が280万円の第2号被保険者と同一世帯に属している、日本国内に住所を有する年間収入が130万円の厚生年金保険法による障害厚生年金の受給要件に該当する程度の障害の状態にある50歳の配偶者は、被扶養配偶者に該当しないため、第3号被保険者とはならない。

3 問11
□□□
H27-7A

第3号被保険者の要件である「主として第2号被保険者の収入により生計を維持する」ことの認定は、健康保険法、国家公務員共済組合法、地方公務員等共済組合法及び私立学校教職員共済法における被扶養者の認定の取扱いを勘案して、日本年金機構が行う。

3 問12
□□□
H28-6A

第3号被保険者が主として第2号被保険者の収入により生計を維持することの認定は、厚生労働大臣の権限とされており、当該権限に係る事務は日本年金機構に委任されていない。

3答6 ×　法７条１項３号、法９条、則１条の３。設問の場合、第３号被保険者はその資格を喪失しない。

3答7 ○　法７条１項２号、３号、法附則３条。設問の通り正しい。老齢厚生年金を受給する66歳の厚生年金保険の被保険者は第２号被保険者ではないため、この者の配偶者は第３号被保険者とならない。

3答8 ○　法７条１項３号、則１条の3,3号。設問の通り正しい。

3答9 ○　法７条１項１号、則１条の2,2号。設問の通り正しい。

3答10 ×　法７条２項、令４条、昭61.3.31庁保発13号。設問の配偶者は、被扶養配偶者に該当するため、第３号被保険者となる。

3答11 ○　法７条２項、令４条。設問の通り正しい。

3答12 ×　法７条２項、法109条の4,1項１号、令４条。設問の認定の権限に係る事務は、日本年金機構に委任されている。

3 問13
□□□
R2-9A

68歳の夫(昭和27年4月2日生まれ)は、65歳以上の特例による任意加入被保険者として保険料を納付し、令和2年4月に老齢基礎年金の受給資格を満たしたが、裁定請求の手続きをする前に死亡した。死亡の当時、当該夫により生計を維持し、当該夫との婚姻関係が10年以上継続した62歳の妻がいる場合、この妻が繰上げ支給の老齢基礎年金を受給していなければ、妻には65歳まで寡婦年金が支給される。なお、死亡した当該夫は、障害基礎年金の受給権者にはなったことがなく、学生納付特例の期間、納付猶予の期間、第2号被保険者期間及び第3号被保険者期間を有していないものとする。

3 問14
□□□
R2-9B

60歳で第2号被保険者資格を喪失した64歳の者(昭和31年4月2日生まれ)は、特別支給の老齢厚生年金の報酬比例部分を受給中であり、あと1年間、国民年金の保険料を納付すれば満額の老齢基礎年金を受給することができる。この者は、日本国籍を有していても、日本国内に住所を有していなければ、任意加入被保険者の申出をすることができない。

3 問15
□□□
R5-7E

国民年金法附則第5条第1項によると、第2号被保険者及び第3号被保険者を除き、日本国籍を有する者その他政令で定める者であって、日本国内に住所を有しない20歳以上70歳未満の者は、厚生労働大臣に申し出て、任意加入被保険者となることができる。

3 問16
□□□
R2-9E

60歳から任意加入被保険者として保険料を口座振替で納付してきた65歳の者(昭和30年4月2日生まれ)は、65歳に達した日において、老齢基礎年金の受給資格要件を満たしていない場合、65歳に達した日に特例による任意加入被保険者の加入申出があったものとみなされ、引き続き保険料を口座振替で納付することができ、付加保険料についても申出をし、口座振替で納付することができる。

3 問17
□□□
R2-9C

20歳から60歳までの40年間第1号被保険者であった60歳の者(昭和35年4月2日生まれ)は、保険料納付済期間を30年間、保険料半額免除期間を10年間有しており、これらの期間以外に被保険者期間を有していない。この者は、任意加入の申出をすることにより任意加入被保険者となることができる。なお、この者は、日本国籍を有し、日本国内に住所を有しているものとする。

3答13 ×　法18条1項、法49条、(6)法附則11条9項。特例による任意加入被保険者としての国民年金の被保険者期間は、寡婦年金の規定の適用については第1号被保険者としての国民年金の被保険者期間とみなされず、設問の死亡した夫は、寡婦年金の支給に係る「10年以上」の要件を満たしていないため、設問の妻に寡婦年金は支給されない。

3答14 ×　法附則5条1項3号、5項。満額の老齢基礎年金の支給を受けるための納付実績を有していない設問の在外邦人は、任意加入被保険者となるための申出をすることができる。

3答15 ×　法附則5条1項。設問の「70歳」を「65歳」に置き換えると、正しい記述となる。

3答16 ×　(16)法附則23条3項、9項。特例による任意加入被保険者は、付加保険料を納付することができない。

3答17 ○　法附則5条1項2号、5項。設問の通り正しい。満額の老齢基礎年金の支給を受けるための納付実績を有していない設問の日本国内に住所を有する者は、任意加入被保険者となるための申出をすることができる。

3問18
□□□
H29-10A改

60歳で被保険者資格を喪失し日本に居住している特別支給の老齢厚生年金の受給権者(30歳から60歳まで第2号被保険者であり、その他の被保険者期間はない。)であって、老齢基礎年金の支給繰上げの請求を行っていない者(国民年金法の適用を除外すべき特別の理由がある者として厚生労働省令で定める者を除く。)は、国民年金の任意加入被保険者になることができる。

3問19
□□□
H28-4改

日本国内に住所を有する者(国民年金法の適用を除外すべき特別の理由がある者として厚生労働省令で定める者を除く。)が任意加入の申出を行おうとする場合は、原則として、保険料は口座振替納付により納付しなければならないが、任意加入被保険者の資格を喪失するまでの期間の保険料を前納する場合には、口座振替納付によらないことができる。

3問20
□□□
H27-1A

日本国籍を有し日本国内に住所を有しない65歳以上70歳未満の者が、老齢基礎年金、老齢厚生年金その他の老齢又は退職を支給事由とする年金給付の受給権を有しないときは、昭和30年4月1日以前生まれの場合に限り、厚生労働大臣に申し出て特例による任意加入被保険者となることができる。

3問21
□□□
R3-3E

昭和31年4月1日生まれの者であって、日本国内に住所を有する65歳の者(第2号被保険者を除く。)は、障害基礎年金の受給権を有する場合であっても、特例による任意加入被保険者となることができる。なお、この者は老齢基礎年金、老齢厚生年金その他の老齢又は退職を支給事由とする年金たる給付の受給権を有していないものとする。

3問22
□□□
H27-67

日本国内に住所を有する60歳以上65歳未満の任意加入被保険者が法定免除の要件を満たすときには、その保険料が免除される。

3問23
□□□
H28-7A

任意加入被保険者(特例による任意加入被保険者を除く。以下本問において同じ。)は、付加保険料の納付に係る規定の適用については第1号被保険者とみなされ、任意加入被保険者としての被保険者期間は、寡婦年金、死亡一時金及び脱退一時金に係る規定の適用については、第1号被保険者としての被保険者期間とみなされる。

❸答18 ◯　法附則５条１項２号、法附則９条の２の３。設問の通り正しい。

❸答19 ◯　法附則５条２項、則２条の2,2号。設問の通り正しい。

❸答20 ×　(6)法附則11条１項１号、(16)法附則23条１項１号。設問の場合、昭和30年４月１日以前生まれ以外の場合であっても、「昭和40年４月１日以前生まれ」の者である限り、特例による任意加入被保険者となることができる。

❸答21 ◯　(16)法附則23条１項１号。設問の通り正しい。

❸答22 ×　法附則５条10項。任意加入被保険者は、保険料免除の対象とはならない。

❸答23 ◯　法附則５条９項。設問の通り正しい。

4 資格の得喪

最新問題

4 問 1
□□□
R6-4C
難

　留学の在留資格で中長期在留者として日本に在留する20歳以上60歳未満の留学生は、住民基本台帳法第30条の46の規定による届出をした年月日に第1号被保険者の資格を取得する。

4 問 2
□□□
R6-4D

　第3号被保険者が配偶者を伴わずに単身で日本から外国に留学すると、日本国内居住要件を満たさなくなるため、第3号被保険者の資格を喪失する。

4 問 3
□□□
R6-4E

　第2号被保険者は、原則として70歳に到達して厚生年金保険の被保険者の資格を喪失した時に第2号被保険者の資格を喪失するため、当該第2号被保険者の配偶者である第3号被保険者は、それに連動してその資格を喪失することになる。

過去問

4 問 1
□□□
H27-7B

　18歳の厚生年金保険の被保険者に19歳の被扶養配偶者がいる場合、当該被扶養配偶者が20歳に達した日に第3号被保険者の資格を取得する。

4 問 2
□□□
R4-5E

　厚生年金保険の被保険者が19歳であって、その被扶養配偶者が18歳である場合において、その被扶養配偶者が第3号被保険者の資格を取得するのは当該被保険者が20歳に達したときである。

4 問 3
□□□
R4-7A

　厚生年金保険の被保険者が、65歳に達し老齢基礎年金と老齢厚生年金の受給権を取得したときは、引き続き厚生年金保険の被保険者資格を有していても、国民年金の第2号被保険者の資格を喪失する。

4答1 ×　法8条2号、平成24.6.14年国発0614第2号・年管管発0614第3号他。住民基本台帳法30条の46においては、中長期在留者が国外から転入をした場合には、転入をした日から14日以内に、所定の事項を市町村長に届け出なければならないとしているが、この場合に第1号被保険者の資格を取得するのは、当該届出をした年月日ではなく、原則として、入国後、最初に住所を有した日である。

4答2 ×　法7条1項3号、則1条の3。外国において留学をする学生は、「日本国内に住所を有しないが渡航目的その他の事情を考慮して日本国内に生活の基礎があると認められる者として厚生労働省令で定める者」に該当するため、他の要件を継続して満たす限り、第3号被保険者の資格を喪失しない。

4答3 ×　法9条5号、6号、法附則4条。厚生年金保険の被保険者は、原則として、65歳に達した日に、第2号被保険者の資格を喪失する。この場合、その者の配偶者である第3号被保険者は、原則として、他の種別の被保険者に該当することとなる。

4答1 ○　法7条1項3号、法8条1号。設問の通り正しい。

4答2 ×　法7条1項3号、法8条1号。設問の被扶養配偶者が第3号被保険者の資格を取得するのは、当該「被扶養配偶者」が20歳に達したときである。

4答3 ○　法9条5号、法附則4条。設問の通り正しい。

4問4
□□□
H30-7D

第1号被保険者又は第3号被保険者が60歳に達したとき（第2号被保険者に該当するときを除く。）は、60歳に達したときに該当するに至った日に被保険者の資格を喪失する。

4問5
□□□
R4-8E

第1号被保険者又は第3号被保険者が60歳に達したとき（第2号被保険者に該当するときを除く。）は、60歳に達した日に被保険者の資格を喪失する。また、第1号被保険者又は第3号被保険者が死亡したときは、死亡した日の翌日に被保険者の資格を喪失する。

4問6
□□□
R3-2C

第3号被保険者が被扶養配偶者でなくなった時点において、第1号被保険者又は第2号被保険者に該当するときは、種別の変更となり、国民年金の被保険者資格は喪失しない。

4問7
□□□
R3-1C

任意加入被保険者及び特例による任意加入被保険者は、老齢基礎年金又は老齢厚生年金の受給権を取得した日の翌日に資格を喪失する。

4問8
□□□
R4-6E

日本国内に住所を有する60歳以上65歳未満の任意加入被保険者が、日本国内に住所を有しなくなったときは、その日に任意加入被保険者資格を喪失する。

4問9
□□□
H29-3C

日本国籍を有する者で、日本国内に住所を有しない20歳以上65歳未満の任意加入被保険者が、厚生年金保険の被保険者資格を取得したときは、当該取得日に任意加入被保険者の資格を喪失する。

4問10
□□□
H29-3E

日本国籍を有する者で、日本国内に住所を有しない20歳以上65歳未満の者（第2号被保険者及び第3号被保険者を除く。）が任意加入被保険者の資格の取得の申出をしたときは、申出をした日に任意加入被保険者の資格を取得する。

4答4 ○ 法9条3号。設問の通り正しい。

4答5 ○ 法9条1号、3号。設問の通り正しい。

4答6 ○ 法9条6号。設問の通り正しい。

4答7 × 法附則5条5項～8項、法附則9条の2,1項カッコ書、(6)法附則11条5項～8項、(16)法附則23条5項～8項。65歳未満の任意加入被保険者は、（特別支給の）老齢厚生年金の受給権を取得した場合であっても、その資格は喪失しない。また、65歳未満の任意加入被保険者は、（繰上げ支給の）老齢基礎年金の支給を受けることはできない。なお、特例の任意加入被保険者が、老齢基礎年金又は老齢厚生年金の受給権を取得した日の翌日にその資格を喪失するという記述については正しい。

4答8 × 法附則5条6項1号、7項。設問の場合、任意加入被保険者は、原則として、日本国内に住所を有しなくなった日の翌日に、被保険者の資格を喪失する。

4答9 ○ 法附則5条5項2号。設問の通り正しい。

4答10 ○ 法附則5条3項。設問の通り正しい。

4問11 任意加入被保険者は、いつでも厚生労働大臣に申し出て、被保険者の資格を喪失することができるが、その資格喪失の時期は当該申出が受理された日の翌日である。

H28-5D

4問12 18歳から60歳まで継続して厚生年金保険の被保険者であった昭和30年4月2日生まれの者は、60歳に達した時点で保険料納付済期間の月数が480か月となるため、国民年金の任意加入被保険者となることはできない。

H27-6イ

4問13 67歳の男性(昭和27年4月2日生まれ)が有している保険料納付済期間は、第2号被保険者期間としての8年間のみであり、それ以外に保険料免除期間及び合算対象期間を有していないため、老齢基礎年金の受給資格期間を満たしていない。この男性は、67歳から70歳に達するまでの3年間についてすべての期間、国民年金に任意加入し、保険料を納付することができる。

R元-8D

4問14 65歳以上70歳未満の特例による任意加入被保険者で昭和28年10月1日生まれの者は、老齢基礎年金、老齢厚生年金その他の老齢又は退職を支給事由とする年金給付の受給権を取得するなど、他の失権事由に該当しないとしても、令和5年9月30日に70歳に達することによりその日に被保険者の資格を喪失する。

R5-3C

4問15 昭和60年4月から平成6年3月までの9年間(108か月間)厚生年金保険の第3種被保険者としての期間を有しており、この期間以外に被保険者期間を有していない65歳の者(昭和30年4月2日生まれ)は、老齢基礎年金の受給資格を満たしていないため、任意加入の申出をすることにより、65歳以上の特例による任意加入被保険者になることができる。なお、この者は、日本国籍を有し、日本国内に住所を有しているものとする。

R2-9D

4問16 日本国内に住所を有する65歳以上70歳未満の特例による任意加入被保険者は、日本国内に住所を有しなくなった日の翌日(その事実があった日に更に国民年金の被保険者資格を取得したときを除く。)に任意加入被保険者の資格を喪失する。

H29-3B

4答11 ×　法附則５条４項、５項３号。設問の任意加入被保険者の資格喪失の時期は、**申出が受理された日**である。

4答12 ○　法附則５条５項４号、(60)法附則８条２項１号。設問の通り正しい。

4答13 ×　(6)法附則11条１項。設問の男性は、すでに８年間の保険料納付済期間を有しているため、いわゆる特例の任意加入被保険者となれる期間は「２年間」である。

4答14 ○　(6)法附則11条６項４号。設問の通り正しい。

4答15 ×　法26条、(60)法附則47条２項～４項、旧厚年法19条３項、(16)法附則23条１項。設問の者は、受給資格期間として認められる期間を10年４か月※有し、老齢基礎年金の受給資格を満たしているため、特例による任意加入被保険者となることはできない。
※　12か月(昭和60年４月～昭和61年３月)×4/3+60か月(昭和61年４月～平成３年３月)×6/5+36か月(平成３年４月～平成６年３月)＝124月(10年４か月)

4答16 ○　(6)法附則11条７項１号、(16)法附則23条７項１号。設問の通り正しい。

④問17 　日本国内に住所を有する65歳以上70歳未満の特例による任意加
　　　　　入被保険者が保険料を滞納し、その後、保険料を納付することなく
H29-3D　　２年間が経過したときは、その翌日に任意加入被保険者の資格を
　　　　　喪失する。

④問18 　日本国籍を有する者で、日本国内に住所を有しない65歳以上70
　　　　　歳未満の特例による任意加入被保険者は、日本国籍を有しなくなっ
H29-3A　　た日の翌日（その事実があった日に更に国民年金の被保険者資格を
　　　　　取得したときを除く。）に任意加入被保険者の資格を喪失する。

④問19 　海外に居住する20歳以上65歳未満の日本国籍を有する任意加入
　　　　　被保険者は、保険料を滞納し、その後、保険料を納付することなく
H27-1C　　１年間が経過した日の翌日に、被保険者資格を喪失する。

④問20 　特例による任意加入被保険者が、70歳に達する前に厚生年金保
　　　　　険の被保険者の資格を取得したとき、又は老齢若しくは退職を支給
H27-1B改　事由とする年金給付の受給権を取得したときは、それぞれその日に
　　　　　被保険者の資格を喪失する。

5　期間計算等

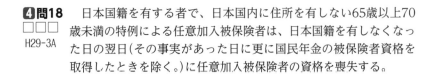

過去問

⑤問1 　平成11年４月１日生まれの者が20歳に達したことにより第１号
　　　　　被保険者の資格を取得したときは、平成31年４月から被保険者期
R元-3E　　間に算入される。

⑤問2 　平成29年３月２日に20歳となり国民年金の第１号被保険者にな
　　　　　った者が、同月27日に海外へ転居し、被保険者資格を喪失した。
H29-10D　この場合、同年３月は、第１号被保険者としての被保険者期間に
　　　　　算入される。なお、同月中に再度被保険者資格を取得しないものと
　　　　　する。

4答17 ×　(6)法附則11条5項～7項、(16)法附則23条5項～7項。特例による任意加入被保険者のうち、保険料を滞納し、その後、保険料を納付することなく2年間が経過したときに、被保険者の資格を喪失するのは、「日本国籍を有する者であって、日本国内に住所を有しない65歳以上70歳未満のもの」である。

4答18 ○　(6)法附則11条8項2号、(16)法附則23条8項2号。設問の通り正しい。

4答19 ×　法附則5条8項4号。設問の場合、保険料を滞納し、その後、保険料を納付することなく**2年間**が経過した日の翌日に被保険者の資格を喪失する。

4答20 ×　(6)法附則11条6項2号、3号、(16)法附則23条6項2号、3号。特例による任意加入被保険者が老齢又は退職を支給事由とする年金給付の受給権を取得したときは、**その日の翌日**に被保険者の資格を喪失する。なお、70歳に達する前に厚生年金保険の被保険者の資格を取得したとき、その日に被保険者の資格を喪失するとする記述については正しい。

5答1 ×　法11条1項。設問の場合、「平成31年3月」から、被保険者期間に算入される。

5答2 ○　法11条2項。設問の通り正しい。被保険者がその資格を取得した日の属する月にその資格を喪失したときは、その月を1箇月として被保険者期間に算入する。

⑤問3 被保険者が、被保険者の資格を取得した日の属する月にその資格
□□□ を喪失したときは、その月を1か月として被保険者期間に算入す
R5-4A るが、その月に更に被保険者の資格を取得したときは、前後の被保
険者期間を合算し、被保険者期間2か月として被保険者期間に算
入する。

⑤問4 被保険者期間の計算において、第1号被保険者から第2号被保
□□□ 険者に種別の変更があった月と同一月に更に第3号被保険者への
H30-6A 種別の変更があった場合、当該月は第2号被保険者であった月と
みなす。なお、当該第3号被保険者への種別の変更が当該月にお
ける最後の種別の変更であるものとする。

⑤問5 4月に第1号被保険者としての保険料を納付した者が、同じ月
□□□ に第2号被保険者への種別の変更があった場合には、4月は第2
R5-5D 号被保険者であった月とみなし、第1号被保険者としての保険料
の納付をもって第2号被保険者としての保険料を徴収したものと
みなす。

6 届出

最新問題

⑥問1 第1号被保険者が国民年金法第88条の2の規定による産前産後
□□□ 期間の保険料免除制度を利用するには、同期間終了日以降に年金事
R6-5A 務所又は市町村（特別区を含む。以下本問において同じ。）の窓口に
申出書を提出しなければならない。

過去問

⑥問1 第1号被保険者の属する世帯の世帯主は、当該被保険者に代わ
□□□ って被保険者資格の取得及び喪失並びに種別の変更に関する事項に
H29-1D ついて、市町村長へ届出をすることができる。

⑤答3 × 法11条2項。被保険者がその資格を取得した日の属する月にその資格を喪失したときは、その月を1か月として被保険者期間に算入するが、その月に更に被保険者の資格を取得したときは、後の資格取得についての期間のみをもって1か月の被保険者期間として算入する。

⑤答4 × 法11条の2。設問の場合、当該月は「第3号被保険者」であった月とみなす。

⑤答5 × 法11条の2、法87条2項、法94条の6。設問後段のような規定はない。設問の場合、4月は第2号被保険者であった月とみなされるため、4月について、国民年金の保険料は徴収されない。なお、納付した4月分の保険料は、その者の請求により還付される。

⑥答1 × 則73条の7,1項、3項。第1号被保険者は、法88条の2（産前産後期間の保険料免除）の規定により保険料を納付することを要しないこととされる場合には、所定の事項を記載した届書を「市町村長」に提出しなければならないが、当該届出は、**出産の予定日の6月前から行うことができる**とされている（産前産後期間の終了日以降とはされていない。）。

⑥答1 ○ 法12条2項。設問の通り正しい。

6問2
□□□
R4-1D

第1号被保険者は、厚生労働大臣が住民基本台帳法第30条の9の規定により当該第1号被保険者に係る機構保存本人確認情報の提供を受けることができる者であっても、当該被保険者の氏名及び住所を変更したときは、当該事実があった日から14日以内に、届書を市町村長(特別区にあっては、区長とする。)に提出しなければならない。

6問3
□□□
R3-7D

被保険者資格の取得及び喪失並びに種別の変更に関する事項並びに氏名及び住所の変更に関する事項の届出が必要な場合には、第1号被保険者は市町村長(特別区の区長を含む。)に、第3号被保険者は厚生労働大臣に、届け出なければならない。

6問4
□□□
R2-6B

第3号被保険者の資格の取得の届出は市町村長に提出することによって行わなければならない。

6問5
□□□
H27-8C

第1号被保険者であった者が就職により厚生年金保険の被保険者の資格を取得したため第2号被保険者となった場合、国民年金の種別変更に該当するため10日以内に市町村長へ種別変更の届出をしなければならない。

6問6
□□□
R元-7E

第3号被保険者の資格取得の届出が、第2号被保険者を使用する事業主又は国家公務員共済組合、地方公務員共済組合若しくは日本私立学校振興・共済事業団に受理されたときは、その受理されたときに厚生労働大臣に届出があったものとみなされる。

6問7
□□□
H29-1A

第1号厚生年金被保険者である第2号被保険者の被扶養配偶者が20歳に達し、第3号被保険者となるときは、14日以内に資格取得の届出を日本年金機構に提出しなければならない。

6問8
□□□
R2-3B

20歳に達したことにより、第3号被保険者の資格を取得する場合であって、厚生労働大臣が住民基本台帳法第30条の9の規定により当該第3号被保険者に係る機構保存本人確認情報の提供を受けることにより20歳に達した事実を確認できるときは、資格取得の届出を要しないものとされている。

6答2 ✕ 則7条1項カッコ書、則8条1項カッコ書。第1号被保険者の氏名及び住所の変更の届出は、厚生労働大臣が住民基本台帳法の規定により機構保存本人確認情報の提供を受けることができる者については、行うことを要しない。

6答3 ○ 法12条1項、5項。設問の通り正しい。

6答4 ✕ 法12条5項、則1条の4,2項。法12条5項の規定による第3号被保険者の資格の取得の届出は、「日本年金機構」に提出することによって行わなければならない。

6答5 ✕ 法附則7条の4,1項、則6条の2,1項カッコ書。第2号被保険者については、国民年金法の届出の規定は適用されないため、種別変更の届出は不要である。

6答6 ○ 法12条9項。設問の通り正しい。

6答7 ○ 則1条の4,2項。設問の通り正しい。

6答8 ✕ 則1条の4,2項。第3号被保険者がその資格を取得した場合、それが年齢到達によるものであり、機構保存本人確認情報の提供を受けることにより当該事実を確認できるときであっても届出を要する。

6問9
□□□
H29-1C

第3号被保険者は、その配偶者が第2号厚生年金被保険者の資格を喪失した後引き続き第3号厚生年金被保険者の資格を取得したときは、14日以内に種別確認の届出を日本年金機構に提出しなければならない。

6問10
□□□
R4-1C

第3号被保険者は、その配偶者である第1号厚生年金被保険者が転職したことによりその資格を喪失した後、引き続き第4号厚生年金被保険者の資格を取得したときは、当該事実があった日から14日以内に種別変更の届出を日本年金機構に対して行わなければならない。

6問11
□□□
H29-1B

第1号厚生年金被保険者である第2号被保険者を使用する事業主は、当該第2号被保険者の被扶養配偶者である第3号被保険者に係る資格の取得及び喪失並びに種別の変更等に関する事項の届出に係る事務の一部を全国健康保険協会に委託することができるが、当該事業主が設立する健康保険組合に委託することはできない。

6問12
□□□
H27-8A

第2号被保険者の夫とその被扶養配偶者となっている第3号被保険者の妻が離婚したことにより生計維持関係がなくなった場合、妻は、第3号被保険者に該当しなくなるため、市町村長(特別区の区長を含む。以下本問において同じ。)へ第1号被保険者の種別の変更の届出を行うとともに、離婚した夫が勤務する事業所の事業主を経由して日本年金機構へ「被扶養配偶者非該当届」を提出しなければならない。なお、夫が使用される事業所は健康保険組合管掌健康保険の適用事業所であり、当該届出の経由に係る事業主の事務は健康保険組合に委託されていないものとする。

6問13
□□□
R2-5E

第3号被保険者であった者が、その配偶者である第2号被保険者が退職し第2号被保険者でなくなったことにより第3号被保険者でなくなったときは、その事実があった日から14日以内に、当該被扶養配偶者でなくなった旨の届書を、提出しなければならない。

6答9 ○　則 6 条の3,1項。設問の通り正しい。

6答10 ×　則 6 条の3,1項。設問の場合、第 3 号被保険者は、「種別確認」の届出を日本年金機構に対して行わなければならない。

6答11 ×　法12条 6 項、8 項。設問の事務の一部については、健康保険組合に委託することができる。また、全国健康保険協会に委託することはできない。

6答12 ○　法12条、法12条の2,1項、則 6 条の2,1項、則 6 条の 2 の 2 、平成26.11.1年管管発1101第 1 号他。設問の通り正しい。

6答13 ×　法12条の2,1項、則 6 条の 2 の2,1項、平成26.11.1年管管発1101第 1 号。配偶者である第 2 号被保険者が退職等により第 2 号被保険者でなくなったことにより第 3 号被保険者が第 1 号被保険者に該当する場合等は、その事実を日本年金機構において確認できるため、設問の「被扶養配偶者でなくなった旨の届書（被扶養配偶者非該当届）」の提出は不要とされる。

6問14 平成26年4月1日を資格取得日とし、引き続き第3号被保険者
□□□　である者の資格取得の届出が平成29年4月13日に行われた。この
H29-1E　場合、平成27年3月以降の各月が保険料納付済期間に算入される
が、平成26年4月から平成27年2月までの期間に係る届出の遅滞
についてやむを得ない事由があると認められるときは、厚生労働大
臣にその旨を届け出ることによって、届出日以後、当該期間の各月
についても保険料納付済期間に算入される。

6問15 第3号被保険者の資格取得の届出を遅れて行ったときは、第3
□□□　号被保険者の資格を満たしていたと認められた場合は該当した日に
R4-6B　さかのぼって第3号被保険者の資格を取得することになるが、こ
の場合において、保険料納付済期間に算入される期間は当該届出を
行った日の属する月の前々月までの2年間である。ただし、届出
の遅滞につきやむを得ない事由があると認められるときは、厚生労
働大臣にその旨の届出をすることができ、その場合は当該届出が行
われた日以後、当該届出に係る期間は保険料納付済期間に算入す
る。

6問16 平成17年4月1日前に第3号被保険者であった者で、その者の
□□□　第3号被保険者期間の未届期間については、その届出を遅滞した
R4-6C　ことについてやむを得ない事由があると認められない場合でも、厚
生労働大臣に届出が行われたときは、当該届出が行われた日以後、
当該届出に係る期間は保険料納付済期間に算入する。

6問17 被保険者又は被保険者であった者が、第3号被保険者としての
□□□　被保険者期間の特例による時効消滅不整合期間について厚生労働大
R3-2E　臣に届出を行ったときは、当該届出に係る時効消滅不整合期間は、
当該届出の行われた日以後、国民年金法第89条第1項に規定する
法定免除期間とみなされる。

6問18 老齢基礎年金の受給権者が、厚生労働大臣に対し、国民年金法の
□□□　規定に基づいて行われるべき事務の処理が行われなかったことによ
H29-7C　り全額免除の申請ができなかった旨の申出をした場合において、そ
の申出が承認され、かつ、当該申出に係る期間が特定全額免除期間
(学生納付特例の期間及び納付猶予の期間を除く。)とみなされたと
きは、申出のあった日の属する月の翌月から年金額が改定される。

⑥答14 ○　法附則７条の3,1項〜３項。設問の通り正しい。

⑥答15 ○　法附則７条の3,1項〜３項。設問の通り正しい。

⑥答16 ○　(16)法附則20条、(16)法附則21条１項、２項。設問の通り正しい。

⑥答17 ×　法附則９条の４の2,1項、２項。設問の届出に係る時効消滅不整合期間は、届出が行われた日以後、法第90条の３第１項の規定による「**学生納付特例期間**」とみなされる。

⑥答18 ○　法附則９条の４の7,7項。設問の通り正しい。いわゆる特定事由に係る申出等の特例に関する問題である。

6 問19
□□□
R2-6C

障害の程度の審査が必要であると認めて厚生労働大臣により指定された障害基礎年金の受給権者は、当該障害基礎年金の額の全部につき支給停止されていない限り、厚生労働大臣が指定した年において、指定日までに、指定日前1か月以内に作成されたその障害の現状に関する医師又は歯科医師の診断書を日本年金機構に提出しなければならない。

6 問20
□□□
R4-7C

国民年金法第30条の4の規定による障害基礎年金の受給権者は、毎年、受給権者の誕生日の属する月の末日までに、当該末日前1月以内に作成された障害基礎年金所得状況届等、国民年金法施行規則第31条第2項第12号ロからニまで及び同条第3項各号に掲げる書類を日本年金機構に提出しなければならない。ただし、当該障害基礎年金の額の全部が支給停止されている場合又は前年の所得に関する当該書類が提出されているときは、当該書類を提出する必要はない。

6 問21
□□□
R4-1E

国民年金法施行規則第23条第1項の規定によると、老齢基礎年金の受給権者の所在が6か月以上明らかでないときは、受給権者の属する世帯の世帯主その他その世帯に属する者は、速やかに、所定の事項を記載した届書を日本年金機構に提出しなければならないとされている。

6 問22
□□□
H27-8D改

老齢基礎年金を受給していた夫が死亡した場合、その死亡当時、生計を同じくしていた妻が、未支給年金を受給するためには、「年金受給権者死亡届」と「未支給年金請求書」を日本年金機構に提出しなければならないが、厚生労働大臣が住民基本台帳法の規定により夫、妻双方に係る機構保存本人確認情報の提供を受けることができる場合には、これらの提出は不要となる。

6 問23
□□□
H27-8E改

加算額対象者がいる障害基礎年金の受給権者は、生計維持関係を確認する必要があるため、原則として毎年、指定日までに「生計維持確認届」を提出しなければならないが、厚生労働大臣が住民基本台帳法の規定により当該受給権者に係る機構保存本人確認情報の提供を受けることができる場合は、提出する必要はない。

⑥答19 ✕ 　則36条の4,1項。その障害の程度の審査が必要であると認めて厚生労働大臣が指定した障害基礎年金の受給権者は、厚生労働大臣が指定した年において、指定日までに、指定日前「**3月以内**」に作成されたその障害の現状に関する医師又は歯科医師の診断書を日本年金機構に提出しなければならないとされている。

⑥答20 ✕ 　則36条の5、令和3.6.24厚労告248号。設問の書類の提出に係る指定日は、受給権者の誕生日の属する月の末日ではなく、「**9月30日**」である。なお、設問文ただし書きの場合に加え、「厚生労働大臣が国民年金法108条2項(資料の提供等)の規定により同項に規定する事項について必要な書類を閲覧し、若しくは資料の提供を受けることにより指定日の属する年の前年の所得に関する当該書類に係る事実を確認することができるとき」も設問の書類を提出する必要はない。

⑥答21 ✕ 　則23条1項。設問の「6か月」を「1月」に置き換えると、正しい記述となる。

⑥答22 ✕ 　法105条4項、則24条1項、6項、則25条1項。設問の場合、「未支給年金請求書」の提出は必要とされている。

> 老齢基礎年金の受給権者が死亡したときは、戸籍法の規定による死亡の届出義務者は、その旨を厚生労働大臣に届け出なければならないが、「厚生労働大臣が住民基本台帳法の規定により当該受給権者に係る機構保存本人確認情報の提供を受けることができる受給権者」の死亡について、戸籍法の規定による死亡の届出をした場合(受給権者の死亡の日から7日以内に当該受給権者に係る同法の規定による死亡の届出をした場合に限る。)は、当該死亡の届出は不要となる。

⑥答23 ✕ 　則36条の3,1項。設問の場合、「生計維持確認届」の提出は必要とされている。

⑥問24
□□□
H27-8B

施設入居等により住民票の住所と異なる居所に現に居住しており、その居所に年金の支払いに関する通知書等が送付されている老齢基礎年金の受給権者が、居所を変更した場合でも、日本年金機構に当該受給権者の住民票コードが収録されているときは、「年金受給権者住所変更届」の提出は不要である。

⑥問25
□□□
R3-4オ

老齢基礎年金の受給権者は、年金の払渡しを希望する機関又は当該機関の預金口座の名義を変更しようとするときは、所定の事項を記載した届書を日本年金機構に提出しなければならない。

7 国民年金原簿等

⑦問 1
□□□
H28-2C

厚生労働大臣は、国民年金原簿を備え、これに被保険者の氏名、資格の取得及び喪失、種別の変更、保険料の納付状況、基礎年金番号その他厚生労働省令で定める事項を記録することとされているが、当分の間、第2号被保険者について記録する対象となる被保険者は、厚生年金保険法に規定する第1号厚生年金被保険者に限られている。

⑦問 2
□□□
R2-6D

国家公務員共済組合の組合員、地方公務員共済組合の組合員又は私立学校教職員共済制度の加入者に係る被保険者としての氏名、資格の取得及び喪失、種別の変更、保険料の納付状況、基礎年金番号その他厚生労働省令で定める事項については国民年金原簿に記録するものとされていない。

⑦問 3
□□□
R元-1エ

国民年金原簿には、所定の事項を記録するものとされており、その中には、保険料4分の3免除、保険料半額免除又は保険料4分の1免除の規定によりその一部につき納付することを要しないものとされた保険料に関する事項が含まれる。

⑦問 4
□□□
H30-7E

寡婦年金を受けることができる妻は、国民年金原簿に記録された死亡した夫に係る特定国民年金原簿記録が事実でない、又は国民年金原簿に死亡した夫に係る特定国民年金原簿記録が記録されていないと思料するときは、厚生労働省令で定めるところにより、厚生労働大臣に対し、国民年金原簿の訂正の請求をすることができる。

6答24 ×　法12条1項、3項、則20条1項、平成23.6.17年管管発0617第2号。設問の「居所」の変更については、「年金受給権者住所変更届」の提出が必要である。

6答25 ○　則21条1項。設問の通り正しい。

7答1 ○　法14条、法附則7条の5,1項。設問の通り正しい。

7答2 ○　法14条、法附則7条の5,1項。設問の通り正しい。

7答3 ○　則15条4号。設問の通り正しい。

7答4 ○　法14条の2。設問の通り正しい。

7問5
R4-1B
厚生労働大臣に対する国民年金原簿の訂正の請求に関し、第2号被保険者であった期間のうち国家公務員共済組合、地方公務員共済組合の組合員又は私立学校教職員共済制度の加入者であった期間については、国民年金原簿の訂正の請求に関する規定は適用されない。

7問6
R2-8オ
国民年金原簿の訂正請求に係る国民年金原簿の訂正に関する方針を定め、又は変更しようとするときは、厚生労働大臣は、あらかじめ、社会保険審査会に諮問しなければならない。

8 国庫負担

過去問

8問1
R3-1B
保険料4分の1免除期間に係る老齢基礎年金の給付に要する費用については、480から保険料納付済期間の月数を控除して得た月数を限度として国庫負担の対象となるが、保険料の学生納付特例及び納付猶予の期間(追納が行われた場合にあっては、当該追納に係る期間を除く。)は国庫負担の対象とならない。

8問2
R3-5E
国庫は、当該年度における20歳前傷病による障害基礎年金の給付に要する費用について、当該費用の100分の20に相当する額と、残りの部分(100分の80)の4分の1に相当する額を合計した、当該費用の100分の40に相当する額を負担する。

8問3
R4-6D
国庫は、当分の間、毎年度、国民年金事業に要する費用に充てるため、当該年度における国民年金法による付加年金の給付に要する費用及び同法による死亡一時金の給付に要する費用(同法第52条の4第1項に定める額に相当する部分の給付に要する費用を除く。)の総額の4分の1に相当する額を負担する。

8問4
R元-17
政府は、政令の定めるところにより、市町村(特別区を含む。)に対し、市町村長(特別区の区長を含む。)が国民年金法又は同法に基づく政令の規定によって行う事務の処理に必要な費用の2分の1に相当する額を交付する。

7答5 ○ 法附則7条の5,1項。設問の通り正しい。

7答6 × 法14条の3,2項。厚生労働大臣は、設問の方針を定め、又は変更しようとするときは、あらかじめ、「社会保障審議会」に諮問しなければならない。

8答1 ○ 法85条1項1号、2号、(16)法附則19条4項、(26)法附則14条3項。設問の通り正しい。

8答2 × 法85条1項1号、3号。設問の20歳前傷病による障害基礎年金の給付に要する費用については、当該費用の100分の20に相当する額と残りの部分(100分の80)の「2分の1」に相当する額を合計した、当該費用の「**100分の60**」に相当する額を負担することとされている。

8答3 ○ (60)法附則34条1項1号。設問の通り正しい。なお、設問文の「死亡一時金の給付に要する費用(同法第52条の4第1項に定める額に相当する部分の給付に要する費用を除く。)」とは、「付加保険料の保険料納付済期間が3年以上ある者が死亡した場合に支給される死亡一時金の加算額の給付に要する費用」のことである。

8答4 × 法86条。政府は、政令の定めるところにより、市町村(特別区を含む。)に対し、市町村長(特別区の区長を含む。)が国民年金法又は同法に基づく政令の規定によって行う「事務の処理に必要な費用」を交付する。

9 基礎年金拠出金

最新問題

9問1
□□□
R6-1D

基礎年金拠出金の額は、保険料・拠出金算定対象額に当該年度における被保険者の総数に対する当該年度における当該政府及び実施機関に係る被保険者の総数の比率に相当するものとして毎年度政令で定めるところにより算定した率を乗じて得た額とする。

過去問

9問1
□□□
H28-7B

実施機関たる共済組合等は、毎年度当該年度における保険料・拠出金算定対象額の見込額に当該年度における当該実施機関たる共済組合等に係る拠出金按分率の見込値を乗じて得た額の基礎年金拠出金を、厚生労働省令の定めるところにより、日本年金機構に納付しなければならない。

9問2
□□□
H27-7E改

財政の現況及び見通しが作成されるときは、厚生労働大臣は、厚生年金保険の実施者たる政府が負担し、又は実施機関たる共済組合等が納付すべき基礎年金拠出金について、その将来にわたる予想額を算定するものとする。

9問3
□□□
R元-5D

基礎年金拠出金の額の算定基礎となる被保険者は、第1号被保険者にあっては保険料納付済期間、保険料4分の1免除期間、保険料半額免除期間又は保険料4分の3免除期間を有する者であり、第2号被保険者及び第3号被保険者にあってはすべての者である。

9問4
□□□
H30-1D

基礎年金拠出金の額の算定基礎となる第1号被保険者数は、保険料納付済期間、保険料免除期間及び保険料未納期間を有する者の総数である。

9問5
□□□
R4-8C

基礎年金拠出金の額の算定基礎となる第1号被保険者数は、保険料納付済期間、保険料全額免除期間、保険料4分の3免除期間、保険料半額免除期間及び保険料4分の1免除期間を有する者の総数とされている。

9 答 1 ○　法94条の3,1項。設問の通り正しい。

---

9 答 1 ×　法94条の2,2項、令11条の4,1項。設問の基礎年金拠出金は、厚生労働省令の定めるところにより、「**国民年金の管掌者たる政府**」に納付しなければならない。

9 答 2 ○　法94条の2,3項。設問の通り正しい。

9 答 3 ×　法94条の3,1項、2項、令11条の3。基礎年金拠出金の額の算定対象となる被保険者について、**第2号被保険者**にあっては、「**20歳以上60歳未満の者**」とされている。

9 答 4 ×　法94条の3,1項、2項、令11条の3。設問の第1号被保険者数は、保険料納付済期間、保険料4分の1免除期間、保険料半額免除期間又は保険料4分の3免除期間を有する者の総数とされている。

9 答 5 ×　法94条の3,1項、2項、令11条の3。基礎年金拠出金の額の算定基礎となる第1号被保険者数は、「保険料納付済期間、保険料4分の1免除期間、保険料半額免除期間又は保険料4分の3免除期間」を有する者の総数とされている。

9問6
□□□
R3-5D
難

共済組合等が共済払いの基礎年金(国民年金法施行令第1条第1項第1号から第3号までに規定する老齢基礎年金、障害基礎年金及び遺族基礎年金であって厚生労働省令で定めるものをいう。)の支払に関する事務を行う場合に、政府はその支払に必要な資金を日本年金機構に交付することにより当該共済組合等が必要とする資金の交付をさせることができる。

10 保険料

[最新問題]

10問1
□□□
R6-8ウ

付加保険料の納付は、国民年金法第88条の2の規定により保険料を納付することを要しないものとされた第1号被保険者の産前産後期間の各月については行うことができないとされている。

10問2
□□□
R6-1A

被保険者は、出産の予定日(厚生労働省令で定める場合にあっては、出産の日)の属する月の前月(多胎妊娠の場合においては、3か月前)から出産予定月の翌々月までの期間に係る保険料は、納付することを要しない。

10問3
□□□
R6-1C

国民年金法第93条第1項の規定による保険料の前納は、厚生労働大臣が定める期間につき、月を単位として行うものとし、厚生労働大臣が定める期間のすべての保険料(既に前納されたものを除く。)をまとめて前納する場合においては、6か月又は年を単位として行うことを要する。

10問4
□□□
R6-9C

政府は、国民年金事業に要する費用に充てるため、被保険者期間の計算の基礎となる各月につき保険料を徴収することとなっているが、被保険者は、将来の一定期間の保険料を前納することができる。その場合、国民年金法第87条第3項の表に定める額に保険料改定率を乗じて得た額となり、前納による控除は適用されない。

9答6 ✕ 令15条１項、令16条１項、２項。政府が設問の共済払いの基礎年金の支払に係る資金の交付をするときは、必要な資金を「日本銀行」に交付することにより行うこととされている。

10答1 ✕ 法87条の2,2項。産前産後期間の保険料免除は、他の保険料免除とは異なり、所得の有無にかかわらず保険料の負担を免除するものであることから、当該期間についても付加保険料を納付することができる。

10答2 〇 法88条の２。設問の通り正しい。

10答3 ✕ 令７条。法93条１項の規定による保険料の前納は、厚生労働大臣が定める期間につき、６月又は年を単位として、行うものとされているが、厚生労働大臣が定める期間のすべての保険料（既に前納されたものを除く。）をまとめて前納する場合においては、６月又は年を単位として行うことを要しない。

10答4 ✕ 法87条１項、２項、法93条１項、２項。被保険者が将来の一定期間の保険料を前納する場合、当該前納すべき額は、当該期間の各月の保険料の額から政令で定める額を控除した額とされる（前納による控除が行われる。）。

10問1
□□□
R2-2B

平成12年1月1日生まれの者が20歳に達し第1号被保険者となった場合、令和元年12月から被保険者期間に算入され、同月分の保険料から納付する義務を負う。

10問2
□□□
H29-10B

第1号被保険者として継続して保険料を納付してきた者が平成29年3月31日に死亡した場合、第1号被保険者としての被保険者期間は同年2月までとなり、保険料を納付することを要しないとされている場合を除き、保険料も2月分まで納付しなければならない。

10問3
□□□
H30-3C改

令和7年度の国民年金保険料の月額は、17,000円に保険料改定率を乗じて得た額を10円未満で端数処理した17,510円である。

10問4
□□□
R5-8B

令和5年度の実際の国民年金保険料の月額は、平成29年度に引き上げが完了した上限である16,900円（平成16年度水準）に、国民年金法第87条第3項及び第5項の規定に基づき名目賃金の変動に応じて改定された。

10問5
□□□
R元-3D

付加保険料の納付は、産前産後期間の保険料免除の規定により納付することを要しないものとされた保険料に係る期間の各月について行うことができない。

10問6
□□□
R2-3E

日本国籍を有する者その他政令で定める者であって、日本国内に住所を有しない20歳以上65歳未満の任意加入被保険者は、厚生労働大臣に申し出て、付加保険料を納付する者となることができる。

10問7
□□□
H29-4C

保険料の半額を納付することを要しないとされた者は、当該納付することを要しないとされた期間について、厚生労働大臣に申し出て付加保険料を納付する者となることができる。

⑩答1　○　法11条1項、法87条2項。設問の通り正しい。

⑩答2　×　法9条1号、法11条1項、法87条2項。設問の第1号被保険者の資格喪失日は平成29年4月1日であるため、同年3月までが第1号被保険者としての被保険者期間となり、保険料は3月分まで納付しなければならない。

⑩答3　○　法87条3項、改定率改定令2条2項。設問の通り正しい。令和7年度の保険料については、保険料改定率が1.030とされたことから、その額は、17,510円(17,000円×1.030)とされた。

⑩答4　×　法87条3項、5項。令和5年度の国民年金保険料の月額は、法87条3項において令和元年度以後の年度に属する月の月分として規定されている「**17,000円**」に保険料改定率を乗じて得た額(その額に5円未満の端数が生じたときは、これを切り捨て、5円以上10円未満の端数が生じたときは、これを10円に切り上げるものとする。)とされる。なお、保険料改定率は、法87条5項の規定により、毎年度、当該年度の前年度の保険料改定率に名目賃金変動率を乗じて得た率を基準として改定される。

⑩答5　×　法87条の2,2項。付加保険料の納付は、産前産後期間の保険料免除の規定により納付することを要しないものとされた保険料に係る期間の各月について行うことができる。

⑩答6　○　法87条の2、法附則5条9項。設問の通り正しい。

⑩答7　×　法87条の2,1項。保険料の半額を納付することを要しないとされた者は、当該納付することを要しないとされた期間について、付加保険料を納付する者となることはできない。

⑩問8
☐☐☐
H30-6E

付加保険料を納付する者となったものは、いつでも、厚生労働大臣に申し出て、その申出をした日の属する月以後の各月に係る保険料に限り、付加保険料を納付する者でなくなることができる。

⑩問9
☐☐☐
H27-4B

付加保険料を納付する第1号被保険者が国民年金基金の加入員となったときは、加入員となった日に付加保険料の納付の辞退の申出をしたものとみなされる。

⑩問10
☐☐☐
R4-4C

厚生労働大臣に申し出て付加保険料を納付する者となった者が付加保険料を納期限までに納付しなかったときは、当該納期限の日に付加保険料を納付する者でなくなる申出をしたものとみなされる。

⑩問11
☐☐☐
R元-10C

平成31年4月分から令和2年3月分まで付加保険料を前納していた者が、令和元年8月に国民年金基金の加入員となった場合は、その加入員となった日に付加保険料を納付する者でなくなる申出をしたとみなされるため、令和元年7月分以後の各月に係る付加保険料を納付する者でなくなり、請求により同年7月分以後の前納した付加保険料が還付される。

⑩問12
☐☐☐
R4-10E

第1号被保険者の保険料は、被保険者本人分のみならず、世帯主はその世帯に属する第1号被保険者の保険料を連帯して納付する義務を負い、配偶者の一方は、第1号被保険者である他方の保険料を連帯して納付する義務を負う。

⑩問13
☐☐☐
R元-10D

令和元年10月31日に出産予定である第1号被保険者(多胎妊娠ではないものとする。)は、令和元年6月1日に産前産後期間の保険料免除の届出をしたが、実際の出産日は令和元年11月10日であった。この場合、産前産後期間として保険料が免除される期間は、令和元年10月分から令和2年1月分までとなる。

⑩問14
☐☐☐
H30-7C

被保険者は、第1号被保険者としての被保険者期間及び第2号被保険者としての被保険者期間については国民年金保険料を納付しなければならないが、第3号被保険者としての被保険者期間については国民年金保険料を納付することを要しない。

⑩**答8** ×　法87条の2,3項。設問の申出をした場合は、その申出をした日の属する月の前月以後の各月に係る保険料〔既に納付されたもの及び前納されたもの(国民年金基金の加入員となった日の属する月以後の各月に係るものを除く。)を除く。〕につき付加保険料を納付する者でなくなることができる。

⑩**答9**　○　法87条の2,4項。設問の通り正しい。

⑩**答10** ×　法87条の2,4項他。現在、設問のような規定はない。なお、平成26年4月1日前においては、申出により付加保険料を納付する者となった者が付加保険料を納期限までに納付しなかったときは、当該納期限の日に付加保険料を納付するものでなくなる申出をしたものとみなされていた。

⑩**答11** ×　法87条の2,3項。設問の者は、前納した後に国民年金基金の加入員となったため、加入員となった令和元年8月以後の各月に係る付加保険料が、請求により還付されることとなり、7月分の付加保険料は還付されない。

⑩**答12**　○　法88条2項、3項。設問の通り正しい。

⑩**答13** ×　法88条の2、則73条の6。設問の第1号被保険者は、産前産後の保険料免除の届出後に出産しているため、実際の出産日にかかわらず、出産予定日の属する月の前月である「令和元年9月分」から当該出産予定日の属する月の翌々月である「令和元年12月分」までが、保険料免除の対象となる。

⑩**答14** ×　法88条1項、法94条の6。第3号被保険者としての被保険者期間と同様に、第2号被保険者としての被保険者期間についても、被保険者は、保険料を納付することを要しない。

⑩問15 第1号被保険者に対しては、市町村長から、毎年度、各年度の
□□□ 各月に係る保険料について、保険料の額、納期限等の通知が行われ
H28-6C る。

⑩問16 厚生労働大臣は、被保険者から保険料の口座振替納付を希望する
□□□ 旨の申出があった場合には、その納付が確実と認められるときに限
R5-1C り、その申出を承認することができる。

⑩問17 国民年金基金は、被保険者の委託を受けて、保険料の納付に関す
□□□ る事務を行うことができるとされており、国民年金基金に未加入の
R元-1オ 者の保険料の納付に関する事務であっても行うことができる。

⑩問18 保険料の納付受託者は、国民年金保険料納付受託記録簿を備え付
□□□ け、これに納付事務に関する事項を記載し、当該記録簿をその完結
H30-1E の日から5年間保存しなければならない。

⑩問19 保険料の納付受託者が、国民年金法第92条の5第1項の規定に
□□□ より備え付けなければならない帳簿は、国民年金保険料納付受託記
R5-7A 録簿とされ、納付受託者は厚生労働省令で定めるところにより、こ
れに納付事務に関する事項を記載し、及びこれをその完結の日から
3年間保存しなければならない。

⑩問20 被保険者が保険料を納付受託者に交付したときは、納付受託者
□□□ は、厚生労働大臣に対して当該保険料の納付の責めに任ずるととも
R4-7D に、遅滞なく厚生労働省令で定めるところにより、その旨及び交付
を受けた年月日を厚生労働大臣に報告しなければならない。

⑩問21 前納された保険料について、保険料納付済期間又は保険料4分
□□□ の3免除期間、保険料半額免除期間若しくは保険料4分の1免除
H30-3D 期間を計算する場合においては、前納に係る期間の各月の初日が到
来したときに、それぞれその月の保険料が納付されたものとみなさ
れる。

⑩答15 ✕ 　法92条１項。設問の通知に係る事務は、「**厚生労働大臣**」が行うこととされており、市町村長が行うこととはされていない。なお、厚生労働大臣は、日本年金機構に、保険料の通知に係る事務（当該通知を除く。）を行わせるものとされている。

⑩答16 ✕ 　法92条の２。厚生労働大臣は、被保険者から、口座振替納付を希望する旨の申出があった場合には、その納付が確実と認められ、かつ、その申出を承認することが保険料の徴収上有利と認められるときに限り、その申出を承認することができる。

⑩答17 ✕ 　法92条の3,1項。国民年金基金に納付事務を委託することができるのは、国民年金基金の加入員に限られる。

⑩答18 ✕ 　法92条の5,1項、則72条の７。設問の「５年間」は、「**３年間**」が正しい。

⑩答19 ○ 　法92条の5,1項、則72条の７。設問の通り正しい。

⑩答20 ✕ 　法92条の4,1項、２項。被保険者が保険料を納付受託者に交付したときは、納付受託者は、「**政府**」に対して当該保険料の納付の責めに任ずるものとされている。なお、納付受託者が被保険者から保険料の交付を受けたときに、遅滞なく、厚生労働省令で定めるところにより、その旨及び交付を受けた年月日を厚生労働大臣に報告しなければならないとする記述については正しい。

⑩答21 ✕ 　法93条３項。前納された保険料について保険料納付済期間又は保険料４分の３免除期間、保険料半額免除期間若しくは保険料４分の１免除期間を計算する場合においては、前納に係る期間の各月が経過した際に、それぞれその月の保険料が納付されたものとみなされる。

⑩問22
□□□
保険料の一部の額につき納付することを要しないものとされた被保険者には、保険料の前納に関する規定は適用されない。

⑩問23
□□□
国民年金の保険料の前納は、厚生労働大臣が定める期間につき、6月又は年を単位として行うものとされていることから、例えば、昭和34年8月2日生まれの第1号被保険者が、平成31年4月分から令和元年7月分までの4か月分をまとめて前納することは、厚生労働大臣が定める期間として認められることはない。

⑩問24
□□□
第1号被保険者が保険料を口座振替で納付する場合には、最大で2年間の保険料を前納することができる。

⑩問25
□□□
被保険者が保険料を前納した後、前納に係る期間の経過前に保険料額の引上げが行われることとなった場合に、前納された保険料のうち当該保険料額の引上げが行われることとなった後の期間に係るものは、当該期間の各月につき納付すべきこととなる保険料に、先に到来する月の分から順次充当される。

⑩問26
□□□
第1号被保険者が保険料を前納した後、前納に係る期間の経過前に第2号被保険者となった場合は、その者の請求に基づいて、前納した保険料のうち未経過期間に係る保険料が還付される。

⑩答22 ✕　法93条１項。保険料４分の３免除期間、保険料半額免除期間又は保険料４分の１免除期間に係る納付すべき保険料についても、前納は可能である。

⑩答23 ✕　令７条、平成31.2.28厚労告47号。保険料の前納は、厚生労働大臣が定める期間のすべての保険料をまとめて前納する場合においては、６月又は年を単位として行うことを要しない。設問の者は、令和元年８月に60歳に到達し第１号被保険者の資格を喪失するため、厚生労働大臣が指定する期間として、平成31年４月から令和元年７月までの４か月分を、まとめて前納することが可能である。

⑩答24 ○　令７条、令和3.2.24厚労告50号。設問の通り正しい。なお、設問の口座振替で納付する場合に限らず、現金納付やクレジットカードによる納付の場合においても２年前納は可能である。

⑩答25 ○　令８条の２。設問の通り正しい。

⑩答26 ○　令９条１項１号ロ。設問の通り正しい。保険料を前納した後、前納に係る期間の経過前において被保険者がその資格を喪失した場合又は第１号被保険者が第２号被保険者若しくは第３号被保険者となった場合においては、その者(その者が死亡した場合においては、その者の相続人)の請求に基づき、前納した保険料のうち未経過期間に係るものを還付する。

プラスα　令和６年１月１日以降、設問の還付発生の場合において、あらかじめ、当該被保険者が還付発生の場合に当該還付を法92条の２（口座振替による納付）の規定による承認に係る預金口座又は貯金口座等において受けることを希望する旨の申出をしていたときは、当該者が還付の請求をしたものとみなして、還付を行うこととされている。

11 保険料の免除

最新問題

11 問1
□□□
R6-5E
難

配偶者から暴力を受けて避難している被保険者が、配偶者の前年所得を免除の審査対象としない特例免除を利用するには、配偶者と住民票上の住居が異ならなければならないことに加えて、女性相談支援センター等が発行する配偶者からの暴力の被害者の保護に関する証明書によって配偶者から暴力があった事実を証明しなければならない。

11 問2
□□□
R6-1B

国民年金法第90条の3第1項各号のいずれかに該当する、学生等である被保険者又は学生等であった被保険者から申請があったときは、厚生労働大臣は、その指定する期間に係る保険料につき、既に納付されたものを除き、これを納付することを要しないものとし、申請のあった日以後、当該保険料に係る期間を保険料全額免除期間(国民年金法第94条第1項の規定により追納が行われた場合にあっては、当該追納に係る期間を除く。)に算入することができる。

11 問3
□□□
R6-5B

学生納付特例制度を利用することができる学生には高等学校に在籍する生徒も含まれるが、定時制及び通信制課程の生徒は、学生納付特例制度を利用することができない。

11 問4
□□□
R6-5C
難

矯正施設の収容者は、市町村に住民登録がなく、所得に係る税の申告が行えないため、保険料免除制度を利用できない。

⑪答1 ✕ 　則77条の7,3号、平成24.7.6年管管発0706第1号、令和5.3.30年管企発0330第10号、年管管発0330第2号。住民票上の住所が配偶者と同一であって実際の住所が異なる者も、配偶者と住所が異なること等の申出書を提出することにより、設問の特例免除を受けることは可能である（配偶者と住民票上の住所が異ならなければならないわけではない。）。また、女性相談支援センター以外の配偶者暴力対応機関や地方公共団体と連携して配偶者からの暴力を受けた者の支援を行っている民間支援団体（一時保護委託を受けている民間シェルター、配偶者暴力に関する協議会参加団体、補助金等交付団体）が発行した確認書も、上記証明書と同様のものとして取扱われるため、配偶者から暴力があった事実は、必ずしも設問の証明書によって証明しなければならないわけではない。

⑪答2 ◯ 　法90条の3,1項。設問の通り正しい。

⑪答3 ✕ 　令6条の6。定時制及び通信制課程の生徒も、学生納付特例の対象となり得る。

⑪答4 ✕ 　平成26.9.19年管管発0919第1号。刑務所等の矯正施設に収容中の期間は住民登録がない期間であっても日本国内に住所があると認められるため、矯正施設に収容されている期間に係る矯正施設の長の証明書等を添付することによって、保険料免除等の申請手続きが可能である。

11問1
□□□
R5-9C

年金額の増額を図る目的で、60歳以上65歳未満の間に国民年金に任意加入をする場合、当該期間については、第1号被保険者としての被保険者期間とみなされるため、申請すれば、一定期間保険料の免除を受けることができる。

11問2
□□□
R元-4A

被保険者(産前産後期間の保険料免除及び保険料の一部免除を受ける者を除く。)が保険料の法定免除の要件に該当するに至ったときは、当該被保険者の世帯主又は配偶者の所得にかかわらず、その該当するに至った日の属する月の前月からこれに該当しなくなる日の属する月までの期間に係る保険料は、既に納付されたものを除き、納付することを要しない。

11問3
□□□
R4-9D

第1号被保険者(産前産後期間の保険料免除及び保険料の一部免除を受ける者ではないものとする。)が、保険料の法定免除の要件に該当するに至ったときは、その要件に該当するに至った日の属する月の前月からこれに該当しなくなる日の属する月までの期間に係る保険料は、既に納付されたものを除き、納付することを要しない。

11問4
□□□
R5-2A

学生納付特例による保険料納付猶予の適用を受けている第1号被保険者が、新たに保険料の法定免除の要件に該当した場合には、その該当するに至った日の属する月の前月から、これに該当しなくなる日の属する月までの期間、法定免除の適用の対象となる。

11問5
□□□
R2-10イ

障害基礎年金の受給権者であることにより法定免除の要件に該当する第1号被保険者は、既に保険料が納付されたものを除き、法定免除事由に該当した日の属する月の前月から保険料が免除となるが、当該被保険者からこの免除となった保険料について保険料を納付する旨の申出があった場合、申出のあった期間に係る保険料を納付することができる。

11問6
□□□
R2-10オ

第1号被保険者が、生活保護法による生活扶助を受けるようになると、保険料の法定免除事由に該当し、既に保険料が納付されたものを除き、法定免除事由に該当した日の属する月の前月から保険料が免除になり、当該被保険者は、法定免除事由に該当した日から14日以内に所定の事項を記載した届書を市町村に提出しなければならない。ただし、厚生労働大臣が法定免除事由に該当するに至ったことを確認したときは、この限りでない。

⑪答 1　×　法附則 5 条 9 項、(16)法附則19条 5 項、(26)法附則14条 4
項。任意加入被保険者は、保険料免除の対象とならない。

⑪答 2　○　法89条 1 項。設問の通り正しい。

⑪答 3　○　法89条 1 項。設問の通り正しい。

⑪答 4　○　法89条 1 項他。設問の通り正しい。

⑪答 5　○　法89条。設問の通り正しい。

⑪答 6　○　則75条。設問の通り正しい。

⓫問7
□□□
H27-6I

第1号被保険者が生活保護法の保護のうち、医療扶助のみを受けた場合、保険料の法定免除の対象とされる。

⓫問8
□□□
H29-4B

国民年金法第89条第2項に規定する、法定免除の期間の各月につき保険料を納付する旨の申出は、障害基礎年金の受給権者であることにより法定免除とされている者又は生活保護法による生活扶助を受けていることにより法定免除とされている者のいずれであっても行うことができる。

⓫問9
□□□
R元-10A

令和元年8月に保険料の免除（災害や失業等を理由とした免除を除く。）を申請する場合は、平成29年7月分から令和2年6月分まで申請可能であるが、この場合、所定の所得基準額以下に該当しているかについては、平成29年7月から平成30年6月までの期間は、平成28年の所得により、平成30年7月から令和元年6月までの期間は、平成29年の所得により、令和元年7月から令和2年6月までの期間は、平成30年の所得により判断する。

⓫問10
□□□
H28-17

国民年金法第90条第1項に規定する申請による保険料の全額免除の規定について、学生である期間及び学生であった期間は、その適用を受けることができない。

11答7 ✕ 法89条 1 項 2 号、則74条 1 号。第 1 号被保険者が保険料の法定免除の対象とされるのは、生活保護法の保護のうち「生活扶助」を受けた場合である。

11答8 ◯ 法89条。設問の通り正しい。

11答9 ◯ 法90条 1 項、則77条の 2 、平26.3.31厚労告191号他。設問の通り正しい。免除申請のあった日の属する月の 2 年 1 月前の月（原則）から当該申請のあった日の属する年の翌年 6 月（当該申請のあった日の属する月が 1 月から 6 月までである場合にあっては、当該申請のあった日の属する年の 6 月）までの期間のうち必要と認める期間とされるため、令和元年 8 月に保険料の免除を申請する場合は、平成29年 7 月分から令和 2 年 6 月分までが、免除の対象期間となり得る。また、設問の所定の所得基準以下に該当しているかについては、当該保険料を納付することを要しないものとすべき月の属する年の前年の所得（ 1 月から 6 月までの月分の保険料については、前々年の所得とする。）で判断されることとなるため、後段の記述についても正しい。

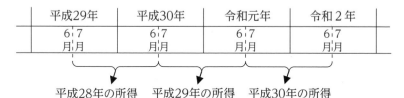

平成29年	平成30年	令和元年	令和 2 年
6 月 / 7 月	6 月 / 7 月	6 月 / 7 月	6 月 / 7 月

平成28年の所得　平成29年の所得　平成30年の所得

11答10 ◯ 法90条 1 項。設問の通り正しい。

⑪問11 ともに第1号被保険者である夫婦（夫45歳、妻40歳）と3人の子
□□□ （15歳、12歳、5歳）の5人世帯で、夫のみに所得があり、その前
H30-6C改 年の所得（1月から6月までの月分の保険料については前々年の所
得とする。）が210万円の場合、申請により、その指定する期間に係
る当該夫婦の保険料は全額免除となる。なお、法定免除の事由に該
当せず、妻と3人の子は夫の扶養親族等であるものとする。

⑪問12 全額免除要件該当被保険者等が、指定全額免除申請事務取扱者に
□□□ 全額免除申請の委託をしたときは、当該委託をした日に、全額免除
H29-4D 申請があったものとみなされる。

⑪問13 前年の所得（1月から3月までの月分の保険料については、前々
□□□ 年の所得。以下本問において同じ。）がその者の扶養親族等の有無及
H28-1I び数に応じ一定額以下の学生である第1号被保険者については、
その者の世帯主又は配偶者の前年の所得にかかわらず、国民年金法
第90条の3の規定による学生納付特例の適用を受けることができ
る。

⑪問14 学生納付特例による保険料免除の対象となる期間は、被保険者が
□□□ 30歳に達する日の属する月の前月までの期間に限られる。
R元-3C

答11 ✕　法90条１項１号、令６条の７。設問の場合、当該夫婦の保険料は全額免除とはならない。設問の保険料が全額免除となるためには、夫の前年の所得（１月から６月までの月分の保険料については前々年の所得とする。）が207万円〔（４＋１）×35万円＋32万円〕以下でなければならない。

Point

保険料免除の所得基準

全額免除・納付猶予			[(扶の数＋１)×35万円＋32万円]
4分の3免除	扶	なし	88万円
		あり	[扶の数×38万円(原則)＋88万円]
半額免除・学生納付特例	扶	なし	128万円
		あり	[扶の数×38万円(原則)＋128万円]
4分の1免除	扶	なし	168万円
		あり	[扶の数×38万円(原則)＋168万円]

扶…扶養親族等(特定年齢扶養親族にあっては、控除対象扶養親族に限る。)

答12 〇　法109条の2,2項。設問の通り正しい。設問の「指定全額免除申請事務取扱者」とは、全額免除申請に関する事務を適正かつ確実に実施することができると認められる者であって、厚生労働大臣が当該者からの申請に基づき指定するものをいう。なお、指定全額免除申請事務取扱者は、設問の事務のほか、納付猶予に係る第１号被保険者又は第１号被保険者であった者の委託を受けて、納付猶予申請を行うことができる。

答13 〇　法90条の3,1項、則77条の２。設問の通り正しい。

答14 ✕　法90条の3,1項。学生納付特例に、設問のような年齢制限はない。

11 問15
□□□
R4-1A
国民年金法第109条の2の2に規定する学生納付特例事務法人は、その教育施設の学生等である被保険者の委託を受けて、当該被保険者に係る学生納付特例申請及び保険料の納付に関する事務を行うことができる。

11 問16
□□□
H27-3B
学生等被保険者が学生納付特例事務法人に学生納付特例申請の委託をしたときは、障害基礎年金の保険料納付要件に関しては、当該委託をした日に、学生納付特例申請があったものとみなされる。

11 問17
□□□
R5-5B
難
保険料の産前産後免除期間が申請免除又は納付猶予の終期と重なる場合又はその終期をまたぐ場合でも、翌周期の継続免除又は継続納付猶予対象者として取り扱う。例えば、令和3年7月から令和4年6月までの継続免除承認者が、令和4年5月から令和4年8月まで保険料の産前産後免除期間に該当した場合、令和4年9月から令和5年6月までの保険料に係る継続免除審査を行う。

11 問18
□□□
R3-4ウ
国民年金法による保険料の納付猶予制度及び学生納付特例制度は、令和12年6月までの時限措置である。

11 問19
□□□
R5-3B
国民年金法による保険料の納付猶予制度及び学生納付特例制度は、いずれも国民年金法本則に規定されている。

12 追納

過 去 問

12 問1
□□□
H28-6D
被保険者又は被保険者であった者が、保険料の全額免除の規定により納付することを要しないものとされた保険料(追納の承認を受けようとする日の属する月前10年以内の期間に係るものに限る。)について厚生労働大臣の承認を受けて追納しようとするとき、その者が障害基礎年金の受給権者となった場合には追納することができない。

⑪答15 ✕ 法109条の2の2,1項。学生納付特例事務法人は、その教育施設の学生等である被保険者の委託を受けて、学生納付特例申請をすることはできるが、保険料納付に関する事務について行うことはできない。

⑪答16 ◯ 法109条の2の2,2項。設問の通り正しい。

> 学生納付特例事務法人は、学生等被保険者から学生納付特例申請の委託を受けたときは、遅滞なく、厚生労働省令で定めるところにより、当該学生納付特例申請をしなければならない。

⑪答17 ◯ 平成30.12.6年管管発1206第1号。設問の通り正しい。

⑪答18 ✕ 法90条の3、(16)法附則19条、(26)法附則14条。学生納付特例制度は、法本則に規定される恒久措置であり、時限措置ではない。なお、納付猶予制度を令和12年6月までの時限措置とする記述については正しい。

⑪答19 ✕ 法90条の3、(16)法附則19条、(26)法附則14条。納付猶予制度は、国民年金法本則に規定されるものではなく、法附則に規定されている令和12年6月までの時限措置である。なお、学生納付特例制度が法本則に規定されているとする記述については正しい。

⑫答1 ✕ 法94条。障害基礎年金の受給権者となったことが、設問の追納を妨げることはない。

12 問2 □□□ H29-4E
　一部の額につき納付することを要しないものとされた保険料については、その残余の額につき納付されていないときは、保険料の追納を行うことができない。

12 問3 □□□ H30-3B
　被保険者又は被保険者であった者（老齢基礎年金の受給権者を除く。）は、厚生労働大臣の承認を受け、学生納付特例の規定により納付することを要しないものとされた保険料につき、厚生労働大臣の承認の日の属する月前10年以内の期間に係るものに限り、追納することができる。

12 問4 □□□ R2-10I
　令和2年4月2日に64歳に達した者が、平成18年7月から平成28年3月までの期間を保険料全額免除期間として有しており、64歳に達した日に追納の申込みをしたところ、令和2年4月に承認を受けることができた。この場合の追納が可能である期間は、追納の承認を受けた日の属する月前10年以内の期間に限られるので、平成22年4月から平成28年3月までとなる。

12 問5 □□□ R5-1A
　保険料の全額免除の規定により、納付することを要しないとの厚生労働大臣の承認を受けたことのある老齢基礎年金の受給権者が、当該老齢基礎年金を請求していない場合、その承認を受けた日から10年以内の期間に係る保険料について追納することができる。

12 問6 □□□ R5-8C
　保険料の4分の3免除、半額免除及び4分の1免除の規定により、その一部の額につき納付することを要しないものとされた保険料について、追納を行うためには、その免除されていない部分である残余の額が納付されていなければならない。

12 問7 □□□ R元-10E
　平成27年6月分から平成28年3月分まで保険料全額免除期間（学生納付特例の期間及び納付猶予の期間を除く。）を有し、平成28年4月分から平成29年3月分まで学生納付特例の期間を有し、平成29年4月分から令和元年6月分まで保険料全額免除期間（学生納付特例の期間及び納付猶予の期間を除く。）を有する者が、令和元年8月に厚生労働大臣の承認を受け、その一部につき追納する場合は、学生納付特例の期間の保険料から優先的に行わなければならない。

⑫答 2 ○　法94条1項。設問の通り正しい。

⑫答 3 ○　法94条1項。設問の通り正しい。

⑫答 4 ○　法94条1項。設問の通り正しい。

⑫答 5 ×　法94条1項。老齢基礎年金の受給権者は、追納をすることはできない。なお、追納の対象となる保険料は、承認の日の属する月前10年以内の期間に係るものに限るとされている。

⑫答 6 ○　法94条1項。設問の通り正しい。保険料の4分の3免除、半額免除及び4分の1免除の規定によりその一部の額につき納付することを要しないものとされた保険料については、その残余の額につき納付されたときに限り、追納の対象となる。

⑫答 7 ×　法94条2項、(16)法附則19条4項、(26)法附則14条3項。設問の免除期間の一部について追納を行う場合、原則としては学生納付特例の期間の保険料を優先するが、当該学生納付特例の期間の保険料より前に納付義務が生じた保険料全額免除期間(学生納付特例の期間及び納付猶予の期間を除く。)の保険料があるときは、当該保険料について、先に経過した月の分の保険料から追納をすることもできる。

⑫問8
□□□
H28-6B

国民年金保険料の追納の申込みは、国民年金法施行令の規定により、口頭でもできるとされている。

⑫問9
□□□
H28-11
第1号被保険者が平成25年3月分の保険料の全額免除を受け、これを平成28年4月に追納するときには、追納すべき額に国民年金法第94条第3項の規定による加算は行われない。

🔳 滞納に対する措置

【最新問題】

⑬問1
□□□
R6-10E
保険料その他この法律の規定による徴収金を滞納する者があるときは、厚生労働大臣は、督促状により期限を指定して督促することができるが、この期限については、督促状を発する日から起算して10日以上を経過した日でなければならない。

【過去問】

⑬問1
□□□
H27-3D
保険料の督促をしようとするときは、厚生労働大臣は、納付義務者に対して、督促状を発する。督促状により指定する期限は、督促状を発する日から起算して5日以上を経過した日でなければならない。

⑫**答8** ✕ 法94条、令11条1項。国民年金法施行令11条1項においては、法94条1項の規定により保険料の追納の承認を受けようとする第1号被保険者又は第1号被保険者であった者は、国民年金保険料追納申込書を日本年金機構に提出しなければならないとされている(口頭でできるとはされていない。)。

⑫**答9** ✕ 法94条3項、令10条1項。設問の「平成28年4月」を「平成27年4月」に置き換えると正しい内容となる。

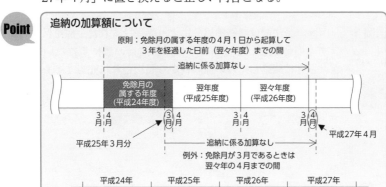

Point

追納の加算額について

原則：免除月の属する年度の4月1日から起算して
3年を経過した日前（翌々年度）までの間

追納に係る加算なし

| 免除月の属する年度(平成24年度) | 翌年度(平成25年度) | 翌々年度(平成26年度) |

3月 4月   3月 4月   3月 4月   3月 4月

平成25年3月分

追納に係る加算なし

平成27年4月

例外：免除月が3月であるときは
翌々年の4月までの間

平成24年   平成25年   平成26年   平成27年

⑬**答1** ○ 法96条1項～3項。設問の通り正しい。

⑬**答1** ✕ 法96条2項、3項。督促状に指定する期限は、督促状を発する日から起算して10日以上を経過した日でなければならない。

⏣問2 保険料その他国民年金法の規定による徴収金の納付の督促を受け
□□□ た者が指定の期限までに保険料その他同法の規定による徴収金を納
R3-5C 付しないときは、厚生労働大臣は、国税滞納処分の例によってこれ
を処分し、又は滞納者の居住地若しくはその者の財産所在地の市町
村(特別区を含む。以下本問において同じ。)に対して、その処分を
請求することができる。この請求を受けた市町村が、市町村税の例
によってこれを処分した場合には、厚生労働大臣は徴収金の100分
の4に相当する額を当該市町村に交付しなければならない。

⏣問3 国民年金法では、滞納処分によって受け入れた金額を保険料に充
□□□ 当する場合においては、1か月の保険料の額に満たない端数を除
H28-1ウ き、さきに経過した月の保険料から順次これに充当するものと規定
されている。

14 給付の種類及び裁定

過去問

⏥問1 国民年金法によれば、給付の種類として、被保険者の種別のいか
□□□ んを問わず、加入実績に基づき支給される老齢基礎年金、障害基礎
R2-6E 年金及び遺族基礎年金と、第1号被保険者としての加入期間に基
づき支給される付加年金、寡婦年金及び脱退一時金があり、そのほ
かに国民年金法附則上の給付として特別一時金及び死亡一時金があ
る。

⏥問2 老齢基礎年金の受給権を裁定した場合において、その受給権者が
□□□ 老齢厚生年金(特別支給の老齢厚生年金を含む。)の年金証書の交付
R5-4B を受けているときは、当該老齢厚生年金の年金証書は、当該老齢基
礎年金の年金証書とみなされる。

⏥問3 被保険者又は被保険者であった者の死亡の原因が業務上の事由に
□□□ よるものである遺族基礎年金の裁定の請求をする者は、その旨を裁
H28-6E 定の請求書に記載しなければならない。

⓭答2 ○　法96条4項、5項。設問の通り正しい。

⓭答3 ○　法96条6項。設問の通り正しい。厚生労働大臣は、督促を受けた者がその指定の期限までに保険料その他この法律の規定による徴収金を納付しないときは、国税滞納処分の例によってこれを処分し、又は滞納者の居住地若しくはその者の財産所在地の市町村に対して、その処分を請求することができるが、当該処分によって受け入れた金額を保険料に充当する場合においては、さきに経過した月の保険料から順次これに充当し、1箇月の保険料の額に満たない端数は、納付義務者に交付するものとされている。

⓮答1 ×　法15条、法附則9条の3の2、(60)法附則94条1項。国民年金法において、第1号被保険者としての加入期間に基づき支給されるものとして、付加年金、寡婦年金及び「死亡一時金」があり、そのほかに国民年金法附則上の給付として、特別一時金及び「脱退一時金」がある。

⓮答2 ○　則65条2項、3項。設問の通り正しい。

⓮答3 ○　則39条1項6号。設問の通り正しい。

15問 1
☐☐☐
H30-6D

65歳に達したときに、保険料納付済期間と保険料免除期間(学生納付特例期間及び納付猶予期間を除く。)とを合算した期間を7年有している者は、合算対象期間を5年有している場合でも、老齢基礎年金の受給権は発生しない。

15問 2
☐☐☐
R元-8A

学生納付特例の期間及び納付猶予の期間を合算した期間を10年以上有し、当該期間以外に被保険者期間を有していない者には、老齢基礎年金は支給されない。なお、この者は婚姻(婚姻の届出をしていないが、事実上婚姻関係と同様の事情にある場合も含む。)したことがないものとする。

15問 3
☐☐☐
R元-8B

日本国籍を有している者が、18歳から19歳まで厚生年金保険に加入し、20歳から60歳まで国民年金には加入せず、国外に居住していた。この者が、60歳で帰国し、再び厚生年金保険に65歳まで加入した場合、65歳から老齢基礎年金が支給されることはない。なお、この者は婚姻(婚姻の届出をしていないが、事実上婚姻関係と同様の事情にある場合も含む。)したことがなく、上記期間以外に被保険者期間を有していないものとする。

15問 4
☐☐☐
R5-4E

国民年金法第26条によると、老齢基礎年金は、保険料納付済期間又は保険料免除期間(学生納付特例及び納付猶予の規定により納付することを要しないものとされた保険料に係るものを除く。)を有する者が65歳に達したときに、その者に支給される。ただし、その者の保険料納付済期間と保険料免除期間とを合算した期間が10年に満たないときは、この限りでない。なお、その者は合算対象期間を有しないものとする。

🔢**答 1**　✕　法26条、法附則 9 条 1 項。設問の場合、保険料納付済期間、保険料免除期間(学生納付特例期間及び納付猶予期間を除く。)及び合算対象期間を合算した期間が12年、つまり**10年以上**あるので、受給資格期間を満たしているものとして、老齢基礎年金の受給権が発生する。

🔢**答 2**　〇　法26条、法附則 9 条 1 項、(16)法附則19条 4 項、(26)法附則14条 3 項。設問の通り正しい。

🔢**答 3**　〇　法26条、法附則 9 条 1 項、(60)法附則 8 条 4 項、5 項 6 号、9 号他。設問の通り正しい。設問の者は合算対象期間以外の期間を有さないことから、この者に老齢基礎年金は支給されない。

🔢**答 4**　〇　法26条。設問の通り正しい。

16 保険料納付済期間及び保険料免除期間

最新問題

16問1
□□□
R6-5D

第1号被保険者が国民年金法第88条の2の規定による産前産後期間の保険料免除制度を利用すると、将来、受給する年金額を計算する時に当該制度を利用した期間も保険料を納付した期間とするため、産前産後期間については保険料納付済期間として老齢基礎年金が支給される。

過 去 問

16問1
□□□
H28-7C

第2号被保険者としての被保険者期間のうち、20歳に達した日の属する月前の期間及び60歳に達した日の属する月以後の期間は、合算対象期間とされ、この期間は老齢基礎年金の年金額の計算に関しては保険料納付済期間に算入されない。

16問2
□□□
H30-9C

60歳から64歳まで任意加入被保険者として保険料を納付していた期間は、老齢基礎年金の年金額を算定する際に保険料納付済期間として反映されるが、60歳から64歳まで第1号厚生年金被保険者であった期間は、老齢基礎年金の年金額を算定する際に保険料納付済期間として反映されない。

16問3
□□□
R4-8A

20歳未満の厚生年金保険の被保険者は国民年金の第2号被保険者となるが、当分の間、当該被保険者期間は保険料納付済期間として算入され、老齢基礎年金の額に反映される。

17 合算対象期間

過 去 問

17問1
□□□
R5-5C

第2号被保険者としての被保険者期間のうち、20歳に達した日の属する月前の期間及び60歳に達した日の属する月以後の期間は、老齢基礎年金の年金額の計算に関しては保険料納付済期間に算入され、合算対象期間に算入されない。

16答1 ○ 法5条1項、法26条。設問の通り正しい。

───────────────────────────────

16答1 ○ (60)法附則8条4項。設問の通り正しい。

16答2 ○ 法附則5条9項、(60)法附則8条4項。設問の通り正しい。60歳から64歳まで第1号厚生年金被保険者であった期間は、老齢基礎年金の規定上は保険料納付済期間とはされず（合算対象期間とされる）、年金額の算定の基礎とされない。

16答3 × 法5条1項、法7条1項2号、(60)法附則8条4項。設問の20歳未満の厚生年金の被保険者期間は、法5条1項において保険料納付済期間とされるが、当分の間、老齢基礎年金の額の計算に係る保険料納付済期間には算入されない。

17答1 × (60)法附則8条4項。設問の期間は、老齢基礎年金の年金額の計算に関しては保険料納付済期間には算入されず、合算対象期間に算入される。

17問2
□□□
R5-8D

昭和36年4月1日から平成4年3月31日までの間で、20歳以上60歳未満の学生であった期間は、国民年金の任意加入期間とされていたが、その期間中に加入せず、保険料を納付しなかった期間については、合算対象期間とされ、老齢基礎年金の受給資格期間には算入されるが、年金額の計算に関しては保険料納付済期間に算入されない。

18 老齢基礎年金－年金額

[過去問]

18問1
□□□
R4-10D

障害基礎年金の額は、受給権者によって生計を維持している18歳に達する日以後の最初の3月31日までの間にある子及び20歳未満であって障害等級に該当する障害の状態にある子があるときは、その子の数に応じた加算額が加算されるが、老齢基礎年金の額には、子の加算額が加算されない。

18問2
□□□
R4-4A

保険料半額免除期間(残りの半額の保険料は納付されているものとする。)については、当該期間の月数(480から保険料納付済期間の月数及び保険料4分の1免除期間の月数を合算した月数を控除して得た月数を限度とする。)の4分の1に相当する月数が老齢基礎年金の年金額に反映される。

18問3
□□□
H29-7B

学生納付特例の期間及び納付猶予の期間については、保険料が追納されていなければ、老齢基礎年金の額には反映されない。

18問4
□□□
R4-8B

国民年金法による保険料の納付を猶予された期間については、当該期間に係る保険料が追納されなければ老齢基礎年金の額には反映されないが、学生納付特例の期間については、保険料が追納されなくても、当該期間は老齢基礎年金の額に反映される。

18問5
□□□
R4-8D

大学卒業後、23歳から民間企業に勤務し65歳までの合計42年間、第1号厚生年金被保険者としての被保険者期間を有する者(昭和32年4月10日生まれ)が65歳から受給できる老齢基礎年金の額は満額となる。なお、当該被保険者は、上記以外の被保険者期間を有していないものとする。

⑰答2 ✕ (60)法附則8条5項、(元)法附則4条1項。設問の「平成4年3月31日」を「**平成3年3月31日**」に置き換えると、正しい記述となる。

⑱答1 ○ 法27条、法33条の2,1項。設問の通り正しい。

⑱答2 ✕ 法27条4号。設問の保険料半額免除期間については、当該期間の月数(480から保険料納付済期間の月数及び保険料4分の1免除期間の月数を合算した月数を控除して得た月数を限度とする。)の「**4分の3**」に相当する月数が老齢基礎年金の年金額に反映される。

⑱答3 ○ 法27条8号、法90条の3,1項、(16)法附則19条4項、(26)法附則14条3項。設問の通り正しい。

⑱答4 ✕ 法27条8号、法85条1項2号イ(4)、(16)法附則19条4項、(26)法附則14条3項。納付猶予期間と同様に、学生納付特例の期間についても、当該期間に係る保険料が追納されなければ、老齢基礎年金の額には反映されることはない。

⑱答5 ✕ 法5条1項、法7条1項2号、(60)法附則8条2項1号、4項。設問の第1号厚生年金被保険者としての被保険者期間(42年)のうち60歳以後の期間(5年)は、老齢基礎年金の額の計算において保険料納付済期間とされず、また、設問の者は他の被保険者期間を有さないことから、設問の者が65歳から受給できる老齢基礎年金の額は、満額とはならない。

　　20歳から30歳までの10年間第1号被保険者としての保険料全額免除期間及び30歳から60歳までの30年間第1号被保険者としての保険料納付済期間を有し、60歳から65歳までの5年間任意加入被保険者としての保険料納付済期間を有する者(昭和31年4月2日生まれ)が65歳から受給できる老齢基礎年金の額は、満額(780,900円)となる。

※　本問は、令和3年度の給付額に関する問題である。

18 答6 × 法27条ただし書、(16)法附則10条１項15号。設問の全額免除期間のうち年金額の計算に反映されるのは、「480から保険料納付済期間の月数を控除して得た月数〔設問の場合60月（５年）〕が限度となる〔全額免除期間120月（10年）のうち残りの60月（５年）は老齢基礎年金の額に反映されない。〕。また、年金額の計算に反映される全額免除期間は、平成21年４月１日前にあることからその３分の１の月数が年金額の計算に反映されることとなる。したがって、老齢基礎年金の額は「780,900円×440月÷480月」となり、設問の者に満額の老齢基礎年金は支給されない。

480から保険料納付済期間の月数を控除して得た月数を限度にその「３分の１」の期間が年金額に反映される

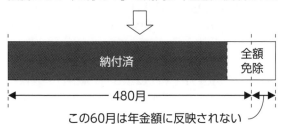

この60月は年金額に反映されない

$$780,900円 \times \frac{420月 + 60月 \times \frac{1}{3}}{480月}$$

$$= 780,900円 \times \frac{440月}{480月}$$

昭和26年4月8日生まれの男性の年金加入履歴が以下の通りである。この男性が65歳で老齢基礎年金を請求した場合に受給することができる年金額及びその計算式の組合せとして正しいものはどれか。なお、本問において振替加算を考慮する必要はない。また年金額は、平成28年度価額で計算すること。

第1号被保険者期間　180月（全て保険料納付済期間）
第3号被保険者期間　240月
付加保険料納付済期間　36月

	計算式	年金額
A	780,100円×420月/480月＋8,500円	691,100円
B	780,100円×420月/480月＋8,500円	691,088円
C	780,100円×420月/480月＋200円×36月	689,800円
D	780,100円×420月/480月＋200円×36月	689,788円
E	780,100円×420月/480月＋400円×36月	697,000円

国民年金の被保険者期間に係る保険料納付状況が以下のとおりである者（昭和25年4月2日生まれ）が、65歳から老齢基礎年金を受給する場合の年金額（平成27年度）の計算式として、正しいものはどれか。

【国民年金の被保険者期間に係る保険料納付状況】
・昭和45年4月～平成12年3月（360月）…保険料納付済期間
・平成12年4月～平成22年3月（120月）…保険料全額免除期間（追
　　　　　　　　　　　　　　　　　　　　　　納していない）

A　780,100円×（360月＋120月×1/2）÷480月
B　780,100円×（360月＋120月×1/3）÷480月
C　780,100円×（360月＋108月×1/2＋12月×1/3）÷480月
D　780,100円×（360月＋108月×1/3＋12月×2/3）÷480月
E　780,100円×（360月＋108月×1/3＋12月×1/2）÷480月

⑱答7 **正解　D**　法5条1項、法17条1項、法20条1項、法27条、法43条、法44条。設問の者の年金額の計算式及び年金額は次の通りである。

計算式	年金額
780,100円×420月/480月＋200円×36月	689,788円

⑱答8 **正解　E**　法27条ただし書、(60)法附則8条1項、(16)法附則10条1項1号、14号、15号。設問の保険料全額免除期間のうち、平成12年4月から平成21年3月までの108月については3分の1を乗じ、平成21年4月から平成22年3月までの12月については、2分の1を乗じて得た月数で計算される。

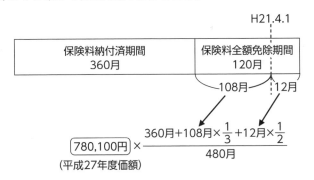

Point　臨時の財源の活用により、平成21年4月1日以降、実効的な国庫負担割合が3分の1から2分の1に引き上げられたことから、老齢基礎年金の額の計算に係る保険料免除期間の月数の計算に用いる乗率は、当該免除期間が平成21年4月1日前のものか同日以後のものかによって異なる。

プラスα　「公的年金制度の財政基盤及び最低保障機能の強化等のための国民年金法等の一部を改正する法律」により、国庫負担割合2分の1が恒久化された年度は、平成26年度である。

　　保険料の全額免除期間については、保険料の全額免除の規定により納付することを要しないものとされた保険料をその後追納しなくても老齢基礎年金の年金額に反映されるが、それは免除期間に係る老齢基礎年金の給付に要する費用について国庫が負担しているからであり、更に、平成15年4月1日以降、国庫負担割合が3分の1から2分の1へ引き上げられたことから年金額の反映割合も免除の種類に応じて異なっている。

　　老齢基礎年金のいわゆる振替加算が行われるのは、大正15年4月2日から昭和41年4月1日までの間に生まれた者であるが、その額については、受給権者の老齢基礎年金の額に受給権者の生年月日に応じて政令で定められた率を乗じて得た額となる。

⑱**答9** ✕ 　法27条、(16)法附則９条、(16)法附則10条１項。臨時の財源の活用により、実効的な国庫負担割合が３分の１から２分の１に引き上げられたのは「**平成21年４月１日**」以降であり、設問の年金額の反映割合、すなわち、老齢基礎年金の額の計算に係る保険料免除期間の月数の計算に用いる乗率は、当該免除期間が平成21年４月１日前のものか同日以後のものかによって異なる。なお、恒久措置として国庫負担割合が３分の１から２分の１へ引き上げられたのは、**平成26年４月１日**である。⑱**答8**の **Point** 及び **プラスα** 参照。

⑱**答10** ✕ 　(60)法附則14条１項。振替加算の額は、「**224,700円に改定率を乗じて得た額**」に受給権者の生年月日に応じて政令で定める率を乗じて得た額である。

　45歳から64歳まで第1号厚生年金被保険者としての被保険者期間を19年有し、このほかには被保険者期間を有しない老齢厚生年金の受給権者である68歳の夫(昭和25年4月2日生まれ)と、当該夫に生計を維持されている妻(昭和28年4月2日生まれ)がいる。当該妻が65歳に達し、老齢基礎年金の受給権を取得した場合、それまで当該夫の老齢厚生年金に加給年金額が加算されていれば、当該妻の老齢基礎年金に振替加算が加算される。

　在職老齢年金を受給していた67歳の夫(昭和23年4月2日生まれ)が、厚生年金保険法第43条第3項に規定する退職時の年金額の改定により初めて老齢厚生年金の加給年金額が加算される被保険者期間の要件を満たした場合、夫により生計を維持されている老齢基礎年金のみを受給している66歳の妻(昭和24年4月2日生まれ)は、「老齢基礎年金額加算開始事由該当届」を提出することにより、妻の老齢基礎年金に振替加算が加算される。

　老齢基礎年金のいわゆる振替加算の対象となる者に係る生計維持関係の認定は、老齢基礎年金に係る振替加算の加算開始事由に該当した日を確認した上で、その日における生計維持関係により行うこととなる。

⑱答11 ○ （60）法附則12条１項４号、（60）法附則別表第３、（60）法附則14条１項。設問の通り正しい。設問の妻は、その夫（昭和25年４月２日生まれ）が40歳以後の第１号厚生年金被保険者としての被保険者期間を19年有していることから夫の老齢厚生年金の加給年金額の加算対象とされており、妻が65歳に達し老齢基礎年金の受給権を取得した時点まで生計を維持されている状態が継続していたのであれば、妻の老齢基礎年金には振替加算額が加算される。

厚生年金保険法においては、被保険者期間が240月（20年）以上であった場合に、当該被保険者期間を有する者がその権利を有する老齢厚生年金の額に加給年金額の加算が行われるが、この「240月（20年）」は、40歳（女子については35歳）に達した月以後の厚生年金保険の被保険者期間（第１号厚生年金被保険者期間に係るものに限る。）が、生年月日に応じて定める次表の期間以上であれば、240月（20年）あるものとみなされ、当該要件を満たすこととされる特例がある。ただし、その期間のうち７年６月以上は、第４種被保険者又は船員任意継続被保険者としての厚生年金保険の被保険者期間以外の被保険者期間でなければならない。

生年月日	期間
昭和22年４月１日以前に生まれた者	15年
昭和22年４月２日から昭和23年４月１日までの間に生まれた者	16年
昭和23年４月２日から昭和24年４月１日までの間に生まれた者	17年
昭和24年４月２日から昭和25年４月１日までの間に生まれた者	18年
昭和25年４月２日から昭和26年４月１日までの間に生まれた者	19年

⑱答12 ○ （60）法附則14条２項、則17条の3,1項。設問の通り正しい。

⑱答13 ○ 平成23.3.23年発0323第１号。設問の通り正しい。

18問14
□□□
H30-5オ

振替加算は、老齢基礎年金の支給繰上げの請求をした場合は、請求のあった日の属する月の翌月から加算され、老齢基礎年金の支給繰下げの申出をした場合は、申出のあった日の属する月の翌月から加算される。

18問15
□□□
R3-7B

老齢基礎年金の支給繰上げの請求をした場合の振替加算については、受給権者が65歳に達した日以後に行われる。老齢基礎年金の支給繰下げの申出をした場合は、振替加算も繰下げて支給されるが、振替加算額が繰下げにより増額されることはない。

18問16
□□□
H28-47

振替加算の額は、その受給権者の老齢基礎年金の額に受給権者の生年月日に応じて政令で定める率を乗じて得た額として算出される。

18問17
□□□
H27-9E

日本国籍を有する甲(昭和27年4月2日生まれの女性)は、20歳から60歳まで海外に居住し、その期間はすべて合算対象期間であった。また、60歳以降も国民年金に任意加入していなかった。その後、甲が61歳の時に、厚生年金保険の被保険者期間の月数を240か月以上有する乙(昭和24年4月2日生まれの男性)と婚姻し、65歳まで継続して乙に生計を維持され、乙の老齢厚生年金の加給年金額の対象者となっていた場合、甲が65歳になると老齢基礎年金の受給要件に該当するものとみなされ、振替加算額に相当する額の老齢基礎年金が支給される。

18問18
□□□
H30-4D

老齢基礎年金の受給権者が、老齢厚生年金(その額の計算の基礎となる厚生年金保険の被保険者期間の月数が240以上であるものとする。)を受けることができるときは、当該老齢基礎年金に振替加算は加算されない。

18問19
□□□
R3-10A

41歳から60歳までの19年間、第1号厚生年金被保険者としての被保険者期間を有している70歳の妻(昭和26年3月2日生まれ)は、老齢厚生年金と老齢基礎年金を受給中である。妻には、22歳から65歳まで第1号厚生年金被保険者としての被保険者期間を有している夫(昭和31年4月2日生まれ)がいる。当該夫が65歳になり、老齢厚生年金の受給権が発生した時点において、妻の年間収入が850万円未満であり、かつ、夫と生計を同じくしていた場合は、当該妻に振替加算が行われる。

18答14 ✕ （60）法附則14条４項。老齢基礎年金の支給繰上げの請求をした場合は、振替加算は、老齢基礎年金の受給権者が65歳に達した日の属する月の翌月から行われる。なお、設問後段の記述については正しい。

18答15 ○ （60）法附則14条１項、４項。設問の通り正しい。

18答16 ✕ （60）法附則14条１項。振替加算の額は、「224,700円に改定率を乗じて得た額」に受給権者の生年月日に応じて政令で定める率を乗じて得た額である。

18答17 ○ （60）法附則15条１項。設問の通り正しい。合算対象期間しか有さない者であっても、その期間が受給資格期間として必要とされる期間以上あり、所定の振替加算の要件を満たす場合には、老齢基礎年金の支給要件に該当するものとみなして、振替加算相当額の老齢基礎年金が支給される。

18答18 ○ （60）法附則14条１項ただし書、２項ただし書、経過措置令25条。設問の通り正しい。

18答19 ✕ （60）法附則14条２項ただし書。設問の妻は中高齢の期間短縮の特例に該当するため、当該妻の受給する老齢厚生年金は、その額の計算の基礎となる厚生年金保険の被保険者期間の月数が240であるものとみなされる。このため、設問の妻に振替加算は行われない。

18問20
□□□
H30-5イ

振替加算の規定によりその額が加算された老齢基礎年金の受給権者が、障害厚生年金(当該障害厚生年金は支給停止されていないものとする。)の支給を受けることができるときは、その間、振替加算の規定により加算する額に相当する部分の支給を停止する。

18問21
□□□
R3-1D

振替加算の規定によりその額が加算された老齢基礎年金の受給権者が、遺族厚生年金の支給を受けることができるときは、その間、振替加算の規定により加算された額に相当する部分の支給が停止される。

18問22
□□□
R元-8E

障害基礎年金を受給中である66歳の女性(昭和28年4月2日生まれで、第2号被保険者の期間は有していないものとする。)は、67歳の配偶者(昭和27年4月2日生まれ)により生計を維持されており、女性が65歳に達するまで当該配偶者の老齢厚生年金には配偶者加給年金額が加算されていた。この女性について、障害等級が3級程度に軽減したため、受給する年金を障害基礎年金から老齢基礎年金に変更した場合、老齢基礎年金と振替加算が支給される。

18問23
□□□
H27-9B

67歳の夫(昭和23年4月2日生まれ)と66歳の妻(昭和24年4月2日生まれ)が離婚をし、妻が、厚生年金保険法第78条の2の規定によるいわゆる合意分割の請求を行ったことにより、離婚時みなし被保険者期間を含む厚生年金保険の被保険者期間の月数が240か月以上となった場合、妻の老齢基礎年金に加算されていた振替加算は行われなくなる。

18問24
□□□
H27-9C

20歳から60歳まで国民年金のみに加入していた妻(昭和25年4月2日生まれ)は、60歳で老齢基礎年金の支給繰上げの請求をした。当該夫婦は妻が30歳のときに婚姻し、婚姻以後は継続して、厚生年金保険の被保険者である夫(昭和22年4月2日生まれ)に生計を維持されている。妻が65歳に達した時点で、夫は厚生年金保険の被保険者期間の月数を240か月以上有するものの、在職老齢年金の仕組みにより老齢厚生年金が配偶者加給年金額を含め全額支給停止されていた場合であっても、妻が65歳に達した日の属する月の翌月分から老齢基礎年金に振替加算が加算される。

⑱答20 ○　(60)法附則16条１項。設問の通り正しい。老齢基礎年金の受給権者が、障害基礎年金、障害厚生年金等(ただし、その全額につき支給を停止されている給付を除く。)の支給を受けることができるときは、振替加算部分の支給を停止することとされている。

⑱答21 ×　(60)法附則16条１項。遺族厚生年金の支給を受けることができるときに、振替加算の規定により加算された額に相当する部分の支給は停止されない。

⑱答22 ○　(60)法附則14条１項、(60)法附則16条１項。設問の通り正しい。設問の女性は、大正15年４月２日から昭和41年４月１日までの間に生まれた老齢基礎年金の受給権者であり、65歳に達した日において、この者の配偶者の老齢厚生年金に係る加給年金額の加算対象者となっていたことから、振替加算の要件を満たすことになる。障害基礎年金はその全額が支給停止されており、この女性が受給する老齢基礎年金には、振替加算が行われる。

⑱答23 ○　(60)法附則14条１項ただし書、(61)経過措置令25条１号。設問の通り正しい。

> 離婚時の年金分割制度の規定により標準報酬の分割が行われた結果、振替加算が行われている老齢基礎年金の受給権者が老齢厚生年金〔その額の計算の基礎となる被保険者期間(離婚時みなし被保険者期間及び被扶養配偶者みなし被保険者期間を含む。)の月数が240以上であるものに限る。〕を受けることができることとなった場合は、振替加算は行われなくなる。

⑱答24 ○　(60)法附則14条１項、４項。設問の通り正しい。

⑱問25
□□□
R5-9B

在職しながら老齢厚生年金を受給している67歳の夫が、厚生年金保険法第43条第2項に規定する在職定時改定による年金額の改定が行われ、厚生年金保険の被保険者期間が初めて240月以上となった場合、夫により生計維持され老齢基礎年金のみを受給していた66歳の妻は、65歳時にさかのぼって振替加算を受給できるようになる。

⑱問26
□□□
H27-9D

特例による任意加入被保険者である妻(昭和23年4月2日生まれ)は、厚生年金保険の被保険者期間の月数が240か月以上ある老齢厚生年金の受給権者である夫(昭和22年4月2日生まれ)に継続して生計を維持されている。夫の老齢厚生年金には、妻が65歳に達するまで加給年金額が加算されていた。妻は、67歳の時に受給資格期間を満たし、老齢基礎年金の受給権を取得した場合、妻の老齢基礎年金に振替加算は加算されない。

19 老齢基礎年金－支給の繰上げ・繰下げ

最新問題

⑲問1
□□□
R6-7イ

繰り上げた老齢基礎年金を受給している者が、20歳に達する日より前に初診日がある傷病(障害認定日に政令で定める障害の状態に該当しないものとする。)が悪化したことにより、繰り上げた老齢基礎年金の受給開始後、65歳に達する日より前に障害等級に該当する程度の障害の状態になった場合であっても、障害基礎年金を請求することはできない。

⑲問2
□□□
R6-7ウ

繰り上げた老齢基礎年金を受給している者が、20歳に達した日より後に初診日がある傷病(障害認定日に政令で定める障害の状態に該当しないものとする。)が悪化したことにより、繰り上げた老齢基礎年金の受給開始後、65歳に達する日より前に障害等級に該当する程度の障害の状態になった場合には、障害基礎年金を請求することができる。

⑲問3
□□□
R6-9B

老齢基礎年金の受給権を有する者であって66歳に達する前に当該老齢基礎年金を請求していなかった者が、65歳に達した日から66歳に達した日までの間において遺族厚生年金の受給権者となったが、実際には遺族厚生年金は受給せず老齢厚生年金を受給する場合は、老齢基礎年金の支給繰下げの申出をすることができる。

⑱答25 ×　(60)法附則14条2項、4項。設問の場合、妻は、夫の老齢厚生年金の年金額の計算の基礎となる厚生年金保険の被保険者期間が、在職定時改定により240月以上となった日の属する月の翌月から、振替加算が行われた老齢基礎年金の支給を受けることとなる。

⑱答26 ×　(60)法附則18条1項、2項。設問の妻が、老齢基礎年金の受給権を取得した場合、妻の老齢基礎年金に振替加算額が加算される。

⑲答1 ○　法附則9条の2の3。設問の通り正しい。老齢基礎年金の繰上げ支給を受ける者は、設問の事後重症による20歳前傷病による障害基礎年金の支給を請求することができない。

⑲答2 ×　法附則9条の2の3。老齢基礎年金の繰上げ支給を受ける者は、設問の事後重症による障害基礎年金の支給を請求することができない。

⑲答3 ×　法28条1項。65歳に達した日から66歳に達した日までの間において遺族厚生年金の受給権者となったときは、その受給の有無にかかわらず、老齢基礎年金の支給繰下げの申出は行うことができない。

19問4
□□□
R6-7I

　昭和27年4月2日以後生まれの者が、70歳に達した日より後に老齢基礎年金を請求し、かつ請求時点における繰下げ受給を選択しない時は、請求の5年前に繰下げの申出があったものとみなして算定された老齢基礎年金を支給する。

過去問

19問1
□□□
R元-5B
難

　老齢基礎年金の支給の繰上げについては国民年金法第28条において規定されているが、老齢基礎年金の支給の繰下げについては、国民年金法附則において当分の間の措置として規定されている。

19問2
□□□
H27-7C

　繰上げ支給の老齢基礎年金を受けている62歳の者(昭和28年4月2日生まれ)が厚生年金保険の被保険者となったときは、当該老齢基礎年金は全額が支給停止される。

19問3
□□□
H29-6C

　繰上げ支給の老齢基礎年金は、60歳以上65歳未満の者が65歳に達する前に、厚生労働大臣に老齢基礎年金の支給繰上げの請求をしたときに、その請求があった日の属する月の分から支給される。

19問4
□□□
R5-4D

　老齢基礎年金の支給の繰上げをした者には寡婦年金は支給されず、国民年金の任意加入被保険者になることもできない。

19問5
□□□
H29-6E

　64歳に達した日の属する月に老齢基礎年金の支給繰上げの請求をすると、繰上げ請求月から65歳到達月の前月までの月数が12となるので、当該老齢基礎年金の額は、65歳から受給する場合に比べて8.4%減額されることになる。

⑲答4 〇 法28条5項、(令和2)法附則7条。設問の通り正しい。設問の規定は、令和5年3月31日において71歳に達していない者(昭和27年4月2日以後生まれの者)について適用される。

---

⑲答1 × 法28条、法附則9条の2。老齢基礎年金の支給の繰上げについては、法附則において当分の間の措置として規定されている。また、老齢基礎年金の支給の繰下げについては、法28条において規定されている。

⑲答2 × (6)法附則7条2項他。繰上げ支給の老齢基礎年金を受けている者が厚生年金保険の被保険者となったときであっても、その者が昭和16年4月2日以後生まれである場合は、老齢基礎年金は支給停止されない。

> 繰上げ支給の老齢基礎年金は、昭和16年4月1日以前に生まれたその受給権者が国民年金の被保険者(第2号被保険者)であるときは、その間、その支給が停止されていた。

⑲答3 × 法18条1項、法附則9条の2,3項。設問の繰上げ支給の老齢基礎年金は、支給繰上げの請求があった日の属する月の翌月分から支給される。

⑲答4 〇 法附則9条の2の3。設問の通り正しい。

⑲答5 × 法附則9条の2,4項、令12条1項。設問の場合、老齢基礎年金の額は、65歳から受給する場合に比べて4.8%(0.004×12)減額されることになる。

19 問 6
□□□
R元-4D

昭和31年4月20日生まれの者が、平成31年4月25日に老齢基礎年金の支給繰上げの請求をした場合において、当該支給繰上げによる老齢基礎年金の額の計算に係る減額率は、12%である。

19 問 7
□□□
R2-5A

60歳以上65歳未満の期間に国民年金に任意加入していた者は、老齢基礎年金の支給繰下げの申出をすることは一切できない。

19 問 8
□□□
R2-5D改

老齢基礎年金の受給権者であって、66歳に達した日後75歳に達する日前に遺族厚生年金の受給権を取得した者が、75歳に達した日に老齢基礎年金の支給繰下げの申出をした場合には、遺族厚生年金を支給すべき事由が生じた日に、支給繰下げの申出があったものとみなされる。

19 問 9
□□□
H30-4C

65歳に達した日後に老齢基礎年金の受給権を取得した場合には、その受給権を取得した日から起算して1年を経過した日前に当該老齢基礎年金を請求していなかったもの（当該老齢基礎年金の受給権を取得したときに、他の年金たる給付の受給権者でなく、かつ当該老齢基礎年金の受給権を取得した日から1年を経過した日までの間において他の年金たる給付の受給権者となっていないものとする。）であっても、厚生労働大臣に当該老齢基礎年金の支給繰下げの申出をすることができない。

19 問10
□□□
R元-4C

65歳に達し老齢基礎年金の受給権を取得した者であって、66歳に達する前に当該老齢基礎年金を請求しなかった者が、65歳に達した日から66歳に達した日までの間において障害基礎年金の受給権者となったときは、当該老齢基礎年金の支給繰下げの申出をすることができない。

答6 ○　法附則９条の2,4項、令12条１項他。設問の通り正しい。設問の者※が老齢基礎年金の支給繰上げを請求した場合の減額率は、1000分の５※に老齢基礎年金の支給繰上げを請求した日の属する月から65歳に達する日の属する月の前月までの月数を乗じて得た率とされる。設問の者は、63歳に達した月に老齢基礎年金の支給繰上げの請求をしていることから、老齢基礎年金の額の計算に係る減額率は、12％（＝1000分の５※×24月）となる。

※　上記の「1000分の５」は、令和４年３月31日において60歳に達していない者（昭和37年４月２日以後生まれの者）を対象に、令和４年４月１日以降、「1000分の４」とされる。設問の昭和31年４月20日生まれの者の場合、支給繰上げによる老齢基礎年金の額の計算に係る減額率は「1000分の５」を用いて計算される。

答7 ×　法28条１項。60歳以上65歳未満の期間に任意加入被保険者であったことは、老齢基礎年金の支給繰下げの申出に影響しない。

答8 ○　法28条２項。設問の通り正しい。

答9 ×　(60)法附則18条５項。65歳に達した日後に老齢基礎年金の受給権を取得した場合であっても、その受給権を取得した日から起算して１年を経過した日前に当該老齢基礎年金を請求しておらず、当該老齢基礎年金の受給権を取得したときに他の年金たる給付の受給権者でなく、当該老齢基礎年金の受給権を取得した日から１年を経過した日までの間においても他の年金たる給付の受給権者となっていないのであれば、厚生労働大臣に当該老齢基礎年金の支給繰下げの申出をすることができる。

答10 ○　法28条１項。設問の通り正しい。

19問11　老齢厚生年金を受給中である67歳の者が、20歳から60歳までの
□□□　40年間において保険料納付済期間を有しているが、老齢基礎年金
R元-8C　の請求手続きをしていない場合は、老齢基礎年金の支給の繰下げの
申出をすることで増額された年金を受給することができる。なお、
この者は老齢基礎年金及び老齢厚生年金以外の年金の受給権を有し
ていたことがないものとする。

19問12　老齢基礎年金と老齢厚生年金の受給権を有する者であって支給繰
□□□　下げの申出をすることができるものが、老齢基礎年金の支給繰下げ
R5-6C　の申出を行う場合、老齢厚生年金の支給繰下げの申出と同時に行わ
なければならない。

19問13　合算対象期間及び学生納付特例の期間を合算した期間のみ10年
□□□　以上有する者であって、所定の要件を満たしている者に支給する振
R元-5C　替加算相当額の老齢基礎年金については、支給の繰下げはできな
い。

20 老齢基礎年金－失権等

過去問
20問1　老齢基礎年金の受給権は、受給権者が死亡したときは消滅する
□□□　が、受給権者が日本国内に住所を有しなくなったとしてもこれを理
H30-2B　由に消滅しない。

21 障害基礎年金－支給要件等

最新問題
21問1　障害基礎年金を受けることができる者とは、初診日に、被保険者
□□□　であること又は被保険者であった者であって日本国内に住所を有
R6-27　し、かつ、60歳以上65歳未満であることのいずれかに該当する者
であり、障害認定日に政令で定める障害の状態にある者である。な
お、保険料納付要件は満たしているものとする。

⑲答11 ○　法28条1項他。設問の通り正しい。

⑲答12 ×　法28条、則16条4項他。老齢基礎年金の支給繰下げの申出と老齢厚生年金の支給繰下げの申出は、必ずしも同時に行う必要はない。老齢基礎年金又は老齢厚生年金のいずれか一方のみを繰り下げることも可能である。

⑲答13 ○　(60)法附則15条4項。設問の通り正しい。

⑳答1 ○　法29条。設問の通り正しい。老齢基礎年金の受給権は、受給権者が日本国内に住所を有しなくなったことを理由に消滅することはない。

㉑答1 ○　法30条1項。設問の通り正しい。

㉑問2
□□□
R6-2ウ

障害基礎年金を受けることができる者とは、初診日の前日において、初診日の属する月の前々月までに被保険者期間があり、国民年金の保険料納付済期間と保険料免除期間を合算した期間が3分の2以上である者、あるいは初診日が令和8年4月1日前にあるときは、初診日において65歳未満であれば、初診日の前日において、初診日の属する月の前々月までの1年間(当該初診日において被保険者でなかった者については、当該初診日の属する月の前々月以前における直近の被保険者期間に係る月までの1年間)に保険料の未納期間がない者である。なお、障害認定日に政令で定める障害の状態にあるものとする。

㉑問3
□□□
R6-10D

国民年金法第30条の3に規定するいわゆる基準障害による障害基礎年金は、65歳に達する日の前日までに、基準障害と他の障害とを併合して初めて障害等級1級又は2級に該当する程度の障害の状態となった場合に支給される。ただし、請求によって受給権が発生し、支給は請求のあった月からとなる。

過去問

㉑問1
□□□
R元-2A

傷病について初めて医師の診療を受けた日において、保険料の納付猶予の適用を受けている被保険者は、障害認定日において当該傷病により障害等級の1級又は2級に該当する程度の障害の状態にあり、保険料納付要件を満たしている場合でも、障害基礎年金が支給されることはない。

㉑問2
□□□
R2-1イ

初診日において被保険者であり、障害認定日において障害等級に該当する程度の障害の状態にあるものであっても、当該傷病に係る初診日の前日において、当該初診日の属する月の前々月までに被保険者期間がない者については、障害基礎年金は支給されない。

㉑答2 ○　法30条１項、(60)法附則20条１項。設問の通り正しい。初診日における被保険者等要件に係る記述がないため、「障害基礎年金を受けることができる者」であるか否かを判断することは難しいが、設問の者は、障害基礎年金の支給要件のうち、保険料納付要件及び障害認定日における障害の程度要件を満たすこととなる。

㉑答3 ×　法30条の3,1項、３項。基準傷病に基づく障害による障害基礎年金は、法律上の要件を満たしたときにその受給権が発生する（請求により受給権が発生するわけではない。）。また、基準傷病に基づく障害による障害基礎年金は、その請求があった月の翌月から支給が開始される。

㉑答1 ×　法30条１項。設問のような規定はない。初診日において被保険者であれば、その者が同日において保険料の納付猶予の適用を受けていたとしても、他の要件を満たす限り、その者に障害基礎年金は支給される。

㉑答2 ×　法30条１項。障害基礎年金の支給に係る保険料納付要件は、初診日の前日において、当該初診日の属する月の前々月までに被保険者期間があるときに問われるものであるため、当該初診日の属する月の前々月までに被保険者期間がないものについては、保険料納付要件は問われず、障害認定日において障害等級に該当する程度の障害の状態にある設問の者には、障害基礎年金が支給される。

21 問3
□□□
R3-2B

障害基礎年金について、初診日が令和8年4月1日前にある場合は、当該初診日の前日において当該初診日の属する月の前々月までの1年間（当該初診日において被保険者でなかった者については、当該初診日の属する月の前々月以前における直近の被保険者期間に係る月までの1年間）に、保険料納付済期間及び保険料免除期間以外の被保険者期間がなければ保険料納付要件は満たされたものとされる。ただし、当該初診日において65歳未満であるときに限られる。

21 問4
□□□
H29-2オ

被保険者であった者が60歳以上65歳未満の間に傷病に係る初診日がある場合であって、当該初診日において、日本国内に住所を有しないときには、当該傷病についての障害基礎年金が支給されることはない。なお、当該傷病以外に傷病は有しないものとする。

21 問5
□□□
R4-10C

障害基礎年金は、傷病の初診日から起算して1年6か月を経過した日である障害認定日において、その傷病により障害等級に該当する程度の障害の状態にあるときに支給される（当該障害基礎年金に係る保険料納付要件は満たしているものとする。）が、初診日から起算して1年6か月を経過した日前にその傷病が治った場合は、その治った日（その症状が固定し治療の効果が期待できない状態に至った日を含む。）を障害認定日とする。

21 問6
□□□
H27-5B

障害基礎年金の障害認定日について、当該傷病に係る初診日から起算して1年6か月を経過した日前に、その傷病が治った場合はその治った日が障害認定日となるが、その症状が固定し治療の効果が期待できない状態に至った日も傷病が治った日として取り扱われる。

21 問7
□□□
H29-6A

精神の障害は、障害基礎年金の対象となる障害に該当しない。

21答 3 ○ （60）法附則20条1項。設問の通り正しい。

21答 4 ○ 法30条1項。設問の通り正しい。

21答 5 ○ 法30条1項。設問の通り正しい。

21答 6 ○ 法30条1項カッコ書。設問の通り正しい。障害認定日とは、初診日から起算して1年6月を経過した日〔その期間内にその傷病が治った場合においては、その治った日(その症状が固定し治療の効果が期待できない状態に至った日を含む。)〕をいう。

21答 7 × 令4条の6、令別表。精神の障害は、障害基礎年金の対象となる障害に該当する。

㉑問8
□□□
R5-7B
難

　国民年金・厚生年金保険障害認定基準によると、障害の程度について、1級は、例えば家庭内の極めて温和な活動（軽食作り、下着程度の洗濯等）はできるが、それ以上の活動はできない状態又は行ってはいけない状態、すなわち、病院内の生活でいえば、活動範囲がおおむね病棟内に限られる状態であり、家庭内でいえば、活動の範囲がおおむね家屋内に限られる状態であるとされている。

㉑問9
□□□
H28-8C

　平成2年4月8日生まれの者が、20歳に達した平成22年4月から大学を卒業する平成25年3月まで学生納付特例の適用を受けていた。その者は、卒業後就職せず第1号被保険者のままでいたが、国民年金の保険料を滞納していた。その後この者が24歳の誕生日を初診日とする疾病にかかり、その障害認定日において障害等級2級の状態となった場合、障害基礎年金の受給権が発生する。

㉑問10
□□□
H28-8A

　20歳に到達した日から第1号被保険者である者が、資格取得時より保険料を滞納していたが、22歳の誕生月に国民年金保険料の全額免除の申請を行い、その承認を受け、第1号被保険者の資格取得月から当該申請日の属する年の翌年6月までの期間が保険料全額免除期間となった。当該被保険者は21歳6か月のときが初診日となるけがをし、その後障害認定日において当該けがが障害等級2級に該当していた場合、障害基礎年金の受給権が発生する。

21答8 ×　国民年金・厚生年金保険障害認定基準。設問文は2級に関する記述である。国民年金・厚生年金保険障害認定基準において、1級は、身体の機能の障害又は長期にわたる安静を必要とする病状が日常生活の用を弁ずることを不能ならしめる程度のものとする。この日常生活の用を弁ずることを不能ならしめる程度とは、他人の介助を受けなければほとんど自分の用を弁ずることができない程度のものである。例えば、身のまわりのことはかろうじてできるが、それ以上の活動はできないもの又は行ってはいけないもの、すなわち、病院内の生活でいえば、活動の範囲がおおむねベッド周辺に限られるものであり、家庭内の生活でいえば、活動の範囲がおおむね就床室内に限られるものである。

21答9 ○　法30条1項ただし書。設問の通り正しい。設問の者は、初診日（平成26年4月8日）において被保険者であり、当該初診日の属する月の前々月までの被保険者期間（平成22年4月から平成26年2月までの47か月）のうち3年間（36か月）が学生納付特例期間であることから、原則的な保険料納付要件を満たしている。障害認定日において障害等級2級に該当する設問の者には、障害基礎年金の受給権が発生する。

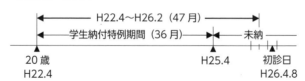

21答10 ×　法30条1項ただし書。設問の者の場合、初診日の前日において、当該初診日の属する月の前々月までの被保険者期間がすべて未納期間であるため、保険料納付要件を満たさず、障害基礎年金の受給権は取得しない。

21 問11 22歳から30歳まで第2号被保険者、30歳から60歳まで第3号
□□□ 被保険者であった女性（昭和33年4月2日生まれ）は、59歳の時に
R3-10C 初診日がある傷病により、障害等級3級に該当する程度の障害の
状態となった。この者が、当該障害の状態のまま、61歳から障害
者の特例が適用され定額部分と報酬比例部分の特別支給の老齢厚生
年金を受給していたが、その後当該障害の状態が悪化し、障害等級
2級に該当する程度の障害の状態になったため、63歳の時に国民
年金法第30条の2第1項（いわゆる事後重症）の規定による請求を
行ったとしても障害基礎年金の受給権は発生しない。

21 問12 いわゆる事後重症による障害基礎年金は、同一の傷病による障害
□□□ について、旧国民年金法による障害年金、旧厚生年金保険法による
R元-7D 障害年金又は共済組合若しくは日本私立学校振興・共済事業団が支
給する障害年金の受給権を有していたことがある者についても、支
給される。

21 問13 障害等級3級の障害厚生年金の受給権者が、その後障害状態が
□□□ 悪化し障害等級2級に該当したことから、65歳に達する日の前日
H30-10D までに障害厚生年金の額改定請求を行い、その額が改定された場合
でも、当該受給権者は当該障害厚生年金と同一の支給事由である障
害基礎年金の支給を請求しない限り、障害基礎年金の受給権は発生
しない。

21 問14 国民年金法第30条の3に規定するいわゆる基準障害による障害
□□□ 基礎年金は、65歳に達する日の前日までに基準障害と他の障害を
H29-7D 併合して障害等級に該当する程度の障害の状態に該当したとして
も、その請求を65歳に達した日以後に行うことはできない。

21 問15 厚生年金保険の被保険者期間中にけがをし、障害等級3級の障
□□□ 害厚生年金の受給権者（障害等級1級又は2級に該当したことはな
H28-8B い。）となった者が、その後退職し、その時点から継続して第3号
被保険者となっている。その者が、退職から2年後が初診となる
別の傷病にかかり、当該別の傷病に係る障害認定日において、当該
障害等級3級の障害と当該別の傷病に係る障害を併合し障害等級
2級に該当した。この場合、障害等級2級の障害基礎年金の受給
権が発生する。なお、当該別の傷病に係る障害認定日で当該者は
50歳であったものとする。

㉑答11 ×　法30条の2,1項～3項。設問の女性は、初診日において第3号被保険者であり、また、22歳から60歳までの全ての期間が保険料納付済期間であることから、初診日の前日における保険料納付要件を満たすことになる。特別支給の老齢厚生年金の受給権を有することは事後重症による障害基礎年金の支給に影響せず、障害認定日後の63歳のときに、事後重症による障害基礎年金の請求を行った場合、設問の女性には、事後重症による障害基礎年金が支給される。なお、設問の女性は昭和33年4月2日生まれであるため、当該女性の22歳から30歳までの期間のうち、第2号被保険者とされるのは、28歳到達日(昭和61年4月1日)以後の期間である。

㉑答12 ×　(60)法附則22条。事後重症による障害基礎年金は、同一の傷病による障害について、旧国民年金法による障害年金、旧厚生年金保険法による障害年金又は共済組合若しくは日本私立学校振興・共済事業団が支給する障害年金の受給権を有していたことがある者については、支給されない。

㉑答13 ×　法30条の2,4項。設問の場合、障害厚生年金の額の改定に伴い、(事後重症による)障害基礎年金の請求があったものとみなされるため、請求をしなくても、障害基礎年金の受給権が発生する。

㉑答14 ×　法30条の3,1項。いわゆる基準傷病に基づく障害による障害基礎年金の請求は、65歳に達する日の前日までに基準障害と他の障害を併合して障害等級に該当する程度の障害の状態に該当する限り、65歳に達した日以後であっても行うことができる。

㉑答15 ○　法30条の3,1項。設問の通り正しい。設問の者には、いわゆる基準傷病に基づく障害による障害基礎年金が支給される。

㉑問16 国民年金法第30条の３に規定するいわゆる基準傷病による障害
□□□ 基礎年金は、基準傷病以外の傷病の初診日において被保険者でなか
R2-3A った場合においては、基準傷病に係る初診日において被保険者であ
っても、支給されない。

㉑問17 傷病の初診日において19歳であった者が、20歳で第１号被保険
□□□ 者の資格を取得したものの当該被保険者の期間が全て未納期間であ
H30-10A った場合、初診日から１年６か月経過後の障害認定日において障
害等級１級又は２級に該当していたとしても、障害基礎年金の受
給権は発生しない。

㉑問18 被保険者ではなかった19歳のときに初診日のある傷病を継続し
□□□ て治療中の者が、その傷病の初診日から起算して１年６か月を経
R5-1D 過した当該傷病による障害認定日(20歳に達した日後とする。)にお
いて、当該傷病により障害等級２級以上に該当する程度の障害の
状態にあるときには、その者に障害基礎年金を支給する。

㉑問19 厚生年金保険法に規定する障害等級に該当する程度の障害の状態
□□□ に該当しなくなった日から起算して当該障害等級に該当する程度
R元-9A の障害の状態に該当することなく３年が経過したことにより、平
成６年10月に障害基礎年金を失権した者が、平成31年４月におい
て、同一傷病によって再び国民年金法に規定する障害等級に該当す
る程度の障害の状態に該当した場合は、いつでも障害基礎年金の支
給を請求することができ、請求があった月の翌月から当該障害基礎
年金が支給される。

22 障害基礎年金－併合認定

最新問題

㉒問1 障害基礎年金を受給している者に、更に障害基礎年金を支給すべ
□□□ き事由が生じた時は、前後の障害を併合した障害の程度による障害
R6-6A 基礎年金の受給権を取得するが、後発の障害に基づく障害基礎年金
が、労働基準法の規定による障害補償を受けることができるために
支給停止される場合は、当該期間は先発の障害に基づく障害基礎年
金も併合認定された障害基礎年金も支給停止される。

㉑答16 ✕　法30条の3,2項。初診日における被保険者等要件は、基準傷病について問われ、基準傷病以外の傷病については問われない。

㉑答17 ✕　法30条1項ただし書、法30条の4,1項。設問の者が、初診日において被保険者でなかった場合は、法30条の4の規定による20歳前傷病による障害基礎年金の受給権が発生することとなる（この場合、第1号被保険者期間の保険料納付状況は支給の可否に影響しない。）。したがって、本問は誤りである。

㉑答18 〇　法30条の4,1項。設問の通り正しい。

㉑答19 ✕　（6）法附則4条1項。設問の障害基礎年金の請求（平成6年11月9日前に受給権が消滅した障害基礎年金に係る経過措置による請求）は、65歳に達する日の前日までの間に行わなければならない（いつでも請求できるわけではない。）。

㉒答1 ✕　法32条2項。設問の場合、後発の障害基礎年金の支給停止すべき期間、併合認定された障害基礎年金は支給停止されるが、先発の障害基礎年金は支給される。

㉒問 1
□□□
R元-6B

障害基礎年金の受給権者に対して更に障害基礎年金を支給すべき事由が生じたときは、前後の障害を併合した障害の程度による障害基礎年金が支給されるが、当該前後の障害を併合した障害の程度による障害基礎年金の受給権を取得したときは、従前の障害基礎年金の受給権は消滅する。

㉒問 2
□□□
R3-9A

障害等級2級の障害基礎年金の受給権者が、その障害の状態が軽減し障害等級に該当しなくなったことにより障害基礎年金が支給停止となっている期間中に、更に別の傷病により障害基礎年金を支給すべき事由が生じたときは、前後の障害を併合した障害の程度による障害基礎年金を支給し、従前の障害基礎年金の受給権は消滅する。

㉒問 3
□□□
R元-9C

昭和61年2月、25歳の時に旧国民年金法による障害年金(障害福祉年金を除く。以下同じ。)の受給権を取得した者が、平成31年2月、58歳の時に事故により別の傷病による障害基礎年金の受給権が発生した場合、前後の障害の併合は行われず、25歳の時に受給権を取得した旧国民年金法による障害年金(受給権発生時から引き続き1級又は2級に該当する障害の状態にあるものとする。)と58歳で受給権を取得した障害基礎年金のどちらかを選択することになる。

㉒問 4
□□□
R4-5A

障害基礎年金の受給権者が更に障害基礎年金の受給権を取得した場合において、新たに取得した障害基礎年金が国民年金法第36条第1項(障害補償による支給停止)の規定により6年間その支給を停止すべきものであるときは、その停止すべき期間、その者に対し同法第31条第1項(併合認定)の規定により前後の障害を併合した障害の程度による障害基礎年金を支給する。

答1 ○ 法31条。設問の通り正しい。

答2 ○ 法31条。設問の通り正しい。

答3 ✕ (60)法附則26条。昭和61年4月前に旧法による障害年金の受給権を取得した者に対して更に新法の障害基礎年金の受給権が発生したときは、前後の障害を併合した障害の程度による障害基礎年金が支給される（つまり、併合は行われる。）。なお、この場合には、従前の旧法の障害年金の受給権は消滅せず、旧法の障害年金か、併合認定による障害基礎年金か、いずれを受けるかを選択することとなる。

答4 ✕ 法32条2項。障害基礎年金の受給権者が更に障害基礎年金の受給権を取得した場合において、新たに取得した障害基礎年金が法36条1項の規定により6年間その支給を停止すべきものであるときは、その停止すべき期間、その者に対して、併合認定の規定により前後の障害を併合した障害の程度による障害基礎年金ではなく、「従前の障害基礎年金」を支給する。

23 障害基礎年金－年金額

23問1
□□□
R6-6B

障害基礎年金の受給権者は、障害の程度が増進した場合に障害基礎年金の額の改定を請求することができるが、それは、当該障害基礎年金の受給権を取得した日から起算して1年6か月を経過した日より後でなければ行うことができない。

過去問

23問1
□□□
H30-10C

平成30年度の障害等級1級の障害基礎年金の額は、780,900円に改定率を乗じて得た額を100円未満で端数処理した779,300円の100分の150に相当する額である。なお、子の加算額はないものとする。

23問2
□□□
R3-8B

障害等級1級の障害基礎年金の額(子の加算はないものとする。)は、障害等級2級の障害基礎年金の額を1.25倍した976,125円に端数処理を行った、976,100円となる。
※ 本問は、令和3年度の給付額に関する問題である。

23問3
□□□
H27-6オ

20歳前傷病による障害基礎年金については、受給権者に一定の要件に該当する子がいても、子の加算額が加算されることはない。

23問4
□□□
R4-5B

障害基礎年金の受給権者が、その権利を取得した日の翌日以後にその者によって生計を維持している65歳未満の配偶者を有するに至ったときは、当該配偶者を有するに至った日の属する月の翌月から、当該障害基礎年金に当該配偶者に係る加算額が加算される。

23問5
□□□
H29-2エ

厚生労働大臣が、障害基礎年金の受給権者について、その障害の程度を診査し、その程度が従前の障害等級以外の障害等級に該当すると認めるときに、障害基礎年金の額を改定することができるのは、当該受給権者が65歳未満の場合に限られる。

23答1 × 法34条2項、3項。設問の増進改定請求は、原則として、障害基礎年金の受給権を取得した日から起算して「1年」を経過した日後でなければ行うことができない。

23答1 × 法33条、改定率改定令1条。設問の「100分の150」を「100分の125」に置き換えると、正しい文章となる。

23答2 × 法33条2項。令和3年度における子の加算のない障害等級1級の障害基礎年金の額は、障害等級2級の障害基礎年金の額（780,900円）を1.25倍にした「976,125円」となる（設問のような端数処理は行われない。）。

23答3 × 法33条の2,1項。20歳前傷病による障害基礎年金についても、受給権者に一定の要件に該当する子がいる場合には、子の加算額が加算される。

23答4 × 法33条の2,1項。障害基礎年金に、配偶者に係る加算は行われない。

23答5 × 法34条1項。障害基礎年金の額を改定することができるのは、当該受給権者が65歳未満の場合に限られない。

㉓問6
□□□
R5-10イ

障害の程度が増進したことによる障害基礎年金の額の改定請求については、障害の程度が増進したことが明らかである場合として厚生労働省令で定める場合を除き、当該障害基礎年金の受給権を取得した日又は国民年金法第34条第1項の規定による厚生労働大臣の障害の程度の診査を受けた日から起算して1年を経過した日後でなければ行うことができない。

㉓問7
□□□
R2-1エ
難

障害等級2級の障害基礎年金の受給権を取得した日から起算して6か月を経過した日に人工心臓(補助人工心臓を含む。)を装着した場合には、障害の程度が増進したことが明らかな場合として年金額の改定の請求をすることができる。

24 障害基礎年金－支給停止及び失権

最新問題

㉔問1
□□□
R6-2イ

国民年金法第30条の4の規定による障害基礎年金は、受給権者の前年の所得が、その者の所得税法に規定する同一生計配偶者及び扶養親族の有無及び数に応じて、政令で定める額を超えるときは、その年の10月から翌年の9月まで、政令で定めるところにより、その全部又は3分の1に相当する部分の支給を停止する。

以降、「20歳前傷病による障害基礎年金」とは、「国民年金法第30条の4」に規定するものをいう。

過去問

㉔問1
□□□
R3-1A

国民年金法第30条第1項の規定による障害基礎年金は、受給権者が刑事施設、労役場その他これらに準ずる施設に拘禁されているときには、その該当する期間、その支給が停止される。

㉓答6 ○　法34条２項、３項。設問の通り正しい。

㉓答7 ○　法34条３項、則33条の2の2,1項９号。設問の通り正しい。障害基礎年金の額の改定請求は、障害基礎年金の受給権者の障害の程度が増進したことが明らかである場合として厚生労働省令で定める場合は１年間の待機期間を要しないものとされている。設問の場合は、これに該当する。

㉔答1 ×　法36条の3,1項。設問の「３分の１」は正しくは「２分の１」である。法30条の４の規定による障害基礎年金は、受給権者の前年の所得が、その者の所得税法に規定する同一生計配偶者及び扶養親族の有無及び数に応じて、政令で定める額を超えるときは、その年の10月から翌年の９月まで、政令で定めるところにより、その全部又は２分の１〔法33条の2,1項(子の加算額)の規定によりその額が加算された障害基礎年金にあっては、その額から同項の規定により加算する額を控除した額の２分の１〕に相当する部分の支給を停止する。

㉔答1 ×　法36条１項、２項。法30条１項の障害基礎年金は、受給権者が、刑事施設、労役場その他これらに準ずる施設に拘禁されているときであっても、その支給は停止されない。

24 問 2
□□□
R元-9E

20歳前傷病による障害基礎年金を受給中である者が、労災保険法の規定による年金たる給付を受給できる（その全額につき支給を停止されていないものとする。）場合、その該当する期間、当該20歳前傷病による障害基礎年金は支給を停止する。

24 問 3
□□□
R4-4B

20歳前傷病による障害基礎年金及び国民年金法第30条の２の規定による事後重症による障害基礎年金は、受給権者が日本国内に住所を有しないときは、その間、その支給が停止される。

24 問 4
□□□
H28-5E

20歳前傷病による障害基礎年金は、その受給権者が日本国籍を有しなくなったときは、その支給が停止される。

24 問 5
□□□
H30-10E改

20歳前傷病による障害基礎年金は、受給権者が少年法第24条の規定による保護処分として少年院に送致され、収容されている場合は、その該当する期間、その支給を停止する。

24 問 6
□□□
H28-3D

20歳前傷病による障害基礎年金は、その受給権者が刑事施設等に拘禁されている場合であっても、未決勾留中の者については、その支給は停止されない。

24 問 7
□□□
R5-5E

20歳前傷病による障害基礎年金は、受給権者が刑事施設等に収容されている場合、その該当する期間は、その支給が停止されるが、判決の確定していない未決勾留中の者についても、刑事施設等に収容されている間は、その支給が停止される。

24 問 8
□□□
H27-2イ改

20歳前傷病による障害基礎年金は、前年の所得がその者の扶養親族等の有無及び数に応じて、政令で定める額を超えるときは、その年の10月から翌年の９月まで、その全部又は２分の１に相当する部分の支給が停止されるが、受給権者に扶養親族がいる場合、この所得は受給権者及び当該扶養親族の所得を合算して算出する。

24答 2 ○ 法36条の2,1項1号、2項。設問の通り正しい。

24答 3 ✕ 法36条、法36条の2。「国民年金法第30条の2の規定による事後重症による障害基礎年金」は、その受給権者が日本国内に住所を有しないことによりその支給を停止されることはない。なお、20歳前傷病による障害基礎年金が、その受給権者が日本国内に住所を有しないとき、その間、その支給が停止されるとする記述については正しい。

24答 4 ✕ 法36条の2,1項。20歳前傷病による障害基礎年金は、その受給権者が日本国籍を有しなくなったことをもって、その支給が停止されることはない。

24答 5 ○ 法36条の2,1項3号、則34条の4,2号。設問の通り正しい。

24答 6 ○ 法36条の2,1項2号、則34条の4。設問の通り正しい。

24答 7 ✕ 法36条の2,1項2号、3号、則34条の4。設問の施設に収容されている場合であっても、未決勾留中の者について、20歳前傷病による障害基礎年金は、その支給を停止しない。

24答 8 ✕ 法36条の3,1項。設問の20歳前傷病による障害基礎年金の所得による支給制限については、受給権者の扶養親族の所得は算定の基礎とされない。

24問9
□□□
R5-107

20歳前傷病による障害基礎年金は、受給権者の前年の所得が、その者の所得税法に規定する同一生計配偶者及び扶養親族の有無及び数に応じて、政令で定める額を超えるときは、その年の10月から翌年の9月まで、その全部又は3分の1に相当する部分の支給が停止される。

24問10
□□□
H30-4E改
難

20歳前傷病による障害基礎年金は、受給権者に子はおらず、扶養親族等もいない場合、前年の所得が370万4千円を超え472万1千円以下であるときは2分の1相当額が、前年の所得が472万1千円を超えるときは全額が、その年の10月から翌年の9月まで支給停止される。なお、被災により支給停止とならない場合を考慮する必要はない。

24問11
□□□
R5-6A

震災、風水害、火災その他これに類する災害により、自己又は所得税法に規定する同一生計配偶者若しくは扶養親族の所有に係る住宅、家財又は政令で定めるその他の財産につき、被害金額(保険金、損害賠償金等により補充された金額を除く。)が、その価格のおおむね2分の1以上である損害を受けた者(以下「被災者」という。)がある場合は、その損害を受けた月から翌年の9月までの20歳前傷病による障害基礎年金については、その損害を受けた年の前年又は前々年における当該被災者の所得を理由とする支給の停止は行わない。

24問12
□□□
H30-9A

63歳のときに障害状態が厚生年金保険法に規定する障害等級3級に該当する程度に軽減し、障害基礎年金の支給が停止された者が、3級に該当する程度の状態のまま5年経過後に、再び障害状態が悪化し、障害の程度が障害等級2級に該当したとしても、支給停止が解除されることはない。

24問13
□□□
R3-10D

障害基礎年金の受給権者が、厚生年金保険法第47条第2項に規定する障害等級に該当する程度の障害の状態に該当しなくなった日から起算して同項に規定する障害等級に該当する程度の障害の状態に該当することなく3年を経過した日において、65歳に達していないときでも、当該障害基礎年金の受給権は消滅する。

24答9 × 法36条の3,1項。設問の「3分の1」を「2分の1」に置き換えると、正しい記述となる。

24答10 ○ 令5条の4、令6条。設問の通り正しい。

24答11 ○ 法36条の4,1項。設問の通り正しい。

24答12 × 法35条2号、3号、法36条2項。設問の場合、障害基礎年金の支給停止は解除される。障害基礎年金は、受給権者が障害等級に該当する程度の障害の状態に該当しなくなったときは、その障害の状態に該当しない間、その支給を停止するが、厚生年金保険の障害等級(3級以上)に該当する間は失権することはなく、その後、再び障害等級に該当した場合は、支給停止は解除される。

24答13 × 法35条3号。厚生年金保険法47条2項に規定する障害等級(3級以上)に該当する程度の障害の状態に該当しなくなった日から起算して同項に規定する障害等級に該当する程度の障害の状態に該当することなく3年を経過したときであっても、当該3年を経過した日において、当該受給権者が65歳未満であるときは、障害基礎年金の受給権は消滅しない。

25 遺族基礎年金－支給要件等

最新問題

25問1
R6-6E
　国民年金の被保険者である者が死亡した時には、死亡日の前日において、死亡日の属する月の前々月までの被保険者期間があり、かつ、当該被保険者期間に係る保険料納付済期間と保険料免除期間を合算した期間が、当該被保険者期間の3分の2以上ある場合は、死亡した者の配偶者又は子に遺族基礎年金が支給される。

25問2
R6-6D
　老齢基礎年金の受給権者であった者が死亡した時には、その者の保険料納付済期間と保険料免除期間を合算した期間が10年以上ある場合(保険料納付済期間、保険料免除期間及び合算対象期間を合算して10年以上ある場合を含む。)は、死亡した者の配偶者又は子に遺族基礎年金が支給される。

25問3
R6-6C
　障害基礎年金の受給権者であった者が死亡した時には、その者の保険料納付済期間、保険料免除期間及び合算対象期間を合算した期間が25年未満である場合でも、その者の18歳に達する日以後の最初の3月31日までの間にある子のいない配偶者に対して遺族基礎年金が支給される。

25問4
R6-10A
　被保険者又は被保険者であった者の死亡の当時その者によって生計を維持していた配偶者は、遺族基礎年金を受けることができる子と生計を同じくし、かつ、その当時日本国内に住所を有していなければ遺族基礎年金を受けることができない。なお、死亡した被保険者又は被保険者であった者は保険料の納付要件を満たしているものとする。

過去問

25問1
R元-9B
　合算対象期間を25年以上有し、このほかには被保険者期間を有しない61歳の者が死亡し、死亡時に国民年金には加入していなかった。当該死亡した者に生計を維持されていた遺族が14歳の子のみである場合、当該子は遺族基礎年金を受給することができる。

㉕**答1** ○ 法37条1号。設問の通り正しい。

㉕**答2** × 法37条3号。老齢基礎年金の受給権者であった者の死亡により遺族基礎年金が支給されるためには、死亡した者の保険料納付済期間と保険料免除期間とを合算した期間が**25年以上**(保険料納付済期間、保険料免除期間及び合算対象期間を合算して25年以上である場合を含む。)なければならない。

㉕**答3** × 法37条。障害基礎年金の受給権者が死亡したことを理由に、遺族基礎年金が支給されることはない。また、死亡者の子と生計を同じくしない配偶者に対して遺族基礎年金が支給されることもない。

㉕**答4** × 法37条の2,1項。被保険者又は被保険者であった者の死亡の当時、日本国内に住所を有することは、遺族基礎年金を受けることができる遺族となるための要件ではないため、設問の配偶者が被保険者又は被保険者であった者の死亡の当時、遺族基礎年金の支給要件を満たす子と生計を同じくしていたときは、当該配偶者は遺族基礎年金を受けることができる。

㉕**答1** × 法37条、法附則9条1項。合算対象期間のみを25年有している者の死亡について、遺族基礎年金は支給されない。

25 問2 保険料納付済期間又は保険料免除期間（学生納付特例及び納付猶
□□□ 予の規定により納付することを要しないものとされた保険料に係る
R4-5C ものを除く。）を合算した期間を23年有している者が、合算対象期
間を３年有している場合、遺族基礎年金の支給要件の規定の適用
については、「保険料納付済期間と保険料免除期間とを合算した期
間が25年以上であるもの」とみなされる。

25 問3 第１号被保険者としての保険料納付済期間を15年有し、当該期
□□□ 間以外に保険料納付済期間、保険料免除期間及び合算対象期間を有
H30-8A しない老齢基礎年金を受給中の66歳の者が死亡した。死亡の当時、
その者に生計を維持されていた子がいる場合は、当該子に遺族基礎
年金が支給される。
※本問において「子」とは、18歳に達した日以後の最初の３月31
日に達していないものとする。

25 問4 死亡した被保険者について、死亡日の前日において、死亡日の属
□□□ する月の前々月までの１年間のうちに保険料が未納である月があ
H29-2ウ ったとしても、保険料納付済期間を25年以上有していたときには、
遺族基礎年金を受けることができる配偶者又は子がいる場合、これ
らの者に遺族基礎年金の受給権が発生する。

㉕答2 ○　法附則9条1項、(16)法附則19条4項、(26)法附則14条3項。設問の通り正しい。保険料納付済期間又は保険料免除期間(学生納付特例及び納付猶予の規定により納付することを要しないものとされた保険料に係るものを除く。)を有する者のうち、保険料納付済期間と保険料免除期間とを合算した期間が25年に満たない者であって保険料納付済期間、保険料免除期間及び合算対象期間を合算した期間が25年以上であるものは、遺族基礎年金の支給要件の規定の適用については、「保険料納付済期間と保険料免除期間とを合算した期間が25年以上であるもの」とみなされる。

㉕答3 ×　法37条3号、法附則9条1項。設問の場合、子に遺族基礎年金は支給されない。「老齢基礎年金の受給権者の死亡」により遺族基礎年金が支給されるためには、当該老齢基礎年金の受給権者が、「保険料納付済期間と保険料免除期間とを合算した期間が25年以上である者」であることを要する。

㉕答4 ○　法37条。設問の通り正しい。保険料納付済期間と保険料免除期間とを合算した期間が25年以上である被保険者が死亡した場合において、支給対象となる遺族がいるときは、保険料納付要件を問うことなく、遺族基礎年金の受給権が発生する。

㉕問5
□□□
H28-8D
難　　　20歳から60歳まで継続して国民年金に加入していた昭和25年4月生まれの者が、65歳の時点で老齢基礎年金の受給資格期間を満たさなかったため、特例による任意加入をし、当該特例による任意加入被保険者の期間中である平成28年4月に死亡した場合、その者の死亡当時、その者に生計を維持されていた16歳の子が一人いる場合、死亡した者が、死亡日の属する月の前々月までの1年間に保険料が未納である月がなくても、当該子には遺族基礎年金の受給権が発生しない。

㉕問6
□□□
R4-10B　　保険料納付済期間と保険料免除期間とを合算した期間が25年以上である55歳の第1号被保険者が死亡したとき、当該死亡日の前日において、当該死亡日の属する月の前々月までの1年間に保険料が未納である月があった場合は、遺族基礎年金を受けることができる要件を満たす配偶者と子がいる場合であっても、遺族基礎年金は支給されない。

㉕問7
□□□
H28-8E　　平成26年4月から障害等級2級の障害基礎年金を継続して受給している第1号被保険者が、平成28年4月に死亡した場合、その者の死亡当時、その者に生計を維持されていた16歳の子がいた場合、死亡した者に係る保険料納付要件は満たされていることから、子に遺族基礎年金の受給権が発生する。なお、死亡した者は国民年金法第89条第2項の規定による保険料を納付する旨の申出をしていないものとする。

㉕答5 ○　法37条１項、法37条の2,1項、(60)法附則20条２項。設問の通り正しい。設問の死亡者は特例の任意加入被保険者であった間に死亡していることから、死亡時点において「保険料納付済期間＋保険料免除期間(＋合算対象期間)」は25年(300月)未満であることになる※。設問の死亡者の死亡日の属する月の前々月までにおける国民年金の被保険者期間が491月(480月＋11月)であることから(下図参照)、設問の死亡が原則的な保険料納付要件を満たすことはなく、また、死亡者が死亡日において65歳以上であることから特例の保険料納付要件の規定の適用もないため、設問の子に遺族基礎年金の受給権は発生しない。

※平成29年８月１日前は、「保険料納付済期間＋保険料免除期間(＋合算対象期間)」が25年以上ないと老齢基礎年金の受給資格期間を満たさないとされていた。

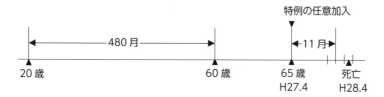

㉕答6 ×　法37条４号。設問の場合、遺族基礎年金は支給される。保険料納付済期間と保険料免除期間とを合算した期間が25年以上である者が死亡したときは、保険料納付要件は問われず、他の要件を満たす限り、遺族基礎年金は支給される。

㉕答7 ○　法37条１項、法37条の2,1項、(60)法附則20条２項。設問の通り正しい。死亡した者は第１号被保険者であり20歳以上60歳未満、すなわち65歳未満の者である。死亡日が令和８年４月１日前であり、死亡日の前日において、死亡日の属する月の前々月までの１年間が全て障害基礎年金の受給権者であることにより法定免除期間となり、また、当該法定免除期間について保険料を納付する旨の申出をしておらず、当該期間が保険料未納期間となる可能性もないことから、特例の保険料納付要件を満たすこととなる。したがって、設問の子には、遺族基礎年金の受給権が発生する。

囮問8 平成30年4月2日に第1号被保険者が死亡した場合、死亡した
□□□ 者につき、平成30年4月1日において、平成29年3月から平成30
H30-3A 年2月までの期間に保険料納付済期間及び保険料免除期間以外の被
保険者期間がないときは、遺族基礎年金の保険料納付要件を満た
す。

囮問9 被保険者である妻が死亡した場合について、死亡した日が平成
□□□ 26年4月1日以後であれば、一定の要件を満たす子のある夫にも
H28-3A 遺族基礎年金が支給される。なお、妻は遺族基礎年金の保険料納付
要件を満たしているものとする。

囮問10 平成31年4月に死亡した第1号被保険者の女性には、15年間婚
□□□ 姻の届出をしていないが、事実上婚姻関係と同様の事情にある第
R元-9D 1号被保険者の男性との間に14歳の子がいた。当該女性が死亡時
に当該子及び当該男性を生計維持し、かつ、所定の要件が満たされ
ている場合であっても、遺族基礎年金の受給権者は当該子のみであ
り、当該男性は、当該子と生計を同じくしていたとしても遺族基礎
年金の受給権者になることはない。

囮問11 遺族基礎年金の支給に係る生計維持の認定に関し、認定対象者の
□□□ 収入については、前年の収入が年額850万円以上であるときは、定
R2-1ウ 年退職等の事情により近い将来の収入が年額850万円未満となると
認められても、収入に関する認定要件に該当しないものとされる。

囮問12 夫が死亡し、その死亡の当時胎児であった子が生まれ、妻に遺族
□□□ 基礎年金の受給権が発生した場合、当該受給権の発生日は当該夫の
H30-8C 死亡当時に遡ることとなり、当該遺族基礎年金は当該子が出生する
までの期間、支給停止され、当該子の出生により将来に向かって支
給停止が解除される。なお、当該子以外に子はいないものとする。
※本問において「子」とは、18歳に達した日以後の最初の3月31
日に達していないものとする。

122

㉕答8 ○ (60)法附則20条２項。設問の通り正しい。設問において死亡した者は第１号被保険者であり20歳以上60歳未満、すなわち65歳未満のものである。当該第１号被保険者が平成30年４月２日、すなわち令和８年４月１日前に死亡し、死亡日の前日である平成30年４月１日において、死亡日の属する月の前々月までの１年間(平成29年３月から平成30年２月までの期間)に保険料納付済期間及び保険料免除期間以外の被保険者期間がないときは、特例による保険料納付要件を満たすこととなる。

㉕答9 ○ 法37条１項１号、法37条の2,1項１号、(24)法附則１条。設問の通り正しい。

㉕答10 × 法５条７項、法37条の2,1項。国民年金法において、「配偶者」、「夫」及び「妻」には、婚姻の届出をしていないが、事実上婚姻関係と同様の事情にある者を含むものとされている。設問の事実婚の男性も遺族基礎年金の受給権者となり得る。

㉕答11 × 平成26.3.31年発0331第７号。認定対象者の収入について、前年の収入が年額850万円以上であっても、定年退職等の事情により近い将来の収入が年額850万円未満となると認められるのであれば、収入に関する認定要件に該当するものとされる。

㉕答12 × 法37条の2,2項。設問の場合、遺族基礎年金の受給権の発生は、夫の死亡当時にさかのぼらない。被保険者又は被保険者であった者の死亡の当時胎児であった子が生まれたときは、法37条の2,1項(遺族の範囲)の規定の適用については、将来に向かって、その子は、被保険者又は被保険者であった者の死亡の当時その者によって生計を維持していたものとみなされ、配偶者は、その者の死亡の当時その子と生計を同じくしていたものとみなされる。

㉕問13 被保険者又は被保険者であった者(以下「被保険者等」という。)
□□□ の死亡の当時胎児であった子が生まれたときは、その子は、当該被
R5-7C 保険者等の死亡の当時その者によって生計を維持していたものとみ
なされるとともに、配偶者は、その者の死亡の当時その子と生計を
同じくしていたものとみなされ、その子の遺族基礎年金の受給権は
被保険者等の死亡当時にさかのぼって発生する。

26 遺族基礎年金－年金額

過去問

㉖問1 被保険者である夫が死亡し、その妻に遺族基礎年金が支給される
□□□ 場合、遺族基礎年金には、子の加算額が加算される。
R2-2E

㉖問2 受給権者が子3人であるときの子に支給する遺族基礎年金の額
□□□ は、780,900円に改定率を乗じて得た額に、224,700円に改定率を
H28-3E 乗じて得た額の2倍の額を加算し、その合計額を3で除した額を
3人の子それぞれに支給する。

㉖問3 遺族基礎年金の受給権者が4人の子のみである場合、遺族基
□□□ 礎年金の受給権者の子それぞれが受給する遺族基礎年金の額は、
R3-8C 780,900円に子の加算として224,700円、224,700円、74,900円
を合計した金額を子の数で除した金額となる。
※ 本問は、令和3年度の給付額に関する問題である。

㉖問4 被保険者又は被保険者であった者の死亡の当時その者によって生
□□□ 計を維持していた配偶者は、その当時日本国内に住所を有していな
R元-2C かった場合でも、遺族基礎年金を受けることができる子と生計を同
じくしていれば遺族基礎年金を受けることができる遺族となる。な
お、死亡した被保険者又は被保険者であった者は遺族基礎年金の保
険料納付要件を満たしているものとする。

㉕答13 ✕ 法37条の2,2項。被保険者等の死亡の当時胎児であった子が生まれたときは、将来に向かって、その子は、被保険者等の死亡の当時その者によって生計を維持していたものとみなし、配偶者は、その者の死亡の当時その子と生計を同じくしていたものとみなす。したがって、その子の遺族基礎年金の受給権は、被保険者等の死亡当時にさかのぼって発生することはない。

㉖答1 ○ 法39条1項。設問の通り正しい。配偶者に支給する遺族基礎年金の額は、必ず子に係る加算額が加算された額となる。

㉖答2 ✕ 法39条の2,1項。遺族基礎年金について、受給権者が子3人であるときは、780,900円に改定率を乗じて得た額に、「224,700円に改定率を乗じて得た額」及び「74,900円に改定率を乗じて得た額」を加算し、その合計額を3で除して得た額がそれぞれの子に支給される。

㉖答3 ✕ 法39条の2,1項。遺族基礎年金の受給権者が4人の子のみである場合、令和3年度における遺族基礎年金の受給権者の子それぞれが受給する遺族基礎年金の額は、「780,900円、224,700円、74,900円及び74,900円を合計した金額」を子の数で除して得た金額となる。

㉖答4 ○ 法37条の2,1項。設問の通り正しい。

㉖問5
□□□
H29-27

配偶者に支給する遺族基礎年金は、当該配偶者が、死亡した被保険者によって生計を維持されていなかった10歳の子と養子縁組をしたときは、当該子を養子とした日の属する月の翌月から年金額が改定される。

㉖問6
□□□
R3-6B

配偶者が遺族基礎年金の受給権を取得した当時胎児であった子が生まれたときは、その子は、配偶者がその権利を取得した当時遺族基礎年金の遺族の範囲に該当し、かつ、死亡した被保険者又は被保険者であった者と生計を同じくした子とみなされるため、遺族基礎年金の額は被保険者又は被保険者であった者の死亡した日の属する月の翌月にさかのぼって改定される。

㉖問7
□□□
R元-7B

被保険者又は被保険者であった者の死亡の当時胎児であった子が出生したことにより、被保険者又は被保険者であった者の妻及び子が遺族基礎年金の受給権を取得した場合においては、当該遺族基礎年金の裁定の請求書には連名しなければならない。

㉖問8
□□□
R3-6D

被保険者又は被保険者であった者の死亡の当時胎児であった子が出生したことによる遺族基礎年金についての裁定請求は、遺族基礎年金の受給権者が同時に当該遺族基礎年金と同一の支給事由に基づく遺族厚生年金の受給権を有する場合においては、厚生年金保険法第33条の規定による当該遺族厚生年金の裁定の請求に併せて行わなければならない。

㉖**答5** ✕ 法39条２項、３項。被保険者の死亡当時、当該死亡した被保険者によって生計を維持されていなかった10歳の子は、遺族基礎年金の「遺族」の要件を満たしていない。また、設問の子が「遺族」の要件を満たす子であったとしても、養子縁組により、配偶者に支給される遺族基礎年金の額は改定されることはない。設問文からは配偶者と子の生計同一関係は読み取れないが、配偶者に支給する遺族基礎年金は、配偶者が遺族基礎年金の受給権を取得した当時に当該配偶者と生計を同じくした子について加算が行われるものであり、少なくとも、養子縁組をすることにより、配偶者の遺族基礎年金の額が改定されることはない。

㉖**答6** ✕ 法37条の2,2項、法39条２項。被保険者等が死亡したことにより、配偶者が遺族基礎年金の受給権を取得した当時胎児であった子が生まれたときは、その子は、将来に向かって被保険者等の死亡の当時その者によって生計を維持していたものとみなされ、また、配偶者は、将来に向かってその者の死亡の当時その子と生計を同じくしていたものとみなされるため、配偶者の遺族基礎年金の額は、当該子が生まれた日の属する月の翌月から改定される。

㉖**答7** ◯ 則40条１項、２項。設問の通り正しい。

㉖**答8** ◯ 則40条５項。設問の通り正しい。

27 遺族基礎年金－支給停止及び失権

最新問題

27問1
□□□
R6-10B

第2号被保険者である50歳の妻が死亡し、その妻により生計を維持されていた50歳の夫に遺族基礎年金の受給権が発生し、16歳の子に遺族基礎年金と遺族厚生年金の受給権が発生した。この場合、子が遺族基礎年金と遺族厚生年金を受給し、その間は夫の遺族基礎年金は支給停止される。

過去問

27問1
□□□
H30-8B

夫の死亡により妻と子に遺族基礎年金の受給権が発生し、子の遺族基礎年金は支給停止となっている。当該妻が再婚した場合、当該妻の遺族基礎年金の受給権は消滅し、当該子の遺族基礎年金は、当該妻と引き続き生計を同じくしていたとしても、支給停止が解除される。
※本問において「子」とは、18歳に達した日以後の最初の3月31日に達していないものとする。

27問2
□□□
H30-8E

第2号被保険者である40歳の妻が死亡したことにより、当該妻の死亡当時、当該妻に生計を維持されていた40歳の夫に遺族基礎年金の受給権が発生し、子に遺族基礎年金と遺族厚生年金の受給権が発生した。この場合、夫の遺族基礎年金は支給停止となり、子の遺族基礎年金と遺族厚生年金が優先的に支給される。
※本問において「子」とは、18歳に達した日以後の最初の3月31日に達していないものとする。

27問3
□□□
R3-7A

配偶者に対する遺族基礎年金が、その者の1年以上の所在不明によりその支給を停止されているときは、子に対する遺族基礎年金もその間、その支給を停止する。

27 答1 ✕ 法41条２項。設問の場合、子に対する遺族基礎年金が支給停止され、夫に対する遺族基礎年金は支給停止されない。設問の子は遺族基礎年金と遺族厚生年金の受給権を取得しているが、子に対する遺族基礎年金は、原則として、配偶者が遺族基礎年金の受給権を有する間は支給停止されるため、設問の子は遺族厚生年金のみを受給することとなる。

27 答1 ✕ 法40条１項、３項、法41条２項。設問の妻が設問の子の母であった場合、当該妻と引き続き生計を同じくしている限り、当該子の遺族基礎年金は、その支給が停止されることとなる。

27 答2 ✕ 法41条２項。設問の場合、子の遺族基礎年金は、夫が遺族基礎年金の受給権を有する間、その支給が停止され、夫の遺族基礎年金は支給停止されない。子は遺族厚生年金のみを受給することとなる。

27 答3 ✕ 法41条２項。配偶者に対する遺族基礎年金が法41条の2,1項（所在不明による支給停止）の規定によりその支給を停止されているときは、子に対する遺族基礎年金は、その支給を停止されない。

27問4 □□□ H28-3C　　子に対する遺族基礎年金は、原則として、配偶者が遺族基礎年金の受給権を有するときは、その間、その支給が停止されるが、配偶者に対する遺族基礎年金が国民年金法第20条の2第1項の規定に基づき受給権者の申出により支給停止されたときは、子に対する遺族基礎年金は支給停止されない。

27問5 □□□ R4-4D　　遺族基礎年金の受給権を取得した夫が60歳未満であるときは、当該遺族基礎年金は、夫が60歳に達するまで、その支給が停止される。

27問6 □□□ H30-5ウ　　遺族基礎年金の受給権を有する子が2人ある場合において、そのうちの1人の子の所在が1年以上明らかでないとき、その子に対する遺族基礎年金は、他の子の申請によって、その申請のあった日の属する月の翌月から、その支給を停止する。

27問7 □□□ H30-5エ　　遺族基礎年金の受給権は、受給権者が婚姻をしたときは消滅するが、老齢基礎年金の支給繰上げの請求をしても消滅しない。

27問8 □□□ H30-8D　　夫の死亡により、夫と前妻との間に生まれた子(以下「夫の子」という。)及び妻(当該夫の子と生計を同じくしていたものとする。)に遺族基礎年金の受給権が発生した。当該夫の子がその実母と同居し、当該妻と生計を同じくしなくなった場合、当該妻の遺族基礎年金の受給権は消滅するが、当該夫の子の遺族基礎年金の受給権は消滅しない。なお、当該夫の子以外に子はいないものとする。
※本問において「子」とは、18歳に達した日以後の最初の3月31日に達していないものとする。

27問9 □□□ H28-3B　　被保険者、配偶者及び当該夫婦の実子が1人いる世帯で、被保険者が死亡し配偶者及び子に遺族基礎年金の受給権が発生した場合、その子が直系血族又は直系姻族の養子となったときには、子の有する遺族基礎年金の受給権は消滅しないが、配偶者の有する遺族基礎年金の受給権は消滅する。

27答4 ○ 法41条2項。設問の通り正しい。設問の場合、子に対する遺族基礎年金について「配偶者が遺族基礎年金の受給権を有する」ことによる支給停止は行われなくなる。

27答5 × 法41条、法41条の2他。夫の遺族基礎年金について、設問のような支給停止は行われない。

27答6 × 法42条1項。設問の場合は、その所在が明らかでなくなった時にさかのぼって、その支給を停止する。

27答7 ○ 法40条。設問の通り正しい。遺族基礎年金の受給権は、老齢基礎年金の支給繰上げの請求によって消滅することはない。

27答8 ○ 法39条3項5号、法40条。設問の通り正しい。妻の遺族基礎年金の受給権は、妻が子と生計を同じくしなくなったことにより、消滅する。また、子の遺族基礎年金の受給権は、子が実母と同居することによって、消滅することはない。

27答9 ○ 法39条3項3号、法40条1項3号、2項。設問の通り正しい。

27 問10
□□□
R4-10A
被保険者である妻が死亡し、その夫が、1人の子と生計を同じくして、遺族基礎年金を受給している場合において、当該子が18歳に達した日以後の最初の3月31日が終了したときに、障害等級に該当する障害の状態にない場合は、夫の有する当該遺族基礎年金の受給権は消滅する。

27 問11
□□□
R5-10I
配偶者の有する遺族基礎年金の受給権は、生計を同じくする当該遺族基礎年金の受給権を有する子がいる場合において、当該配偶者が国民年金の第2号被保険者になったときでも、当該配偶者が有する遺族基礎年金の受給権は消滅しない。

27 問12
□□□
R元-2B
遺族基礎年金の受給権者である子が、死亡した被保険者の兄の養子となったとしても、当該子の遺族基礎年金の受給権は消滅しない。

27 問13
□□□
R5-6E
遺族基礎年金の受給権を有する配偶者と子のうち、すべての子が直系血族又は直系姻族の養子となった場合、配偶者の有する遺族基礎年金の受給権は消滅するが、子の有する遺族基礎年金の受給権は消滅しない。

27 問14
□□□
H30-2C
離縁によって、死亡した被保険者又は被保険者であった者の子でなくなったときは、当該子の有する遺族基礎年金の受給権は消滅する。

27 問15
□□□
H27-3A
子の有する遺族基礎年金の受給権は、当該子が18歳に達した日以後の最初の3月31日が終了したときに障害等級に該当する障害の状態にあった場合は、その後、当該障害の状態に該当しなくなっても、20歳に達するまで消滅しない。

27 問16
□□□
R4-6A
子の遺族基礎年金については、受給権発生後当該子が18歳に達する日以後の最初の3月31日までの間に障害等級に該当する障害の状態となり、以降当該子が20歳に達するまでの間障害の状態にあったときは、当該子が18歳に達する日以後の最初の3月31日を過ぎても20歳に達するまで遺族基礎年金を受給できる。なお、当該子は婚姻していないものとする。

㉗答10 ○　法39条3項6号、法40条2項。設問の通り正しい。

㉗答11 ○　法40条。設問の通り正しい。

㉗答12 ×　法40条1項3号。死亡した被保険者の兄は、子の伯父(傍系血族)であり、子が当該伯父(直系血族又は直系姻族以外の者)の養子となったときは、当該子の遺族基礎年金の受給権は消滅する。

㉗答13 ○　法40条。設問の通り正しい。

㉗答14 ○　法40条3項1号。設問の通り正しい。

㉗答15 ×　法40条3項3号。設問の場合、20歳に達するまでの間に障害状態に該当しなくなったときは、遺族基礎年金の受給権は消滅する。

㉗答16 ○　法40条1項、3項。設問の通り正しい。

28 付加年金

28問1
□□□
R2-4D

死亡した被保険者の子が遺族基礎年金の受給権を取得した場合において、当該被保険者が月額400円の付加保険料を納付していた場合、当該子には、遺族基礎年金と併せて付加年金が支給される。

28問2
□□□
R5-1B

付加年金は、第1号被保険者及び第3号被保険者としての被保険者期間を有する者が老齢基礎年金の受給権を取得したときに支給されるが、第2号被保険者期間を有する者について、当該第2号被保険者期間は付加年金の対象とされない。

28問3
□□□
H30-2D

昭和61年4月1日前に国民年金に加入して付加保険料を納付していた者について、その者が老齢基礎年金の受給権を取得したときは、当該付加保険料の納付済期間に応じた付加年金も支給される。

28問4
□□□
H27-2ウ

付加保険料に係る保険料納付済期間を300か月有する者が、65歳で老齢基礎年金の受給権を取得したときには、年額60,000円の付加年金が支給される。

28問5
□□□
R4-9B

第1号被保険者期間中に支払った付加保険料に係る納付済期間を60月有する者は、65歳で老齢基礎年金の受給権を取得したときに、老齢基礎年金とは別に、年額で、400円に60月を乗じて得た額の付加年金が支給される。

28問6
□□□
H29-8E

寡婦年金及び付加年金の額は、毎年度、老齢基礎年金と同様の改定率によって改定される。

28問7
□□□
R5-9A

老齢基礎年金の繰上げの請求をした場合において、付加年金については繰上げ支給の対象とはならず、65歳から支給されるため、減額されることはない。

28答1 ✕　法43条。付加年金は、付加保険料納付済期間を有する者が老齢基礎年金の受給権を取得したときに限り、その者に支給される。遺族基礎年金の受給権者である若年の子に付加年金が支給されることはない。

28答2 ✕　法43条。付加年金は、付加保険料に係る保険料納付済期間を有する者が老齢基礎年金の受給権を取得したときに、その者に支給される。

28答3 ◯　法43条、(60)法附則8条1項。設問の通り正しい。昭和61年4月1日前の期間に係る付加保険料納付済期間は、第1号被保険者としての付加保険料納付済期間とみなされるので、この期間に係る保険料納付済期間を有する者が老齢基礎年金の受給権を取得したときには、付加年金も支給される。

28答4 ◯　法43条、法44条。設問の通り正しい。設問の者には、年額60,000円(200円×300月)の付加年金が支給される。

28答5 ✕　法44条。設問の「400円」を「200円」に置き換えると、正しい記述となる。

28答6 ✕　法44条、法50条。設問の年金の額のうち、付加年金の額は、200円に付加保険料に係る保険料納付済期間の月数を乗じて得た額とされており、改定率によって改定されることはない。

28答7 ✕　法附則9条の2,6項、令12条2項。付加年金の支給は、老齢基礎年金の支給繰上げの請求を行ったときは、当該老齢基礎年金に併せて繰り上げられ、この場合の付加年金の額は、老齢基礎年金と同じ率で減額される。

28 問8
□□□
R2-10ア

第1号被保険者期間中に15年間付加保険料を納付していた68歳の者(昭和27年4月2日生まれ)が、令和2年4月に老齢基礎年金の支給繰下げの申出をした場合は、付加年金額に25.9%を乗じた額が付加年金額に加算され、申出をした月の翌月から同様に増額された老齢基礎年金とともに支給される。

28 問9
□□□
H29-6D

付加保険料に係る保険料納付済期間を有する者が老齢基礎年金の支給繰下げの申出を行ったときは、付加年金についても支給が繰り下げられ、この場合の付加年金の額は、老齢基礎年金と同じ率で増額される。なお、本問において振替加算を考慮する必要はない。

28 問10
□□□
R5-2B

老齢基礎年金と付加年金の受給権を有する者が、老齢基礎年金の支給繰下げの申出をした場合、付加年金は当該申出のあった日の属する月の翌月から支給が開始され、支給額は老齢基礎年金と同じ率で増額される。

29 寡婦年金

最新問題

29 問1
□□□
R6-3B

労働基準法の規定による障害補償を受けることができるときにおける障害基礎年金並びに同法の規定による遺族補償が行われるべきものであるときにおける遺族基礎年金又は寡婦年金については、6年間、その支給を停止する。

過去問

29 問1
□□□
R元-4E

死亡日の前日において死亡日の属する月の前月までの第1号被保険者としての被保険者期間に係る保険料納付済期間を5年と合算対象期間を5年有する夫が死亡した場合、所定の要件を満たす妻に寡婦年金が支給される。なお、当該夫は上記期間以外に第1号被保険者としての被保険者期間を有しないものとする。

㉘答8 ✕　法附則９条の2,6項、法46条、令４条の5,2項、令12条２項。設問の者の付加年金及び老齢基礎年金の増額率は、「25.2％※」となる。

※7/1000×36か月〔平成29年４月(65歳到達月) ～令和２年３月(繰下げ申出月の前月)〕＝25.2％

㉘答9 〇　法46条、令４条の5,2項。設問の通り正しい。

㉘答10 〇　法46条、令４条の5,2項。設問の通り正しい。付加年金の支給は、老齢基礎年金の支給繰下げの申出を行ったときは、当該老齢基礎年金に併せて繰り下げられ、この場合の付加年金の額は、老齢基礎年金と同じ率で増額される。

㉙答1 〇　法36条１項、法41条１項、法52条。設問の通り正しい。

㉙答1 ✕　法49条１項。設問の死亡した夫は、保険料納付済期間と保険料免除期間とを合算した期間を10年以上有さないため、妻に寡婦年金は支給されない。

㉙問2
□□□
R4-3B

第1号被保険者としての被保険者期間に係る保険料納付済期間が25年以上あり、老齢基礎年金及び障害基礎年金の支給を受けたことがない夫が死亡した場合において、死亡の当時当該夫によって生計を維持し、かつ、夫との婚姻関係が10年以上継続した妻が60歳未満であるときは、寡婦年金の受給権が発生する。

㉙問3
□□□
R5-2D

国民年金第2号被保険者としての保険料納付済期間が15年であり、他の被保険者としての保険料納付済期間及び保険料免除期間を有しない夫が死亡した場合、当該夫の死亡当時生計を維持し、婚姻関係が15年以上継続した60歳の妻があった場合でも、寡婦年金は支給されない。なお、死亡した夫は、老齢基礎年金又は障害基礎年金の支給を受けたことがないものとする。

㉙問4
□□□
R2-4E

夫が老齢基礎年金の受給権を取得した月に死亡した場合には、他の要件を満たしていても、その者の妻に寡婦年金は支給されない。

㉙問5
□□□
H29-8D

一定要件を満たした第1号被保険者の夫が死亡し、妻が遺族基礎年金の受給権者となった場合には、妻に寡婦年金が支給されることはない。

㉙問6
□□□
H29-8B

妻が繰上げ支給の老齢基礎年金を受給中に、一定要件を満たした第1号被保険者の夫が死亡した場合、妻には寡婦年金を受給する権利が発生し、繰上げ支給の老齢基礎年金か寡婦年金かのどちらかを受給することができる。

㉙問7
□□□
H28-2D

寡婦年金の額は、死亡日の属する月の前月までの第1号被保険者としての被保険者期間に係る死亡日の前日における保険料納付済期間及び保険料免除期間につき、国民年金法第27条の老齢基礎年金の額の規定の例によって計算した額とされている。

㉙答2 ○　法49条1項。設問の通り正しい。設問の夫は、第1号被保険者としての被保険者期間に係る保険料納付済期間が25年以上、すなわち10年以上あり、老齢基礎年金及び障害基礎年金の支給を受けたことがないため、当該夫の死亡の当時当該夫によって生計を維持し、かつ、夫との婚姻関係が10年以上継続した妻が60歳未満であるときは、寡婦年金の受給権が発生する。なお、夫の死亡の当時、60歳未満である設問の妻に支給する寡婦年金は、法18条1項の規定にかかわらず、妻が60歳に達した日の属する月の翌月から、その支給を始める。

㉙答3 ○　法49条1項。設問の通り正しい。設問の夫は、第1号被保険者としての保険料納付済期間及び保険料免除期間を10年以上有していないため、設問の妻に寡婦年金は支給されない。

㉙答4 ×　法18条1項、法29条、法49条1項。設問の夫は老齢基礎年金の支給を受けたことがないため、設問の妻には、寡婦年金が支給される（年金を支給すべき事由が生じた日の属する月にその権利が消滅した場合、年金は支給されない。）。

㉙答5 ×　法49条1項他。夫の死亡により遺族基礎年金の受給権を取得した場合であっても、要件を満たす限り、妻は、寡婦年金の受給権を同時に取得する。

㉙答6 ×　法49条、法附則9条の2の3。繰上げ支給の老齢基礎年金の受給権を有する妻に、寡婦年金の受給権は発生しない。

㉙答7 ×　法50条。寡婦年金の額は、死亡日の属する月の前月までの第1号被保険者としての被保険者期間に係る死亡日の前日における保険料納付済期間及び保険料免除期間につき、法27条の規定の例によって計算した額の4分の3に相当する額とされる。

㉙問8
□□□
R5-1E

寡婦年金の額は、死亡した夫の老齢基礎年金の計算の例によって計算した額の4分の3に相当する額であるが、当該夫が3年以上の付加保険料納付済期間を有していた場合には、上記の額に8,500円を加算した額となる。

㉙問9
□□□
H30-6B

寡婦年金は、夫の死亡について労働基準法の規定による遺族補償が行われるべきものであるときは、死亡日から6年間、その支給が停止される。

㉙問10
□□□
H27-2オ

60歳未満の妻が受給権を有する寡婦年金は、妻が60歳に達した日の属する月の翌月から支給されるが、そのときに妻が障害基礎年金の受給権を有している場合には、寡婦年金の受給権は消滅する。

㉙問11
□□□
R4-7E

寡婦年金は、受給権者が繰上げ支給による老齢基礎年金の受給権を取得した場合でも支給される。

㉙**答8** ✕ 法50条。死亡した夫が3年以上の付加保険料納付済期間を有していた場合であっても、寡婦年金の額に8,500円の加算は行われない。

㉙**答9** ○ 法52条。設問の通り正しい。

㉙**答10** ✕ 法49条3項、法51条、法附則9条の2,5項。寡婦年金の受給権を有する者が障害基礎年金の受給権を有していても、寡婦年金の受給権は消滅しない。

 Point

> 寡婦年金の失権事由
> 寡婦年金の受給権は、受給権者が次の①〜⑤のいずれかに該当するに至ったときは、消滅する。
> ① 65歳に達したとき。
> ② 死亡したとき。
> ③ 婚姻(届出をしていないが、事実上婚姻関係と同様の事情にある場合を含む。)をしたとき。
> ④ 養子(届出をしていないが、事実上養子縁組関係と同様の事情にある者を含む。)となったとき(直系血族又は直系姻族の養子となったときを除く。)。
> ⑤ 繰上げ支給の老齢基礎年金の受給権を取得したとき。

プラスα

> 死亡した夫が、老齢基礎年金又は障害基礎年金の支給を受けたことがある場合は、寡婦年金は支給されない。

㉙**答11** ✕ 法附則9条の2,5項。寡婦年金の受給権は、受給権者が繰上げ支給による老齢基礎年金の受給権を取得したときは、消滅する。㉙**答10**の **Point** 参照。

 プラスα

> 繰上げ支給の老齢基礎年金の受給権者がその受給権を取得した後に、寡婦年金の要件に係るその者の夫が死亡した場合であっても、その者に寡婦年金は支給されない。

30 死亡一時金

30問1
□□□
R6-10C

死亡日の前日において死亡日の属する月の前月までの第１号被保険者としての被保険者期間に係る保険料半額免除期間を48月有し、かつ、４分の１免除期間を12月有している者で、所定の要件を満たす被保険者が死亡した場合に、その被保険者の死亡によって遺族基礎年金又は寡婦年金を受給できる者はいないが、死亡一時金を受給できる遺族がいるときは、その遺族に死亡一時金が支給される。

過去問

30問1
□□□
R元-3B

死亡日の前日において死亡日の属する月の前月までの第１号被保険者としての被保険者期間に係る保険料４分の１免除期間を48月有している者であって、所定の要件を満たす被保険者が死亡した場合に、当該被保険者の死亡により遺族基礎年金又は寡婦年金を受けることができる者がなく、当該被保険者に死亡一時金の支給対象となる遺族があるときは、その遺族に死亡一時金が支給される。

30問2
□□□
R2-1オ

死亡した者の死亡日においてその者の死亡により遺族基礎年金を受けることができる者があるときは、当該死亡日の属する月に当該遺族基礎年金の受給権が消滅した場合であっても、死亡一時金は支給されない。

30問3
□□□
R2-3D

死亡日の前日において、死亡日の属する月の前月までの第１号被保険者としての被保険者期間に係る保険料納付済期間の月数が18か月、保険料全額免除期間の月数が６か月、保険料半額免除期間の月数が24か月ある者が死亡した場合において、その者の遺族に死亡一時金が支給される。

30問4
□□□
H27-2I

65歳以上の特例による任意加入被保険者が死亡した場合であっても、死亡一時金の支給要件を満たしていれば、一定の遺族に死亡一時金が支給される。

30答1　×　法52条の2,1項。設問の死亡者の場合、死亡日の前日において死亡日の属する月の前月までの第1号被保険者としての被保険者期間に係る保険料半額免除期間の月数(48月)の2分の1に相当する月数(24月)及び保険料4分の1免除期間の月数(12月)の4分の3に相当する月数(9月)を合算した月数が33月であり、「36月以上」を満たさないため、死亡一時金は支給されない。

30答1　○　法52条の2,1項、2項。設問の通り正しい。設問の死亡者は、死亡日の前日において死亡日の属する月の前月までの第1号被保険者としての被保険者期間に係る保険料4分の1免除期間の月数(48月)の4分の3に相当する月数が36月である者であるため、死亡一時金の支給に必要な保険料の納付の要件を満たしている。

30答2　×　法52条の2,2項。死亡した者の死亡日においてその者の死亡により遺族基礎年金を受けることができる者があるときであっても、当該死亡日の属する月に当該遺族基礎年金の受給権が消滅した場合は、死亡一時金は支給される。

30答3　×　法52条の2,1項。設問の死亡者の場合、死亡日の前日において死亡日の属する月の前月までの第1号被保険者としての被保険者期間に係る保険料納付済期間の月数(18か月)及び保険料半額免除期間の月数(24か月)の2分の1に相当する月数(12か月)を合算した月数が30か月であり、「36か月以上」を満たさないため、死亡一時金は支給されない。

30答4　○　法52条の2,1項、(6)法附則11条10項、(16)法附則23条10項。設問の通り正しい。

30 問 5
□□□
H28-2A

死亡一時金は、遺族基礎年金の支給を受けたことがある者が死亡したときは、その遺族に支給されない。なお、本問において死亡した者は、遺族基礎年金以外の年金の支給を受けたことはないものとする。

30 問 6
□□□
H28-5B

死亡一時金を受けることができる遺族は、死亡した者の配偶者、子、父母、孫、祖父母、兄弟姉妹又はこれらの者以外の三親等内の親族であって、その者の死亡の当時その者と生計を同じくしていたものである。

30 問 7
□□□
R元-4B

死亡一時金を受けることができる遺族が、死亡した者の祖父母と孫のみであったときは、当該死亡一時金を受ける順位は孫が優先する。なお、当該祖父母及び孫は当該死亡した者との生計同一要件を満たしているものとする。

30 問 8
□□□
R4-9C

死亡一時金を受けることができる遺族の範囲は、年金給付の受給権者が死亡した場合において、その死亡した者に支給すべき年金でまだ支給していない年金がある場合に、未支給の年金の支給を請求できる遺族の範囲と同じである。

30 問 9
□□□
R5-2C

死亡した甲の妹である乙は、甲の死亡当時甲と生計を同じくしていたが、甲によって生計を維持していなかった。この場合、乙は甲の死亡一時金の支給を受けることができる遺族とはならない。なお、甲には、乙以外に死亡一時金を受けることができる遺族はいないものとする。

30答5 ✕　法52条の2,1項。死亡者が遺族基礎年金の支給を受けたことがある場合であっても、所定の要件を満たす限り、死亡一時金は支給される。なお、老齢基礎年金又は障害基礎年金の支給を受けたことがある者が死亡したときは、死亡一時金は支給されない。

30答6 ✕　法52条の3,1項。死亡一時金を受けることができる遺族は、死亡した者の「配偶者、子、父母、孫、祖父母又は兄弟姉妹」であって、その者の死亡の当時その者と生計を同じくしていたものとされている。

30答7 ◯　法52条の3,1項、2項。設問の通り正しい。

30答8 ✕　法19条1項、法52条の3,1項。死亡一時金を受けることができる遺族の範囲と、未支給の年金の支給を請求できる遺族の範囲は異なる。死亡一時金を受けることができる遺族の範囲は、原則として、死亡した者の「配偶者、子、父母、孫、祖父母又は兄弟姉妹であって、その者の死亡の当時その者と生計を同じくしていたもの」とされる。これに対し、未支給の年金の支給を請求できる遺族の範囲は、死亡した者の「配偶者、子、父母、孫、祖父母、兄弟姉妹又はこれらの者以外の三親等内の親族であって、その者の死亡の当時その者と生計を同じくしていたもの」とされる。

30答9 ✕　法52条の3,1項。死亡一時金を受けることができる遺族は、死亡した者の配偶者、子、父母、孫、祖父母又は兄弟姉妹であって、その者の死亡の当時その者と生計を同じくしていたものとする。甲の死亡当時甲と生計を同じくしていた妹である乙は、他の要件を満たす限り、死亡一時金の受給権者となる。

30 問10 死亡一時金の支給要件を満たして死亡した者とその前妻との間の
□□□ 子が遺族基礎年金の受給権を取得したが、当該子は前妻(子の母)と
H27-27 生計を同じくするため、その支給が停止されたとき、死亡した者と
生計を同じくしていた子のない後妻は死亡一時金を受けることがで
きる。

30 問11 死亡一時金の額は、死亡日の属する月の前月までの第1号被保
□□□ 険者としての被保険者期間に係る死亡日の前日における保険料納付
H30-2E 済期間の月数、保険料4分の1免除期間の月数、保険料半額免除
期間の月数及び保険料4分の3免除期間の月数を合算した月数に
応じて、49,020円から294,120円の範囲で定められた額である。

30 問12 死亡日の前日における付加保険料に係る保険料納付済期間が3
□□□ 年以上である者の遺族に支給される死亡一時金の額には、8,500円
H29-7A が加算される。

30 問13 死亡日の属する月の前月までの第1号被保険者としての被保険
□□□ 者期間に係る死亡日の前日における保険料納付済期間が36か月で
R2-2A あり、同期間について併せて付加保険料を納付している者の遺族
に支給する死亡一時金の額は、120,000円に8,500円を加算した
128,500円である。なお、当該死亡した者は上記期間以外に被保険
者期間を有していないものとする。

30 答10 ○ 法52条の2,3項、法52条の3,1項ただし書。設問の通り正しい。遺族基礎年金の受給権者はいるものの、その受給権者が子であってその子と生計を同じくする父又は母があることにより遺族基礎年金が支給停止される場合には、当該子と生計を同じくしない配偶者（設問の場合は後妻）に死亡一時金が支給されることとされている。

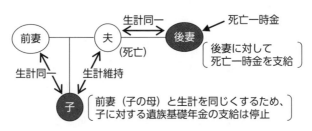

30 答11 × 法52条の4,1項。死亡一時金の額は、死亡日の属する月の前月までの第1号被保険者としての被保険者期間に係る死亡日の前日における保険料納付済期間の月数、保険料4分の1免除期間の月数の4分の3に相当する月数、保険料半額免除期間の月数の2分の1に相当する月数及び保険料4分の3免除期間の月数の4分の1に相当する月数を合算した月数に応じて、「12万円」から「32万円」の範囲で定められた額である。

 設問の金額は、平成30年度における脱退一時金の額である。令和3年4月1日前における改正前の脱退一時金の額は、毎年度、上記解説における「合算した月数」が「6月以上12月未満」から「36月以上」までの6区分の範囲で支給額を定めることとされており、平成30年度における「6月以上12月未満」に応じた額が49,020円、「36月以上」に応じた額が294,120円であった。

30 答12 ○ 法52条の4,2項。設問の通り正しい。

30 答13 ○ 法52条の4。設問の通り正しい。

30 問14 国民年金の給付は、名目手取り賃金変動率(−0.1％)によって改定されるため、3年間第1号被保険者としての保険料納付済期間を有する者が死亡し、一定範囲の遺族に死亡一時金が支給される場合は、12万円に(1−0.001)を乗じて得た額が支給される。なお、当該期間のほかに保険料納付済期間及び保険料免除期間は有していないものとする。

R3-8D

※　本問は、令和3年度の給付額に関する問題である。

30 問15 第1号被保険者として30年間保険料を納付していた者が、就職し厚生年金保険の被保険者期間中に死亡したため、遺族である妻は、遺族厚生年金、寡婦年金、死亡一時金の受給権を有することになった。この場合、当該妻は、遺族厚生年金と寡婦年金のどちらかを選択することとなり、寡婦年金を選択した場合は、死亡一時金は支給されないが、遺族厚生年金を選択した場合は、死亡一時金は支給される。

R3-9E

31 脱退一時金

過去問

31 問1 脱退一時金の請求について、日本国籍を有しない者が、請求の日の前日において請求の日の属する月の前月までの第1号被保険者としての被保険者期間に係る保険料納付済期間の月数を3か月及び保険料半額免除期間の月数を6か月有する場合、この者は、当該請求に必要な保険料の納付の要件を満たしている。

H29-8C

31 問2 第1号被保険者としての被保険者期間に係る保険料納付済期間を6か月以上有する日本国籍を有しない者(被保険者でない者に限る。)が、日本国内に住所を有する場合、脱退一時金の支給を受けることはできない。

R2-4B

31 問3 障害基礎年金の受給権者であっても、当該障害基礎年金の支給を停止されている場合は、脱退一時金の支給を請求することができる。

H30-10B

30答14 ✕ 法52条の4,1項。設問の場合の死亡一時金の額は「12万円」であり、設問のような名目手取り賃金変動率による改定は行われない。

30答15 ○ 法20条1項、法52条の6、厚年法38条1項。設問の通り正しい。同一の支給事由に基づくものであっても、遺族厚生年金と寡婦年金は併給することができず、また、寡婦年金を選択した者は死亡一時金の支給を受けることはできない。一方、遺族厚生年金と死亡一時金について、調整規定は存在せず、遺族厚生年金の支給を受ける者は、死亡一時金の支給を受けることができる。

31答1 ○ 法附則9条の3の2,1項。設問の通り正しい。設問の者は、脱退一時金の請求の日の前日において請求の日の属する月の前月までの第1号被保険者としての被保険者期間に係る保険料納付済期間の月数(3箇月)及び保険料半額免除期間の月数(6箇月)の2分の1に相当する月数(3箇月)を合算した月数が「6箇月」である者であるため、脱退一時金の請求に必要な保険料の納付の要件を満たしている。

31答2 ○ 法附則9条の3の2,1項1号。設問の通り正しい。

31答3 ✕ 法附則9条の3の2,1項2号。障害基礎年金の受給権を有したことがあるときは、脱退一時金の支給を請求することができない。

31 問 4
□□□
R4-3C

脱退一時金の支給の請求に関し、最後に被保険者の資格を喪失した日に日本国内に住所を有していた者は、同日後初めて、日本国内に住所を有しなくなった日から起算して2年を経過するまでに、その支給を請求しなければならない。

31 問 5
□□□
R3-8E
難

第1号被保険者として令和3年6月まで50か月保険料を納付した外国籍の者が、令和3年8月に脱退一時金を請求した場合、受給できる脱退一時金の額は、16,610円に2分の1を乗じて得た額に48を乗じて得た額となる。なお、当該期間のほかに保険料納付済期間及び保険料免除期間は有していないものとする。
※ 本問は、令和3年度の給付額に関する問題である。

31 問 6
□□□
R2-10ウ

日本国籍を有しない60歳の者（昭和35年4月2日生まれ）は、平成7年4月から平成9年3月までの2年間、国民年金第1号被保険者として保険料を納付していたが、当該期間に対する脱退一時金を受給して母国へ帰国した。この者が、再び平成23年4月から日本に居住することになり、60歳までの8年間、第1号被保険者として保険料を納付した。この者は、老齢基礎年金の受給資格期間を満たしている。なお、この者は、上記期間以外に被保険者期間を有していないものとする。

③1答4 ○　法附則 9 条の 3 の2,1項 3 号。設問の通り正しい。

③1答5 ○　法附則 9 条の 3 の2,3項、令14条の 3 の 2 。設問の通り正し
い。基準月の属する年度(令和 3 年度)の保険料の額が16,610円で
あり、保険料納付済期間等の月数が48月以上54月未満であること
から、脱退一時金の額は設問の通りとなる。

$$
\begin{array}{c}
\text{脱退一時金} \\ \text{の額}
\end{array}
=
\begin{array}{c}
\text{基準月の属する年度} \\ \text{における保険料の額}
\end{array}
\times \frac{1}{2} \times
\begin{array}{c}
\text{保険料納付済期間} \\ \text{等の月数に応じて} \\ \text{政令で定める数}
\end{array}
$$

保険料納付済期間等の月数の区分	左記の区分に応じた数
6 月以上12月未満	6
12月以上18月未満	12
18月以上24月未満	18
24月以上30月未満	24
30月以上36月未満	30
36月以上42月未満	36
42月以上48月未満	42
48月以上54月未満	48
54月以上60月未満	54
60月以上	60

③1答6 ×　法26条、法附則 9 条の 3 の2,4項。設問の者の平成 7 年 4 月
から平成 9 年 3 月までの 2 年間は、当該期間に係る脱退一時金の
支給を受けたことにより被保険者でなかったものとみなされ、ま
た、合算対象期間ともされず、国民年金の保険料納付済期間を 8
年しか有しない設問の者は、老齢基礎年金の受給資格期間を満たさ
ない。

32 国民年金事業の財政

最新問題

32問 1
□□□
R6-8ア

国民年金法第4条の3第1項の規定により、政府は、少なくとも5年ごとに、保険料及び国庫負担の額並びにこの法律による給付に要する費用の額その他の国民年金事業の財政に係る収支についてその現況及び財政均衡期間における見通しを作成しなければならない。

32問 2
□□□
R6-9D

積立金の運用は、積立金が国民年金の被保険者から徴収された保険料の一部であり、かつ、将来の給付の貴重な財源となるものであることに特に留意し、専ら国民年金の被保険者の利益のために、長期的な観点から、安全かつ効率的に行うことにより、将来にわたって、国民年金事業の運営の安定に資することを目的として行うものとされている。

32問 3
□□□
R6-3D

積立金の運用は、厚生労働大臣が、国民年金法第75条の目的に沿った運用に基づく納付金の納付を目的として、年金積立金管理運用独立行政法人に対し、積立金を寄託することにより行うものとする。

33 年金額の改定

過 去 問

33問 1
□□□
R2-6A

年金額の改定は、受給権者が68歳に到達する年度よりも前の年度では、物価変動率を基準として、また68歳に到達した年度以後は名目手取り賃金変動率を基準として行われる。

32答1 ○　法４条の3,1項。設問の通り正しい。

32答2 ○　法75条。設問の通り正しい。

32答3 ○　法76条１項。設問の通り正しい。

33答1 ×　法27条の2,2項、法27条の3,1項。年金額の改定は、受給権者が68歳に到達する年度よりも前の年度では、原則として、「名目手取り賃金変動率」を基準として、68歳に到達した年度以後は、原則として、「物価変動率」を基準として行われる。

33 問 2

□□□

H30-9E

　平成30年度の老齢基礎年金の額は、年金額改定に用いる名目手取り賃金変動率がマイナスで物価変動率がプラスとなったことから、スライドなしとなり、マクロ経済スライドによる調整も行われず、平成29年度と同額である。

33 問 3

□□□

R5-8A

　令和5年度の老齢基礎年金の額は、名目手取り賃金変動率がプラスで物価変動率のプラスを上回ったことから、令和5年度において67歳以下の人(昭和31年4月2日以降生まれの人)は名目手取り賃金変動率を、令和5年度において68歳以上の人(昭和31年4月1日以前生まれの人)は物価変動率を用いて改定され、満額が異なることになったため、マクロ経済スライドによる調整は行われなかった。

箞答2 ○　法27条の4,2項、法27条の5,2項2号、改定率改定令1条。設問の通り正しい。平成29年平均の全国消費者物価指数の対前年比変動率が＋0.5％、名目手取り賃金変動率が－0.4％となったため、平成30年度の改定率及び基準年度以後改定率は、そのいずれについても1を基準として改定され、マクロ経済スライドによる調整は行われなかった。なお、令和3年4月以降、改定率の改定の仕組みが改正されたことにより、名目手取り賃金変動率がマイナスで物価変動率がプラスとなった場合は、新規裁定者及び既裁定者ともに、名目手取り賃金変動率を基準に改定率は改定される。

箞答3 ×　法27条の4,1項、法27条の5,1項、改定率改定令1条。令和5年度の改定率の改定については、新規裁定者及び既裁定者ともにマクロ経済スライドによる調整が行われている（下図参照）。

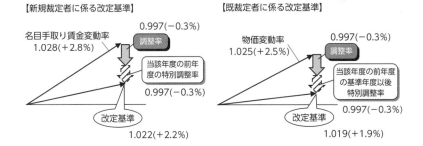

【新規裁定者に係る改定基準】　　　【既裁定者に係る改定基準】

　　なお、上図の通り、令和5年度における新規裁定者（昭和31年4月2日以後生まれの者）に係る改定率の改定基準は1.022と、既裁定者（昭和31年4月1日以前生まれの者）に係る改定率（基準年度以後改定率）の改定基準は1.019とされたことから、令和5年度の新規裁定者に係る改定率が1.018〔≒0.996（令和4年度の改定率）×1.022〕と、既裁定者の基準年度以後改定率は1.015〔≒0.996（令和4年度の基準年度以後改定率）×1.019〕と、それぞれ異なるものとなったため、令和5年度における老齢基礎年金の満額は、新規裁定者と既裁定者とで、それぞれ異なる額となった。

34 支給期間・未支給年金・受給権の保護等

最新問題

34 問 1
□□□
R6-8エ

年金給付の支給は、これを支給すべき事由が生じた日の属する月の翌月から始め、権利が消滅した日の属する月で終わるものとする。一方、その支給を停止すべき事由が生じたときは、その事由が生じた日の属する月の翌月からその事由が消滅した日の属する月までの分の支給を停止するが、これらの日が同じ月に属する場合は、支給を停止しない。

34 問 2
□□□
R6-8イ

年金の給付は、毎年 2 月、4 月、6 月、8 月、10月及び12月の 6 期に、それぞれの前月までの分が支払われることになっており、前支払期月に支払われるべきであった年金又は権利が消滅した場合若しくは年金の支給を停止した場合におけるその期の年金であっても、その支払期月でない月に支払われることはない。

34 問 3
□□□
R6-7オ

老齢基礎年金の受給権を有する者が65歳以後の繰下げ待機期間中に死亡した時に支給される未支給年金は、その者の配偶者、子、父母、孫、祖父母又は兄弟姉妹以外は請求できない。

過 去 問

34 問 1
□□□
H27-5D

遺族基礎年金を受給している子が、婚姻したときは遺族基礎年金は失権し、婚姻した日の属する月の前月分までの遺族基礎年金が支給される。

34 問 2
□□□
R元-6E

国民年金法第30条第 1 項の規定により、障害認定日において障害等級に該当した場合に支給する障害基礎年金の受給権の発生日は障害認定日であるが、同法第30条の 2 第 1 項の規定によるいわゆる事後重症による障害基礎年金の受給権の発生日はその支給の請求日である。

34答1 ○ 法18条1項、2項。設問の通り正しい。

34答2 × 法18条3項。年金給付は、毎年2月、4月、6月、8月、10月及び12月の6期に、それぞれの前月までの分を支払うこととされているが、前支払期月に支払うべきであった年金又は権利が消滅した場合若しくは年金の支給を停止した場合におけるその期の年金は、その支払期月でない月であっても、支払うものとされている。

34答3 × 法19条1項。設問の未支給年金の請求は、死亡者の配偶者、子、父母、孫、祖父母、兄弟姉妹に限らず、**これらの者以外の3親等内の親族**であって、死亡者の死亡の当時その者と生計を同じくしていた者も、行うことができる。

34答1 × 法18条1項、法40条1項2号。設問の場合、子の遺族基礎年金の受給権が消滅した日が属する月である「婚姻した日の属する月」分までの遺族基礎年金が支給される。

> **Point** 年金給付の支給は、これを支給すべき事由が生じた日の属する月の翌月から始め、権利が消滅した日の属する月で終るものとする。

34答2 ○ 法30条1項、法30条の2,1項、3項。設問の通り正しい。

34 問 3
□□□
H29-9A

老齢基礎年金の支給を受けている者が平成29年2月27日に死亡した場合、未支給年金請求者は、死亡した者に支給すべき年金でまだその者に支給されていない同年1月分と2月分の年金を未支給年金として請求することができる。なお、死亡日前の直近の年金支払日において、当該受給権者に支払うべき年金で支払われていないものはないものとする。

34 問 4
□□□
R5-10オ

老齢基礎年金を受給している者が、令和5年6月26日に死亡した場合、未支給年金を請求する者は、死亡した者に支給すべき年金でまだその者に支給されていない同年5月分と6月分の年金を未支給年金として請求することができる。なお、死亡日前の直近の年金支払日において、当該受給権者に支払うべき年金で支払われていないものはないものとする。

34 問 5
□□□
H29-9E

65歳に達したときに老齢基礎年金の受給資格を満たしていたが、裁定を受けていなかった68歳の夫が死亡した場合、生計を同じくしていた65歳の妻は、夫が受け取るはずであった老齢基礎年金を未支給年金として受給することができる。この場合、夫が受け取るはずであった老齢基礎年金は、妻自身の名で請求し、夫が65歳に達した日の属する月の翌月分から死亡月の分までの受け取るはずであった年金を受け取ることになる。

34 問 6
□□□
R元-2D

老齢基礎年金の支給を停止すべき事由が生じた日の属する月の翌月にその事由が消滅した場合は、当該老齢基礎年金の支給を停止しない。

34 問 7
□□□
H28-2E

毎支払期月ごとの年金額の支払において、その額に1円未満の端数が生じたときはこれを切り捨てるものとされているが、毎年4月から翌年3月までの間において切り捨てた金額の合計額(1円未満の端数が生じたときは、これを切り捨てた額)については次年度の4月の支払期月の年金額に加算して支払うものとされている。

34答3 ✕ 法18条1項、3項、法19条1項、法29条。設問の場合、死亡した者は平成29年2月において平成28年12月分及び平成29年1月分の年金の支給を既に受けているため、まだ支給されていない未支給年金は、2月分のみである。

34答4 ✕ 法18条1項、3項、法19条1項、法29条。設問の場合、死亡した者は令和5年6月において令和5年4月分及び同年5月分の年金の支給を既に受けているため、まだ支給されていない未支給年金は、6月分のみである。

34答5 ◯ 法18条1項、法19条1項、3項。設問の通り正しい。年金給付の受給権者が死亡した場合において、その死亡した者に支給すべき年金給付でまだその者に支給しなかったものがあるときは、その者の配偶者、子、父母、孫、祖父母、兄弟姉妹又はこれらの者以外の3親等内の親族であって、その者の死亡の当時その者と生計を同じくしていたものは、自己の名で、その未支給の年金の支給を請求することができる。この場合において、死亡した受給権者が死亡前にその年金を請求していなかったときは、上記の者は、自己の名で、その年金を請求することができる。

34答6 ✕ 法18条2項。年金給付は、その支給を停止すべき事由が生じたときは、その事由が生じた日の属する月の翌月からその事由が消滅した日の属する月までの分の支給を停止する。設問の場合は、支給を停止すべき事由が消滅した月について、その支給が停止される。なお、年金給付は、その支給を停止すべき事由が生じた日とその事由が消滅した日が同じ月に属する場合は、支給を停止しない。

34答7 ✕ 法18条の2。毎年「**3月から翌年2月**」までの間において切り捨てた金額の合計額（1円未満の端数が生じたときは、これを切り捨てた額）については、これを当該「**2月**」の支払期月の年金額に加算して支払うものとされている。

34問8
□□□
R5-9D

毎支払期月ごとの年金額の支払において、その額に1円未満の端数が生じたときは、これを切り捨てるものとされている。また、毎年3月から翌年2月までの間において、切り捨てた金額の合計額（1円未満の端数が生じたときは、これを切り捨てた額）については、これを当該2月の支払期月の年金額に加算して支払うものとされている。

34問9
□□□
H29-2イ

冬山の登山中に行方不明になり、その者の生死が3か月間分からない場合には、死亡を支給事由とする給付の支給に関する規定の適用について、行方不明となった日にその者は死亡したものと推定される。

34問10
□□□
R2-5C

失踪の宣告を受けたことにより死亡したとみなされた者に係る遺族基礎年金の支給に関し、死亡とみなされた者についての保険料納付要件は、行方不明となった日において判断する。

34問11
□□□
R2-4C

障害基礎年金の受給権者が死亡し、その者に支給すべき障害基礎年金でまだその者に支給しなかったものがあり、その者の死亡の当時その者と生計を同じくしていた遺族がその者の従姉弟しかいなかった場合、当該従姉弟は、自己の名で、その未支給の障害基礎年金を請求することができる。

34問12
□□□
H28-5C

年金給付の受給権者が死亡した場合において、その死亡した者に支給すべき年金給付でまだその者に支給しなかったものがあるときは、その未支給の年金については相続人に相続される。

34答8 ○　法18条の2。設問の通り正しい。

34答9 ×　法18条の3。法18条の3の死亡の推定は、船舶の沈没等又は航空機の墜落等によって行方不明となった者の生死が3箇月間分からない場合などに適用される規定であり、設問の場合には、死亡の推定は行われない。

34答10 ×　法18条の4、法37条。失踪の宣告を受けたことにより死亡したとみなされた者に係る法37条(遺族基礎年金の支給要件)の規定については、「死亡日」を「行方不明となった日」と読み替えて適用されることとされているため、死亡日の前日において判断される保険料納付要件については、行方不明となった日の前日において判断されることとなる。

> 死亡を支給事由とする給付の支給に関する規定の適用における受給権者等の身分関係、年齢及び障害の状態については、行方不明となってから7年を経過した日(失踪宣告により死亡したとみなされた日)で判断する。

34答11 ×　法19条1項。従姉弟は、4親等の親族であり、未支給年金を請求することができる遺族の範囲に含まれない。

34答12 ×　法19条1項。年金給付の受給権者が死亡した場合において、その死亡した者に支給すべき年金給付でまだその者に支給しなかったものがあるときは、その者の配偶者、子、父母、孫、祖父母、兄弟姉妹又はこれらの者以外の3親等内の親族であって、その者の死亡の当時その者と生計を同じくしていたものが、自己の名で、その未支給の年金の支給を請求することができることとされている(相続人に相続されるわけではない。)。

34 問13
□□□
R3-10E
　第1号被保険者である夫の甲は、前妻との間の実子の乙、再婚した妻の丙、丙の連れ子の丁と4人で暮らしていたところ甲が死亡した。丙が、子のある妻として遺族基礎年金を受給していたが、その後、丙も死亡した。丙が受け取るはずであった当該遺族基礎年金が未支給年金となっている場合、丁は当該未支給年金を受給することができるが、乙は当該未支給年金を受給することができない。なお、丁は甲と養子縁組をしておらず、乙は丙と養子縁組をしていないものとする。

34 問14
□□□
R元-7C
　未支給の年金を受けるべき者の順位は、死亡した者の配偶者、子、父母、孫、祖父母、兄弟姉妹及びこれらの者以外の3親等内の親族の順位とされている。

34 問15
□□□
R5-6B
　未支給の年金の支給の請求は、老齢基礎年金の受給権者が同時に老齢厚生年金の受給権を有していた場合であって、未支給の年金の支給の請求を行う者が当該受給権者の死亡について厚生年金保険法第37条第1項の請求を行うことができる者であるときは、当該請求に併せて行わなければならない。

34 問16
□□□
H27-5A
😣
　最高裁判所の判例によると、国民年金法第19条第1項に規定する未支給年金を受給できる遺族は、厚生労働大臣による未支給年金の支給決定を受けることなく、未支給年金に係る請求権を確定的に有しており、厚生労働大臣に対する支給請求とこれに対する処分を経ないで訴訟上、未支給年金を請求できる、と解するのが相当であるとされている。

34 問17
□□□
H29-8A
　第1号被保険者としての被保険者期間に係る保険料納付済期間を3年以上有し、老齢基礎年金の受給権取得当時から申出により当該老齢基礎年金の支給が停止されている者が死亡した場合には、一定の遺族に死亡一時金が支給される。

34 問18
□□□
H28-5A
　給付を受ける権利は、原則として譲り渡し、担保に供し、又は差し押さえることができないが、脱退一時金を受ける権利については国税滞納処分の例により差し押さえることができる。

㉞答13 ✕ 法19条1項、2項。遺族基礎年金の受給権者である丙の死亡の当時当該遺族基礎年金の支給の要件となり、その額の加算の対象となっていた乙（甲の子）は、未支給年金の規定の適用については、丙の子とみなされ、丙の実子である丁と同順位の未支給の遺族基礎年金の請求権者となる。

㉞答14 ◯ 法19条4項、令4条の3の2。設問の通り正しい。

㉞答15 ◯ 則25条3項。設問の通り正しい。

㉞答16 ✕ 法19条、最三小平成7.11.7老齢年金支給請求、同参加申立て事件。設問の遺族は、未支給年金に係る請求権を確定的に有してはおらず、厚生労働大臣に対する支給請求とこれに対する処分を経ないで訴訟上未支給年金を請求することはできないと解するのが相当であるとされている。

㉞答17 ✕ 法20条の2,4項、法52条の2,1項、令4条の4の2,1項4号。受給権者の申出により支給を停止されている年金給付は、法52条の2,1項ただし書の規定（老齢基礎年金又は障害基礎年金の支給を受けたことがある者が死亡したときは、死亡一時金は支給しない）の適用については、その支給を停止されていないものとみなされるため、設問の者の死亡について、死亡一時金は支給されない。

㉞答18 ◯ 法24条、法附則9条の3の2,7項、令14条の5。設問の通り正しい。

国民年金の給付を受ける権利は、譲り渡し、担保に供し、又は差し押さえることができない。ただし、老齢基礎年金又は遺族基礎年金を受ける権利を別に法律で定めるところにより担保に供する場合及び国税滞納処分(その例による処分を含む。)により差し押さえる場合は、この限りでない。

35 内払処理・充当処理

過去問

35 **問 1**
□□□
R2-17

遺族基礎年金を減額して改定すべき事由が生じたにもかかわらず、その事由が生じた日の属する月の翌月以降の分として減額しない額の遺族基礎年金が支払われた場合における当該遺族基礎年金の当該減額すべきであった部分は、その後に支払うべき遺族基礎年金の内払とみなすことができる。

35 **問 2**
□□□
R3-2A

同一人に対して障害厚生年金(厚生労働大臣が支給するものに限る。)の支給を停止して老齢基礎年金を支給すべき場合に、その支給すべき事由が生じた日の属する月の翌月以降の分として当該障害厚生年金が支払われたときは、その支払われた障害厚生年金は当該老齢基礎年金の内払とみなすことができる。

35 **問 3**
□□□
R5-7D

国民年金法第21条の 2 によると、年金給付の受給権者が死亡したためその受給権が消滅したにもかかわらず、その死亡の日の属する月の翌月以降の分として当該年金給付の過誤払が行われた場合において、当該過誤払による返還金に係る債権に係る債務の弁済をすべき者に支払うべき年金給付があるときは、その過誤払が行われた年金給付は、債務の弁済をすべき者の年金給付の内払とみなすことができる。

35 **問 4**
□□□
H29-9C

夫婦ともに老齢基礎年金のみを受給していた世帯において、夫が死亡しその受給権が消滅したにもかかわらず、死亡した月の翌月以降の分として老齢基礎年金の過誤払が行われた場合、国民年金法第21条の 2 の規定により、死亡した夫と生計を同じくしていた妻に支払う老齢基礎年金の金額を当該過誤払による返還金債権の金額に充当することができる。

34答19 ✕　法24条。法24条において、給付を受ける権利は、担保に供することができないとされており、現在、例外規定は設けられていない。また、遺族基礎年金を受ける権利を、国税滞納処分(その例による処分を含む。以下本解説において同じ。)により差し押えることはできない。なお、老齢基礎年金を受ける権利を、国税滞納処分により差し押えることは可能である。

35答1 ○　法21条2項。設問の通り正しい。

35答2 ○　法21条3項。設問の通り正しい。

35答3 ✕　法21条の2。法21条の2は、当該過誤払による返還金に係る債権(以下本解説において「返還金債権」という。)に係る債務の弁済をすべき者に支払うべき年金給付があるときは、厚生労働省令で定めるところにより、当該年金給付の支払金の金額を当該過誤払による返還金債権の金額に充当することができるとしている。

35答4 ✕　法21条の2、則86条の2。設問の場合、妻に支払う老齢基礎年金の金額を設問の過誤払による返還金債権の金額に充当することはできない。

35 問5
□□□
H29-9D

遺族である子が2人で受給している遺族基礎年金において、1人が婚姻したことにより受給権が消滅したにもかかわらず、引き続き婚姻前と同額の遺族基礎年金が支払われた場合、国民年金法第21条の2の規定により、過誤払として、もう1人の遺族である子が受給する遺族基礎年金の支払金の金額を返還すべき年金額に充当することができる。

36 併給調整

最新問題

36 問1
□□□
R6-7ア

65歳に達するまでの間は、遺族厚生年金を受給している者が老齢基礎年金を繰り上げて受給することを選択した場合、遺族厚生年金の支給は停止される。

36 問2
□□□
R6-8オ

国民年金法第20条第1項の併給の調整の規定により、支給停止された年金給付については、同条第2項の支給停止の解除申請により選択受給することができるが、申請時期は、毎年、厚生労働大臣が受給権者に係る現況の確認を行う際に限られる。

過去問

36 問1
□□□
R4-3E

老齢基礎年金と付加年金の受給権を有する者が障害基礎年金の受給権を取得し、障害基礎年金を受給することを選択したときは、付加年金は、障害基礎年金を受給する間、その支給が停止される。

36 問2
□□□
R3-10B

併給の調整に関し、国民年金法第20条第1項の規定により支給を停止されている年金給付の同条第2項による支給停止の解除の申請は、いつでも、将来に向かって撤回することができ、また、支給停止の解除の申請の回数について、制限は設けられていない。

36 問3
□□□
H29-7E

障害基礎年金の受給権者が65歳に達し、その時点で老齢基礎年金と老齢厚生年金の受給権を有する場合、障害基礎年金と老齢厚生年金の併給か老齢基礎年金と老齢厚生年金の併給かを選択することができる。

㉟答5 ✕ 法21条の2。設問の子の遺族基礎年金の受給権が「死亡」以外の事由により消滅した場合に、設問の充当処理の規定が適用されることはない。

㊱答1 ○ 法20条1項、厚年法38条1項、同法附則17条他。設問の通り正しい。

㊱答2 ✕ 法20条1項、2項。設問の選択受給の申請時期について、設問のような限定はない。

㊱答1 ○ 法20条1項、2項、法47条。設問の通り正しい。

㊱答2 ○ 法20条1項、2項、4項。設問の通り正しい。

㊱答3 ○ 法20条1項、法附則9条の2の4。設問の通り正しい。

36問4
□□□
R3-9D

父が死亡したことにより遺族基礎年金を受給中である10歳の子は、同居中の厚生年金保険の被保険者である66歳の祖父が死亡したことにより遺族厚生年金の受給権を取得した。この場合、遺族基礎年金と遺族厚生年金のどちらかを選択することとなる。

36問5
□□□
R4-3A

付加年金が支給されている老齢基礎年金の受給者(65歳に達している者に限る。)が、老齢厚生年金を受給するときには、付加年金も支給される。

36問6
□□□
H29-9B

障害等級3級の障害厚生年金の受給権者が65歳となり老齢基礎年金及び老齢厚生年金の受給権を取得した場合、この者は、障害等級3級の障害厚生年金と老齢基礎年金を併給して受けることを選択することができる。

36問7
□□□
H30-9D

繰上げ支給の老齢基礎年金の受給権者に遺族厚生年金の受給権が発生した場合、65歳に達するまでは、繰上げ支給の老齢基礎年金と遺族厚生年金について併給することができないが、65歳以降は併給することができる。

36問8
□□□
R3-9C

老齢厚生年金と老齢基礎年金を受給中の67歳の厚生年金保険の被保険者が、障害等級2級の障害厚生年金の受給権者(障害基礎年金の受給権は発生しない。)となった。老齢厚生年金の額より障害厚生年金の額の方が高い場合、この者は、障害厚生年金と老齢基礎年金の両方を受給できる。

36問9
□□□
R5-10ウ

65歳以上の場合、異なる支給事由による年金給付であっても併給される場合があり、例えば老齢基礎年金と遺族厚生年金は併給される。一方で、障害基礎年金の受給権者が65歳に達した後、遺族厚生年金の受給権を取得した場合は併給されることはない。

36問10
□□□
R3-9B

旧国民年金法による障害年金の受給権者には、第2号被保険者の配偶者がいたが、当該受給権者が66歳の時に当該配偶者が死亡したことにより、当該受給権者に遺族厚生年金の受給権が発生した。この場合、当該受給権者は旧国民年金法による障害年金と遺族厚生年金の両方を受給できる。

36答4 ○　法20条1項。設問の通り正しい。異なる支給事由により支給される遺族基礎年金及び遺族厚生年金は、併給することができず、いずれか一方を選択して受給することとなる。

36答5 ○　法20条1項、2項、法附則9条の2の4。設問の通り正しい。

36答6 ×　法20条1項、法附則9条の2の4。受給権者の年齢にかかわらず、障害厚生年金と老齢基礎年金は併給されない。

36答7 ○　法20条1項、法附則9条の2の4。設問の通り正しい。

36答8 ×　法20条1項、法附則9条の2の4。障害厚生年金の額の多寡又は受給権者の年齢にかかわらず、障害厚生年金と老齢基礎年金が併給されることはない。

36答9 ×　法20条1項、法附則9条の2の4。障害基礎年金の受給権者が65歳に達した後、遺族厚生年金の受給権を取得した場合、これらの年金は併給される。なお、設問前段の文章は正しい。

36答10 ○　(60)法附則11条3項。設問の通り正しい。

37 給付制限等

過去問

37問1
□□□
R5-3A

故意に障害又はその直接の原因となった事故を生じさせた者の当該障害については、これを支給事由とする障害基礎年金を支給する。

37問2
□□□
R元-6C

被保険者又は被保険者であった者の死亡前に、その者の死亡によって遺族基礎年金又は死亡一時金の受給権者となるべき者を故意に死亡させた者には、遺族基礎年金又は死亡一時金は支給しない。

37問3
□□□
R元-6D

遺族基礎年金の受給権は、受給権者が他の受給権者を故意に死亡させたときは、消滅する。

37問4
□□□
R元-5E

受給権者が、正当な理由がなくて、国民年金法第107条第1項に規定する受給権者に関する調査における命令に従わず、又は当該調査における職員の質問に応じなかったときは、年金給付の額の全部又は一部につき、その支給を一時差し止めることができる。

37問5
□□□
R4-3D

国民年金法第107条第2項に規定する障害基礎年金の加算の対象となっている子が、正当な理由がなくて、同項の規定による受診命令に従わず、又は同項の規定による当該職員の診断を拒んだときは、年金給付の支払を一時差し止めることができる。

37問6
□□□
R2-7C

遺族基礎年金の受給権者である配偶者が、正当な理由がなくて、指定日までに提出しなければならない加算額対象者と引き続き生計を同じくしている旨等を記載した届書を提出しないときは、当該遺族基礎年金は支給を停止するとされている。

37問7
□□□
H30-5ウ

政府は、障害の直接の原因となった事故が第三者の行為によって生じた場合において、障害基礎年金の給付をしたときは、その給付の価額の限度で、受給権者が第三者に対して有する損害賠償の請求権を取得する。

答 1 ✕ 　法69条。故意に障害又はその直接の原因となった事故を生じ
させた者の当該障害については、これを支給事由とする障害基礎年
金は、支給しない。

答 2 ○ 　法71条 1 項。設問の通り正しい。

答 3 ○ 　法71条 2 項。設問の通り正しい。

答 4 ✕ 　法72条 1 号。設問の場合、年金給付の額の全部又は一部につ
き、その支給を停止することができるとされている。

答 5 ✕ 　法72条 2 号。設問の場合、障害基礎年金の額の全部又は一部
につき、その支給を停止することができるとされている。

答 6 ✕ 　法73条、法105条 3 項、則51条の3,1項。設問の配偶者が、正
当な理由がなくて、設問の届書を提出しないときは、遺族基礎年金
の支払を一時差し止めることができるとされている。

答 7 ○ 　法22条 1 項。設問の通り正しい。政府は、障害若しくは死亡
又はこれらの直接の原因となった事故が第三者の行為によって生じ
た場合において、給付をしたときは、その給付の価額の限度で、受
給権者が第三者に対して有する損害賠償の請求権を取得する。

37 問 8
□□□
H27-5C

20歳前傷病による障害基礎年金の受給権者の障害が第三者の行為によって生じた場合に、受給権者が第三者から同一の事由について損害賠償を受けたとき、当該障害基礎年金との調整は行われない。

37 問 9
□□□
R5-6D

第三者の行為による事故の被害者が受給することとなる障害基礎年金、第三者の行為による事故の被害者の遺族が受給することとなる遺族基礎年金及び寡婦年金は、損害賠償額との調整の対象となるが、死亡一時金については、保険料の掛け捨て防止の考え方に立った給付であり、その給付額にも鑑み、損害賠償を受けた場合であっても、損害賠償額との調整は行わない。

38 国民年金事業の運営改善に関する規定

過 去 問

38 問 1
□□□
R元-7A

政府は、国民年金事業の実施に必要な事務を円滑に処理し、被保険者、受給権者その他の関係者の利便の向上に資するため、電子情報処理組織の運用を行うものとし、当該運用の全部又は一部を日本年金機構に行わせることができる。

38 問 2
□□□
H30-1A
🈔

厚生労働大臣及び日本年金機構は、国民年金法第14条に規定する政府管掌年金事業の運営に関する事務又は当該事業に関連する事務の遂行のため必要がある場合を除き、何人に対しても、その者又はその者以外の者に係る基礎年金番号を告知することを求めてはならない。

38 問 3
□□□
R元-1ウ

保険料納付確認団体は、当該団体の構成員その他これに類する者である被保険者からの委託により、当該被保険者の保険料納付の実績及び将来の給付に関する必要な情報を当該被保険者に通知する義務を負う。

37答8 ×　法22条2項。設問の場合、障害基礎年金との調整は行われる。

37答9 ○　平成27.9.30年管管発0930第6号。設問の通り正しい。

38答1 ○　法74条2項、3項。設問の通り正しい。

38答2 ○　法108条の4、住民基本台帳法30条の37,2項、令11条の6の2。設問の通り正しい。

38答3 ×　法109条の3,1項、2項。保険料納付確認団体は、当該団体の構成員その他これに類する者である被保険者からの委託により、当該被保険者に係る保険料が納期限までに納付されていない事実（「保険料滞納事実」という。）の有無について確認し、その結果を当該被保険者に通知する業務を行うものとされており、設問のような義務を負うこととはされていない。なお、「被保険者の保険料納付の実績及び将来の給付に関する必要な情報」については、法14条の5において、厚生労働大臣が被保険者に対して通知することとされている。

38 問 4
□□□
H30-1C
厚生労働大臣は、保険料納付確認団体の求めに応じ、保険料納付確認団体が行うことができるとされている業務を適正に行うために必要な限度において、保険料納付猶予及び保険料滞納事実に関する情報を提供しなければならない。

38 問 5
□□□
R2-3C
厚生労働大臣は、保険料納付確認団体がその行うべき業務の処理を怠り、又はその処理が著しく不当であると認めるときは、当該団体に対し、その改善に必要な措置を採るべきことを命ずることができるが、当該団体がこの命令に違反したときでも、当該団体の指定を取り消すことはできない。

39 国民年金基金－基金の業務・設立等

最新問題

39 問 1
□□□
R6-9E
国民年金基金は、加入員又は加入員であった者に対し、年金の支給を行い、あわせて加入員又は加入員であった者の死亡に関しても、年金の支給を行うものとする。

過去問

39 問 1
□□□
R3-1E
国民年金基金は、加入員又は加入員であった者の老齢に関し年金の支給を行い、あわせて加入員又は加入員であった者の障害に関し、一時金の支給を行うものとされている。

39 問 2
□□□
R2-7E
国民年金基金が厚生労働大臣の認可を受けて、信託会社、信託業務を営む金融機関、生命保険会社、農業協同組合連合会、共済水産業協同組合連合会、国民年金基金連合会に委託することができる業務には、加入員又は加入員であった者に年金又は一時金の支給を行うために必要となるその者に関する情報の収集、整理又は分析が含まれる。

39 問 3
□□□
R3-7E
国民年金基金は、規約に定める事務所の所在地を変更したときは、2週間以内に公告しなければならない。

38答4 × 法109条の3,3項。「保険料納付猶予及び」、「提供しなければならない」とする部分が誤りである。厚生労働大臣は、保険料納付確認団体の求めに応じ、保険料納付確認団体が行うことができるとされている業務を適正に行うために必要な限度において、「保険料滞納事実」に関する情報を提供することができると規定されている。

38答5 × 法109条の3,4項、5項。設問の団体が厚生労働大臣の命令に違反した場合、厚生労働大臣は、保険料納付確認団体の指定を取り消すことができる。

39答1 × 法128条1項。国民年金基金は、加入員又は加入員であった者の死亡に関しては、「一時金」の支給を行うものとされている。

39答1 × 法115条、法128条1項。国民年金基金は、加入員又は加入員であった者の障害に関し、一時金の支給を行うことはない。

39答2 ○ 法128条5項。設問の通り正しい。

39答3 ○ 法120条1項、基金令7条。設問の通り正しい。

過去問

40問1
□□□
R3-41
　基金の役員である監事は、代議員会において、学識経験を有する者及び代議員のうちからそれぞれ2人を選挙する。

40問2
□□□
H27-4D
　国民年金基金は、基金の事業の継続が不能となって解散しようとするときは、厚生労働大臣の認可を受けなければならない。

40問3
□□□
H30-7B
　基金が解散したときに、政府は、その解散した日において当該基金が年金の支給に関する義務を負っている者に係る政令の定めるところにより算出した責任準備金に相当する額を当該解散した基金から徴収する。ただし、国民年金法の規定により国民年金基金連合会が当該解散した基金から徴収すべきときは、この限りでない。

40問4
□□□
H30-7A
　国民年金基金(以下本問において「基金」という。)は、厚生労働大臣の認可を受けて、他の基金と吸収合併をすることができる。ただし、地域型国民年金基金と職能型国民年金基金との吸収合併については、その地区が全国である地域型国民年金基金が国民年金法第137条の3の2に規定する吸収合併存続基金となる場合を除き、これをすることができない。

40問5
□□□
R元-3A
　国民年金基金は、厚生労働大臣の認可を受けて、他の国民年金基金と吸収合併するためには、吸収合併契約を締結しなければならない。当該吸収合併契約については、代議員会において代議員の定数の4分の3以上の多数により議決しなければならない。

㊵答1 ×　法124条1項、5項。監事は、代議員会において、学識経験を有する者及び代議員のうちから、それぞれ「1人」を選挙することとされている。

㊵答2 ○　法135条1項2号、2項。設問の通り正しい。

㊵答3 ○　法95条の2。設問の通り正しい。

㊵答4 ○　法137条の3,1項。設問の通り正しい。

㊵答5 ×　法137条の3、法137条の3の3。設問の「4分の3以上」を「3分の2以上」に置き換えると正しい文章になる。

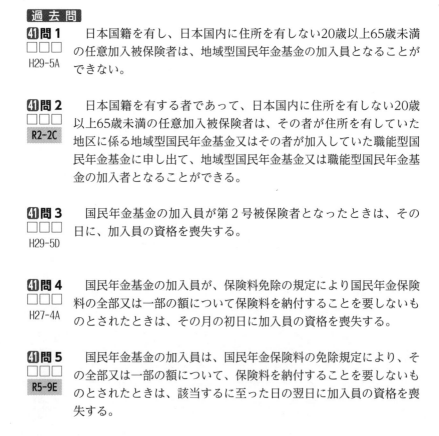

41 国民年金基金－加入員・費用の負担・給付の水準

最新問題

41 問 1
R6-2エ
　国民年金基金の加入の申出をした者は、その申出をした日に、加入員の資格を取得するものとする。

41 問 2
R6-2オ
　国民年金基金の加入員が、第1号被保険者の資格を喪失したときは、その被保険者の資格を喪失した日の翌日に、加入員の資格を喪失する。

過 去 問

41 問 1
H29-5A
　日本国籍を有し、日本国内に住所を有しない20歳以上65歳未満の任意加入被保険者は、地域型国民年金基金の加入員となることができない。

41 問 2
R2-2C
　日本国籍を有する者であって、日本国内に住所を有しない20歳以上65歳未満の任意加入被保険者は、その者が住所を有していた地区に係る地域型国民年金基金又はその者が加入していた職能型国民年金基金に申し出て、地域型国民年金基金又は職能型国民年金基金の加入者となることができる。

41 問 3
H29-5D
　国民年金基金の加入員が第2号被保険者となったときは、その日に、加入員の資格を喪失する。

41 問 4
H27-4A
　国民年金基金の加入員が、保険料免除の規定により国民年金保険料の全部又は一部の額について保険料を納付することを要しないものとされたときは、その月の初日に加入員の資格を喪失する。

41 問 5
R5-9E
　国民年金基金の加入員は、国民年金保険料の免除規定により、その全部又は一部の額について、保険料を納付することを要しないものとされたときは、該当するに至った日の翌日に加入員の資格を喪失する。

答1 ○ 法127条2項。設問の通り正しい。

答2 × 法127条3項1号。国民年金基金の加入員が、第1号被保険者の資格を喪失したときは、その被保険者の資格を喪失した日(当日)に、加入員の資格を喪失する。

答1 × 法附則5条11項。設問の任意加入被保険者は、地域型国民年金基金の加入員となることができる。

答2 ○ 法附則5条12項。設問の通り正しい。

答3 ○ 法127条3項1号。設問の通り正しい。

答4 ○ 法127条3項3号。設問の通り正しい。

答5 × 法127条3項3号。設問の場合、当該保険料を納付することを要しないものとされた月の初日に、加入員の資格を喪失する。

41問6
□□□
H29-5E

国民年金基金の加入員が農業者年金の被保険者となったときは、その日に、加入員の資格を喪失する。

41問7
□□□
R3-4I

基金の加入員は、いつでも基金に申し出て、加入員の資格を喪失することができる。

41問8
□□□
H29-5B

国民年金基金が徴収する掛金の額は、額の上限の特例に該当する場合を除き、1か月につき68,000円を超えることはできない。

41問9
□□□
R4-9E

国民年金基金が支給する年金は、当該基金の加入員であった者が老齢基礎年金の受給権を取得した時点に限り、その者に支給が開始されるものでなければならない。

41問10
□□□
R元-2E

老齢基礎年金の受給権者に対して支給する国民年金基金の年金は、当該老齢基礎年金がその全額につき支給を停止されていなくても、400円に当該国民年金基金に係る加入員期間の月数を乗じて得た額を超える部分に限り、支給を停止することができる。

41問11
□□□
H29-5C

国民年金基金が支給する年金を受ける権利は、その権利を有する者の請求に基づいて、国民年金基金が裁定する。

41問12
□□□
R3-2D

繰下げ支給の老齢基礎年金の受給権者に対し国民年金基金(以下本問において「基金」という。)が支給する年金額は、200円に国民年金基金令第24条第1項に定める増額率を乗じて得た額を200円に加えた額に、納付された掛金に係る当該基金の加入員期間の月数を乗じて得た額を超えるものでなければならない。

41問13
□□□
H27-4C

国民年金基金が支給する一時金は、少なくとも、当該基金の加入員又は加入員であった者が死亡した場合において、その遺族が国民年金法第52条の2第1項の規定による死亡一時金を受けたときには、その遺族に支給されるものでなければならない。

41答6 ○　法127条3項4号。設問の通り正しい。

41答7 ×　法127条3項。国民年金基金の加入員は、申出により（任意に）その資格を喪失することはできない。

41答8 ○　基金令34条、35条。設問の通り正しい。

41答9 ×　法129条1項。基金が支給する年金は、「少なくとも、当該基金の加入員であった者が老齢基礎年金の受給権を取得したときには、その者に支給されるものでなければならない」と規定されており、その支給開始の時期は、当該基金の加入員であった者が老齢基礎年金の受給権を取得した時点に限定されていない。

41答10 ×　法131条。設問の「400円」を「200円」に置き換えると正しい文章になる。

41答11 ○　法133条。設問の通り正しい。

41答12 ○　法130条2項、基金令24条1項。設問の通り正しい。

41答13 ○　法129条3項。設問の通り正しい。

　国民年金基金が支給する一時金については、給付として支給を受けた金銭を標準として、租税その他の公課を課することができる。

42 国民年金基金連合会

最新問題

42 問1
☐☐☐
R6-3C　国民年金基金連合会は、厚生労働大臣の認可を受けることによって、国民年金基金が支給する年金及び一時金につき一定額が確保されるよう、国民年金基金の拠出金等を原資として、国民年金基金の積立金の額を付加する事業を行うことができる。

過去問

42 問1
☐☐☐
H30-1B　国民年金基金(以下「基金」という。)における「中途脱退者」とは、当該基金の加入員期間の年数にかかわらず、当該基金の加入員の資格を喪失した者(当該加入員の資格を喪失した日において当該基金が支給する年金の受給権を有する者を除く。)をいう。

42 問2
☐☐☐
R3-47改　国民年金基金(以下本問において「基金」という。)における中途脱退者とは、基金の加入員の資格を喪失した者(当該加入員の資格を喪失した日において当該基金が支給する年金の受給権を有する者を除く。)であって、政令の定めるところにより計算したその者の当該基金の加入員期間(加入員の資格を喪失した後、再び元の基金の加入員の資格を取得した者については、当該基金における前後の加入員期間(国民年金法附則第5条第11項の規定により被保険者とみなされた場合に係る加入員期間を除く。)を合算した期間)が15年に満たない者をいう。

㉘答14 ✕ 法25条、法133条。国民年金基金が支給する一時金について
は、租税その他の公課を課することができない。

㉙答1 ◯ 法137条の15,2項1号。設問の通り正しい。

㉙答1 ✕ 法137条の17,1項、基金令45条。「当該基金の加入員期間の年
数にかかわらず」とする部分が誤りである。設問の「中途脱退者」
とは、当該基金の加入員の資格を喪失した者(当該加入員の資格を
喪失した日において当該基金が支給する年金の受給権を有する者を
除く。)であって、政令の定めるところにより計算したその者の当該
基金の加入員期間が15年に満たないものをいう。

㉙答2 ◯ 法137条の17,1項、基金令45条。設問の通り正しい。

㊷問3
□□□
R4-7B
国民年金基金連合会は、その会員である基金の解散により当該解散した基金から徴収した当該基金の解散基金加入員に係る責任準備金に相当する額を、徴収した基金に係る解散基金加入員が老齢基礎年金の受給権を取得したときは、当該解散基金加入員に対して400円に当該解散した基金に係る加入員期間の月数を乗じて得た額の年金を支給する。

43 不服申立て

[最新問題]

㊸問1
□□□
R6-3A
国民年金法第101条第1項に規定する処分の取消の訴えは、当該処分についての再審査請求に対する社会保険審査会の裁定を経た後でなければ、提起することができない。

[過去問]

㊸問1
□□□
H27-3E
保険料その他国民年金法の規定による徴収金に関する処分についての審査請求に対する社会保険審査官の決定に不服がある者は、社会保険審査会に対して再審査請求をすることができるが、当該再審査請求は、社会保険審査官の決定書の謄本が送付された日の翌日から起算して30日以内にしなければならない。ただし、正当な事由によりこの期間内に再審査請求をすることができなかったことを疎明したときは、この限りでない。

㊸問2
□□□
H28-4ウ
国民年金法に基づく給付に関する処分に係る社会保険審査官の決定に不服がある者は、社会保険審査会に対し、文書又は口頭によって再審査請求をすることができるが、再審査請求の取下げは文書でしなければならない。

㊷答3 ✕ 法137条の19,1項〜3項。連合会は、責任準備金に相当する
額を徴収した基金に係る解散基金加入員が老齢基礎年金の受給権を
取得したときは、当該解散基金加入員に年金を支給するが、当該年
金の額は、「200円」に当該解散した基金に係る加入員期間の月数
を乗じて得た額とされる。

㊸答1 ✕ 法101条の2。法101条1項に規定する処分〔被保険者の資格
に関する処分又は給付に関する処分(共済組合等が行った障害基礎
年金に係る障害の程度の診査に関する処分を除く。)に限る。〕の取
消しの訴えは、当該処分についての審査請求に対する社会保険審査
官の決定を経た後でなければ、提起することができない。なお、法
101条1項に規定する処分のうち、保険料その他国民年金法の規定
による徴収金に関する処分については、上記の審査請求前置の対象
とされていない。

㊸答1 ✕ 法101条1項、社審法32条1項、3項。再審査請求は、原則
として、社会保険審査官の決定書の謄本が送付された日の翌日から
起算して2月を経過したときは、することができない。

㊸答2 ◯ 法101条1項、社審法5条1項、同法12条の2,2項、同法32
条4項、同法44条。設問の通り正しい。

43問3
□□□
H28-4I

厚生労働大臣は、国民年金原簿の訂正の請求について、当該訂正請求に係る国民年金原簿の訂正をする旨又は訂正をしない旨を決定しなければならないが、その決定を受けた者が、その決定に不服があるときは、社会保険審査官に対して審査請求をすることができる。

43問4
□□□
H30-4A

給付に関する処分（共済組合等が行った障害基礎年金に係る障害の程度の診査に関する処分を除く。）について、社会保険審査官に対して審査請求をした場合において、審査請求をした日から2か月以内に決定がないときは、審査請求人は、社会保険審査官が審査請求を棄却したものとみなすことができる。

43問5
□□□
R3-6A

共済組合等が行った障害基礎年金に係る障害の程度の診査に関する処分に不服がある者は、当該共済組合等に係る共済各法（国家公務員共済組合法、地方公務員等共済組合法及び私立学校教職員共済法）に定める審査機関に対して当該処分の審査請求をすることはできるが、社会保険審査官に対して審査請求をすることはできない。

43問6
□□□
R元-6A改

脱退一時金に関する処分に不服がある者は、社会保険審査官に対して審査請求することができるが、当該審査請求は時効の完成猶予及び更新に関しては裁判上の請求とみなされる。

43問7
□□□
H29-6B

厚生労働大臣が行った年金給付に関する処分の取消しの訴えは、当該処分についての再審査請求に対する社会保険審査会の裁決を経た後でなければ、提起することができない。

44 時効等

過去問

44問1
□□□
H27-5E改

年金給付を受ける権利及び死亡一時金を受ける権利は、その支給すべき事由が生じた日から5年を経過したときは、時効によって消滅する。

㊸答3 ✕ 法101条1項。設問の訂正請求に対する決定は、社会保険審査官に対する審査請求の対象とはされていない。当該決定に不服がある場合は、行政不服審査法に基づく審査請求又は処分取消しの訴えを行うこととなる。

㊸答4 ○ 法101条1項、2項。設問の通り正しい。

㊸答5 ○ 法101条1項、6項。設問の通り正しい。

㊸答6 ✕ 法101条3項、法附則9条の3の2,5項。脱退一時金に関する処分に不服がある者は、「**社会保険審査会**」に対して審査請求をすることができる。

㊸答7 ✕ 法101条の2。設問の処分の取消しの訴えは、当該処分についての審査請求に対する社会保険審査官の決定を経た後でなければ、提起することができないとされている。

㊹答1 ✕ 法102条1項、4項。**死亡一時金**を受ける権利は、これを行使することができる時から**2年**を経過したときは、時効によって消滅する。なお、**年金給付**を受ける権利について、その支給すべき事由が生じた日から**5年**を経過したときは、時効によって消滅する、とする記述については正しい。

㊹問2
☐☐☐
R2-7D

年金給付を受ける権利に基づき支払期月ごとに支払うものとされる年金給付の支給を受ける権利については「支払期月の翌月の初日」がいわゆる時効の起算点とされ、各起算点となる日から5年を経過したときに時効によって消滅する。

㊹問3
☐☐☐
H30-2A
🈔

失踪宣告を受けた者の死亡一時金の請求期間の取扱いについて、死亡とみなされた日の翌日から2年を経過した後に請求がなされたものであっても、失踪宣告の審判の確定日の翌日から2年以内に請求があった場合には、給付を受ける権利について時効を援用せず、死亡一時金を支給することとされている。

㊺ 雑則・罰則

最新問題

㊺問1
☐☐☐
R6-3E

国民年金事務組合は、その構成員である被保険者の委託を受けて、当該被保険者に係る資格の取得及び喪失並びに種別の変更に関する事項、氏名及び住所の変更に関する事項の届出をすることができる。

過去問

㊺問1
☐☐☐
R5-2E

国民年金法第104条によると、市町村長（地方自治法第252条の19第1項の指定都市においては、区長又は総合区長とする。）は、厚生労働大臣又は被保険者、被保険者であった者若しくは受給権者に対して、当該市町村の条例の定めるところにより、被保険者、被保険者であった者若しくは受給権者又は遺族基礎年金の支給若しくは障害基礎年金若しくは遺族基礎年金の額の加算の要件に該当する子の戸籍に関し、無料で証明を行うことができる。

44 答 2 ○ 法102条1項。設問の通り正しい。

44 答 3 ○ 平成26.3.27年管管発0327第2号。設問の通り正しい。失踪宣告を受けた者に係る消滅時効の起算日については、本来、死亡とみなされた日（原則失踪の7年後）の翌日とされるが、いわゆる（保険料の）掛捨て防止の考え方に立つ死亡一時金については、死亡とみなされた日の翌日から2年を経過した後に請求があったものであっても、失踪宣告の審判の確定日の翌日から2年以内に請求があった場合には、給付を受ける権利について時効を援用せず、死亡一時金を支給することとされている。

45 答 1 ○ 法109条1項。設問の通り正しい。

45 答 1 ○ 法104条。設問の通り正しい。

45問2 国民年金法第1条の目的を達成するため、被保険者若しくは被
□□□ 保険者であった者又は受給権者に係る保険料の納付に関する実態そ
R2-8I の他の厚生労働省令で定める事項に関する統計調査に関し必要があ
ると認めるときは、厚生労働大臣は、官公署に対し、必要な情報の
提供を求めることができる。

45問3 国民年金事務組合の認可基準の1つとして、国民年金事務組合
□□□ の認可を受けようとする同種の事業又は業務に従事する被保険者を
R3-7C 構成員とする団体が東京都又は指定都市を有する道府県に所在し、
難 かつ、国民年金事務を委託する被保険者を少なくとも2,000以上有
するものであることが必要である。

45問4 基礎年金番号の利用制限等の違反者に対して行われた当該行為等
□□□ の中止勧告に従うべきことの命令に違反した場合には、当該違反行
R4-2オ 為をした者は、50万円以下の罰金に処せられる。

45問5 解散した国民年金基金又は国民年金基金連合会が、正当な理由が
□□□ なくて、解散に伴いその解散した日において年金の支給に関する義
R5-4C 務を負っている者に係る政令の定めに従い算出された責任準備金相
当額を督促状に指定する期限までに納付しないときは、その代表
者、代理人又は使用人その他の従業者でその違反行為をした者は、
6か月以下の懲役又は50万円以下の罰金に処せられる。

45問6 世帯主が第1号被保険者に代わって第1号被保険者に係る資格
□□□ の取得及び喪失、種別の変更、氏名及び住所の変更の届出の規定に
R4-2ウ より届出をする場合において、虚偽の届出をした世帯主は、30万
円以下の罰金に処せられる。

45問7 日本年金機構の役員は、日本年金機構が滞納処分等を行うに当た
□□□ り厚生労働大臣の認可を受けなければならない場合においてその認
R4-2イ 可を受けなかったときは、20万円以下の過料に処せられる。

45問8 被保険者又は受給権者が死亡したにもかかわらず、当該死亡につ
□□□ いての届出をしなかった戸籍法の規定による死亡の届出義務者は、
R2-4A 30万円以下の過料に処せられる。

45答2 ○　法108条の3,1項、2項。設問の通り正しい。

45答3 ○　昭和47.6.19庁保発21号。設問の通り正しい。

45答4 ×　法111条の2。設問の場合、違反行為をした者は、「1年以下の懲役又は50万円以下の罰金」に処せられる。

45答5 ○　法95条の2、法111条の3,1項。設問の通り正しい。

45答6 ×　法112条2号。設問の場合、世帯主は、「6月以下の懲役又は30万円以下の罰金」に処せられる。

45答7 ○　法113条の4,1号。設問の通り正しい。

45答8 ×　法114条4号。設問の戸籍法の規定による死亡の届出義務者は、「10万円以下」の過料に処せられる。

㊺問9
□□□
R4-2工改

保険料その他の徴収金があった場合に国税徴収法第141条の規定による徴収職員の検査を拒み、妨げ、又は忌避した者は、30万円以下の罰金に処せられる。

㊺問10
□□□
R4-2ア

第１号被保険者及び第３号被保険者による資格の取得及び喪失、種別の変更、氏名及び住所の変更以外の届出の規定に違反して虚偽届出をした被保険者は、10万円以下の過料に処せられる。

⑮答9 ◯ 法113条の2,2号。設問の通り正しい。なお、保険料その他の徴収金の滞納があった場合において、法95条の規定によりその例によるものとされる国税徴収法141条の規定による物件の提示又は提出の要求に対し、正当な理由がなくこれに応じず、又は偽りの記載若しくは記録をした帳簿書類その他の物件を提示し、若しくは提出した者も、30万円以下の罰金に処せられる。

⑮答10 ◯ 法114条2号。設問の通り正しい。

★問1 次の文中の ▢▢▢▢ の部分を選択肢の中の最も適切な語句で埋
▢▢▢ め、完全な文章とせよ。
H27-選改

1　被保険者又は被保険者であった者は、国民年金原簿に記録された自
　己に係る特定国民年金原簿記録(被保険者の資格の取得及び喪失、種別
　の変更、保険料の納付状況その他厚生労働省令で定める事項の内容を
　いう。)が事実でない、又は国民年金原簿に自己に係る特定国民年金原
　簿記録が記録されていないと思料するときは、厚生労働省令で定める
　ところにより、厚生労働大臣に対し、国民年金原簿の訂正の請求をす
　ることができる。厚生労働大臣は、訂正請求に理由があると認めると
　きは、当該訂正請求に係る国民年金原簿の訂正をする旨を決定しなけ
　ればならず、これ以外の場合は訂正をしない旨を決定しなければなら
　ない。
　　これらの決定に関する厚生労働大臣の権限は ▢ A ▢ に委任されて
　おり、▢ A ▢ が決定をしようとするときは、あらかじめ、▢ B ▢
　に諮問しなければならない。
2　国民年金法第30条の4に規定する20歳前傷病による障害基礎年金の
　受給権者は、原則として毎年、指定日である ▢ C ▢ までに、指定日
　前 ▢ D ▢ に作成された障害基礎年金所得状況届及びその添付書類を
　日本年金機構に提出しなければならない。
3　平成25年7月1日において時効消滅不整合期間となった期間が保険
　料納付済期間であるものとして老齢基礎年金又は厚生年金保険法に基
　づく老齢給付等を受けている特定受給者が有する当該時効消滅不整合
　期間については、▢ E ▢ までの間、当該期間を保険料納付済期間と
　みなす。

┌─ 選択肢 ────────────────────────────
① 1か月以内　② 3か月以内　③ 3月31日　④ 6月30日
⑤ 9月30日　⑥ 10日以内　⑦ 14日以内
⑧ 後納保険料納付期限日である平成27年9月30日
⑨ 後納保険料納付期限日である平成37年(令和7年)6月30日
⑩ 社会保障審議会年金記録訂正分科会
⑪ 受給権者の誕生日の属する月の末日
⑫ 総務大臣
⑬ 地方厚生局長又は地方厚生支局長
⑭ 地方年金記録訂正審議会
⑮ 特定保険料納付期限日である平成30年3月31日
⑯ 特定保険料納付期限日である平成38年(令和8年)3月31日
⑰ 日本年金機構
⑱ 年金記録回復委員会
⑲ 年金記録確認地方第三者委員会
⑳ 年金事務所長
└────────────────────────────────

★答1　法14条の2,1項、法14条の4、法109条の9、法附則9条の4の
　　　　4、令11条の12の2、則36条の5、厚生労働省組織令153条の
　　　　2,1項、2項、令和3.6.24厚労告248号。
A　⑬　**地方厚生局長又は地方厚生支局長**
B　⑭　**地方年金記録訂正審議会**
C　⑤　**9月30日**
D　①　**1か月以内**
E　⑮　**特定保険料納付期限日である平成30年3月31日**

※　設問2の障害基礎年金所得状況届について、現在、20歳前障害基礎
年金の受給権者は、厚生労働大臣が市町村長(特別区にあっては区長と
する。)から国民年金法108条2項の規定により資料の提供等を受けるこ
とにより当該受給権者の所得について確認することができるとき等は、
当該所得状況届を提出することを要しないものとされている。

★**問2**　次の文中の 　　　　 の部分を選択肢の中の最も適切な語句で埋
□□□　め、完全な文章とせよ。

H28-選

1　国民年金法は、「国民年金制度は、日本国憲法第25条第 2 項に規定す
る理念に基き、老齢、障害又は死亡によつて国民生活の　 A 　がそ
こなわれることを国民の　 B 　によつて防止し、もつて健全な国民
生活の維持及び向上に寄与することを目的とする。」と規定している。

2　国民年金法第90条の 3 第 1 項に規定する学生の保険料納付特例につ
き、保険料を納付することを要しないものとされる厚生労働大臣が指定
する期間は、申請のあつた日の属する月の　 C 　（同法第91条に規
定する保険料の納期限に係る月であつて、当該納期限から 2 年を経過
したものを除く。）前の月から当該申請のあつた日の属する年の翌年 3
月（当該申請のあつた日の属する月が 1 月から 3 月までである場合にあ
つては、当該申請のあつた日の属する年の 3 月）までの期間のうち必要
と認める期間とする。

3　国民年金法に規定する厚生労働大臣から財務大臣への滞納処分等に係
る権限の委任に関する事情として、

(1)　納付義務者が厚生労働省令で定める月数である　 D 　か月分以
上の保険料を滞納していること、

(2)　納付義務者の前年の所得（ 1 月から 6 月までにおいては前々年の所
得）が　 E 　以上であること、

等が掲げられている。

```
┌─ 選択肢 ─────────────────────────
│  ①　6                    ②　12
│  ③　13                   ④　24
│  ⑤　1 年 2 か月          ⑥　1 年 6 か月
│  ⑦　2 年 2 か月          ⑧　2 年 6 か月
│  ⑨　360万円              ⑩　462万円
│  ⑪　850万円              ⑫　1,000万円
│  ⑬　安　全              ⑭　安　定
│  ⑮　共同連帯            ⑯　自助努力
│  ⑰　自立援助            ⑱　相互扶助
│  ⑲　福　祉              ⑳　平　穏
```

★答2 法1条、令11条の10、則105条、則106条、平成26.3.31厚労告191号。

A ⑭ **安 定**
B ⑮ **共同連帯**
C ⑦ **2年2か月**
D ③ **13**
E ⑫ **1,000万円**

［補足解説］
　保険料の納期限は翌月末日であるが、その日が行政機関の休日であるときは、保険料の納期限は翌々月の行政機関の最初の執務の日となる。このため、保険料の納期限が翌々月の行政機関の最初の執務の日である月分については、当該納期限の2年後の日まで申請免除等の申請が可能であり、この場合の遡及期間は2年2月前までとなる。

1　国民年金法第90条の2第2項第1号及び国民年金法施行令第6条の
　9の規定によると、申請により保険料の半額を納付することを要しな
　いこととできる所得の基準は、被保険者、配偶者及び世帯主について、
　当該保険料を納付することを要しないものとすべき月の属する年の前年
　の所得（1月から6月までの月分の保険料については、前々年の所得と
　する。）が　　A　　に扶養親族等（特定年齢扶養親族にあっては、控除
　対象扶養親族に限る。）1人につき　　B　　を加算した額以下のときと
　されている。
　　なお、本問における扶養親族等は、所得税法に規定する同一生計配偶
　者若しくは老人扶養親族又は特定扶養親族等ではないものとする。
2　国民年金法第49条では、寡婦年金は、一定の保険料の納付の要件を
　満たした夫が死亡した場合において、夫の死亡の当時夫によって生計を
　維持し、かつ、夫との婚姻関係が10年以上継続した一定の妻があると
　きに支給されるが、死亡した夫が　　C　　は支給されないことが規定
　されている。
　　夫が死亡した当時53歳であった妻に支給する寡婦年金は、　　D　　
　から、その支給を始める。
3　国民年金法第107条第1項では、厚生労働大臣は、必要があると認
　めるときは、受給権者に対して、その者の　　E　　その他受給権の消
　滅、年金額の改定若しくは支給の停止に係る事項に関する書類その他の
　物件を提出すべきことを命じ、又は当該職員をしてこれらの事項に関し
　受給権者に質問させることができると規定している。

こたえ
かくす
シート

KOTAEKAKUSUSHEET

TAC出版

TAC PUBLISHING Group

┌─ 選択肢 ─────────────────────────────
① 32万円　　　　　② 35万円
③ 38万円　　　　　④ 48万円
⑤ 88万円　　　　　⑥ 128万円
⑦ 135万円　　　　⑧ 168万円
⑨ 遺族基礎年金の受給権者であったことがあるとき、又は老齢基礎年金の支給を受けていたとき
⑩ 夫が死亡した日の属する月の翌月
⑪ 資産若しくは収入の状態
⑫ 老齢基礎年金又は障害基礎年金の支給を受けたことがあるとき
⑬ 障害基礎年金の受給権者であったことがあるとき、又は老齢基礎年金の受給資格期間を満たしていたとき
⑭ 障害基礎年金の受給権者であったことがあるとき、又は老齢厚生年金の支給を受けていたとき
⑮ 妻が55歳に達した日の属する月の翌月
⑯ 妻が60歳に達した日の属する月の翌月
⑰ 妻が65歳に達した日の属する月の翌月
⑱ 届出事項の変更若しくは受給資格の変更
⑲ 被扶養者の状況、生計維持関係　　⑳ 身分関係、障害の状態
└──────────────────────────────────

★答3　法49条1項、3項、法90条の2,2項1号、法107条1項、令6条の9。

A　⑥　**128万円**
B　③　**38万円**
C　⑫　**老齢基礎年金又は障害基礎年金の支給を受けたことがあるとき**
D　⑯　**妻が60歳に達した日の属する月の翌月**
E　⑳　**身分関係、障害の状態**

★問4 次の文中の □□□ の部分を選択肢の中の最も適切な語句で埋め、完全な文章とせよ。

1 国民年金法施行規則第18条の規定によると、厚生労働大臣は、 A 、住民基本台帳法の規定による老齢基礎年金の受給権者に係る機構保存本人確認情報の提供を受け、必要な事項について確認を行うものとされ、機構保存本人確認情報の提供を受けるために必要と認める場合は、 B を求めることができるとされている。

2 国民年金法第109条の2第1項に規定する指定全額免除申請事務取扱者は、同項に規定する全額免除申請に係る事務のほか、 C 要件該当被保険者等の委託を受けて、 C 申請を行うことができる。

3 昭和16年4月2日以後生まれの者が、老齢基礎年金の支給繰下げの申出をした場合、老齢基礎年金の額に増額率を乗じて得た額が加算されるが、その増額率は D に当該年金の受給権を E を乗じて得た率をいう。

┌ 選択肢 ─────────────────────

① 　4分の3免除、半額免除及び4分の1免除

② 　100分の11　　　　　　③ 　100分の12

④ 　1000分の5　　　　　　⑤ 　1000分の7

⑥ 　各支払期月の前月に　　⑦ 　各支払期月の前々月に

⑧ 　学生納付特例

⑨ 　市町村長(特別区にあっては、区長とする。)に対し、当該受給権者に
係る個人番号の報告

⑩ 　市町村長(特別区にあっては、区長とする。)の同意

⑪ 　取得した日から起算して当該年金の支給の繰下げの申出をした日の
前日までの年数(1未満の端数が生じたときは切り捨て、当該年数が
10を超えるときは10とする。)

⑫ 　取得した日から起算して当該年金の支給の繰下げの申出をした日ま
での年数(1未満の端数が生じたときは切り捨て、当該年数が10を超
えるときは10とする。)

⑬ 　取得した日の属する月から当該年金の支給の繰下げの申出をした日
の属する月の前月までの月数(当該月数が120を超えるときは120)

⑭ 　取得した日の属する月から当該年金の支給の繰下げの申出をした日
の属する月までの月数(当該月数が120を超えるときは120)

⑮ 　追　納　　　　　　　　⑯ 　納付猶予

⑰ 　毎　月　　　　　　　　⑱ 　毎　年

⑲ 　老齢基礎年金の受給権者に対し、当該受給権者に係る個人番号の報告

⑳ 　老齢基礎年金の受給権者の同意

★答4　　法28条4項、法109条の2,1項、(16)法附則19条の2,1項、(26)
法附則15条1項、令4条の5,1項、則18条1項、2項。

A　⑰　**毎　月**

B　⑲　**老齢基礎年金の受給権者に対し、当該受給権者に係る個人番号の
報告**

C　⑯　**納付猶予**

D　⑤　**1000分の7**

E　⑬　**取得した日の属する月から当該年金の支給の繰下げの申出をした
日の属する月の前月までの月数(当該月数が120を超えるときは120)**

※　Eの解答について、当該月数の上限が120となるのは、昭和16年4
月2日以後生まれの者のうち、令和4年3月31日において70歳に達し
ていない者(昭和27年4月2日以後生まれの者)である(昭和27年4月
1日以前生まれの者の場合、当該月数の上限は60となる。)。

　次の文中の □□□□ の部分を選択肢の中の最も適切な語句で埋め、完全な文章とせよ。

1　国民年金法第75条では、「積立金の運用は、積立金が国民年金の被保険者から徴収された保険料の一部であり、かつ、 A となるものであることに特に留意し、専ら国民年金の被保険者の利益のために、長期的な観点から、安全かつ効率的に行うことにより、将来にわたつて、 B に資することを目的として行うものとする。」と規定している。

2　国民年金法第92条の2の2の規定によると、厚生労働大臣は、被保険者から指定代理納付者をして当該被保険者の保険料を立て替えて納付させることを希望する旨の申出を受けたときは、その納付が確実と認められ、かつ、その申出を承認することが C と認められるときに限り、その申出を承認することができるとされている。

3　国民年金法第97条第1項では、「前条第1項の規定によつて督促をしたときは、厚生労働大臣は、徴収金額に、 D までの期間の日数に応じ、年14.6パーセント(当該督促が保険料に係るものであるときは、当該 E を経過する日までの期間については、年7.3パーセント)の割合を乗じて計算した延滞金を徴収する。ただし、徴収金額が500円未満であるとき、又は滞納につきやむを得ない事情があると認められるときは、この限りでない。」と規定している。

選択肢

① 国民年金事業の運営の安定　② 国民年金事業の円滑な実施
③ 国民年金制度の維持　④ 国民年金法の趣旨に合致する
⑤ 財政基盤の強化　⑥ 財政融資資金に預託する財源
⑦ 支払準備金　⑧ 将来の給付の貴重な財源
⑨ 責任準備金
⑩ 督促状に指定した期限の日から3月
⑪ 督促状に指定した期限の日から徴収金完納又は財産差押の日
⑫ 督促状に指定した期限の翌日から6月
⑬ 督促状に指定した期限の翌日から徴収金完納又は財産差押の日
⑭ 納期限の日から6月
⑮ 納期限の日から徴収金完納又は財産差押の日の前日
⑯ 納期限の翌日から3月
⑰ 納期限の翌日から徴収金完納又は財産差押の日の前日
⑱ 被保険者にとって納付上便利　⑲ 保険料納付率の向上に寄与する
⑳ 保険料の徴収上有利

★答5　法75条、法92条の2の2,1項、2項、法97条1項。

A　⑧　**将来の給付の貴重な財源**
B　①　**国民年金事業の運営の安定**
C　⑳　**保険料の徴収上有利**
D　⑰　**納期限の翌日から徴収金完納又は財産差押の日の前日**
E　⑯　**納期限の翌日から3月**

次の文中の [   ] の部分を選択肢の中の最も適切な語句で埋め、完全な文章とせよ。

1　国民年金法第４条では、「この法律による年金の額は、[A] その他の諸事情に著しい変動が生じた場合には、変動後の諸事情に応ずるため、速やかに [B] の措置が講ぜられなければならない。」と規定している。

2　国民年金法第37条の規定によると、遺族基礎年金は、被保険者であった者であって、日本国内に住所を有し、かつ、[C] であるものが死亡したとき、その者の配偶者又は子に支給するとされている。ただし、死亡した者につき、死亡日の前日において、死亡日の属する月の前々月までに被保険者期間があり、かつ、当該被保険者期間に係る保険料納付済期間と保険料免除期間とを合算した期間が [D] に満たないときは、この限りでないとされている。

3　国民年金法第94条の２第１項では、「厚生年金保険の実施者たる政府は、毎年度、基礎年金の給付に要する費用に充てるため、基礎年金拠出金を負担する。」と規定しており、同条第２項では、「[E] は、毎年度、基礎年金の給付に要する費用に充てるため、基礎年金拠出金を納付する。」と規定している。

選択肢

① 10 年
② 25 年
③ 20歳以上60歳未満
④ 20歳以上65歳未満
⑤ 60歳以上65歳未満
⑥ 65歳以上70歳未満
⑦ 改 定
⑧ 国民生活の安定
⑨ 国民生活の現況
⑩ 国民生活の状況
⑪ 国民の生活水準
⑫ 所 要
⑬ 実施機関たる共済組合等
⑭ 実施機関たる市町村
⑮ 実施機関たる政府
⑯ 実施機関たる日本年金機構
⑰ 是 正
⑱ 訂 正
⑲ 当該被保険者期間の３分の１
⑳ 当該被保険者期間の３分の２

★答6 法4条、法37条、法94条の2,2項。

A ⑪ 国民の生活水準

B ⑦ 改　定

C ⑤ 60歳以上65歳未満

D ⑳ 当該被保険者期間の3分の2

E ⑬ 実施機関たる共済組合等

★**問7** 次の文中の □□□□ の部分を選択肢の中の最も適切な語句で埋め、完全な文章とせよ。

R3-選

1　国民年金法第16条の2第1項の規定によると、政府は、国民年金法第4条の3第1項の規定により財政の現況及び見通しを作成するに当たり、国民年金事業の財政が、財政均衡期間の終了時に ☐ A ☐ ようにするために必要な年金特別会計の国民年金勘定の積立金を保有しつつ当該財政均衡期間にわたってその均衡を保つことができないと見込まれる場合には、年金たる給付（付加年金を除く。）の額（以下本問において「給付額」という。）を ☐ B ☐ するものとし、政令で、給付額を ☐ B ☐ する期間の ☐ C ☐ を定めるものとされている。

2　国民年金法第25条では、「租税その他の公課は、☐ D ☐ として、課することができない。ただし、☐ E ☐ については、この限りでない。」と規定している。

選択肢

① 遺族基礎年金及び寡婦年金　　② 遺族基礎年金及び付加年金
③ 開始年度　　　　　　　　　　④ 開始年度及び終了年度
⑤ 改　定　　　　　　　　　　　⑥ 給付額に不足が生じない
⑦ 給付として支給を受けた金銭を基準
⑧ 給付として支給を受けた金銭を標準
⑨ 給付として支給を受けた年金額を基準
⑩ 給付として支給を受けた年金額を標準
⑪ 給付の支給に支障が生じない　⑫ 減　額
⑬ 財政窮迫化をもたらさない　　⑭ 財政収支が保たれる
⑮ 終了年度　　　　　　　　　　⑯ 調　整
⑰ 年　限　　　　　　　　　　　⑱ 変　更
⑲ 老齢基礎年金及び寡婦年金　　⑳ 老齢基礎年金及び付加年金

★答7　法16条の2,1項、法25条。

A　⑪　給付の支給に支障が生じない

B　⑯　調　整

C　③　開始年度

D　⑧　給付として支給を受けた金銭を標準

E　⑳　老齢基礎年金及び付加年金

★問8 次の文中の ☐☐☐☐ の部分を選択肢の中の最も適切な語句で埋め、完全な文章とせよ。

1　国民年金法第36条第2項によると、障害基礎年金は、受給権者が障害等級に該当する程度の障害の状態に該当しなくなったときは、　A　、その支給を停止するとされている。

2　寡婦年金の額は、死亡日の属する月の前月までの第1号被保険者としての被保険者期間に係る死亡日の前日における保険料納付済期間及び保険料免除期間につき、国民年金法第27条の老齢基礎年金の額の規定の例によって計算した額の　B　に相当する額とする。

3　国民年金法第128条第2項によると、国民年金基金は、加入員及び加入員であった者の　C　ため、必要な施設をすることができる。

4　国民年金法第14条の5では、「厚生労働大臣は、国民年金制度に対する国民の　D　ため、厚生労働省令で定めるところにより、被保険者に対し、当該被保険者の保険料納付の実績及び将来の給付に関する必要な情報を　E　するものとする。」と規定している。

選択肢

① 　2分の1　　　　　　　　　② 　3分の2
③ 　4分の1　　　　　　　　　④ 　4分の3
⑤ 　厚生労働大臣が指定する期間
⑥ 　受給権者が65歳に達するまでの間
⑦ 　速やかに通知　　　　　　　⑧ 　正確に通知
⑨ 　生活の維持及び向上に寄与する　　⑩ 　生活を安定させる
⑪ 　その障害の状態に該当しない間
⑫ 　その障害の状態に該当しなくなった日から3年間
⑬ 　知識を普及させ、及び信頼を向上させる
⑭ 　遅滞なく通知
⑮ 　福祉を増進する　　　　　　⑯ 　福利向上を図る
⑰ 　理解を増進させ、及びその信頼を向上させる
⑱ 　理解を増進させ、及びその知識を普及させる
⑲ 　利便の向上に資する　　　　⑳ 　分かりやすい形で通知

★答8 法14条の5、法36条2項、法50条、法128条2項。

A ⑪ その障害の状態に該当しない間

B ④ 4分の3

C ⑮ 福祉を増進する

D ⑰ 理解を増進させ、及びその信頼を向上させる

E ⑳ 分かりやすい形で通知

★問9 次の文中の _____ の部分を選択肢の中の最も適切な語句で埋め、完全な文章とせよ。

R5-選

1 国民年金法第74条第1項の規定によると、政府は、国民年金事業の円滑な実施を図るため、国民年金に関し、次に掲げる事業を行うことができるとされている。

(1) A を行うこと。

(2) 被保険者、受給権者その他の関係者(以下本問において「被保険者等」という。)に対し、 B を行うこと。

(3) 被保険者等に対し、被保険者等が行う手続に関する情報その他の被保険者等の C に資する情報を提供すること。

2 国民年金法第2条では、「国民年金は、前条の目的を達成するため、国民の老齢、障害又は死亡に関して D を行うものとする。」と規定されている。

3 国民年金法第7条第1項の規定によると、第1号被保険者、第2号被保険者及び第3号被保険者の被保険者としての要件については、いずれも E 要件が不要である。

選択肢
---

① 教育及び広報	② 国籍
③ 国内居住	④ 助言及び支援
⑤ 生活水準の向上	⑥ 生計維持
⑦ 相談その他の援助	⑧ 積立金の運用
⑨ 年金額の通知	⑩ 年金記録の整備
⑪ 年金記録の通知	⑫ 年金財政の開示
⑬ 年金支給	⑭ 年金制度の信頼増進
⑮ 年金の給付	⑯ 年齢
⑰ 必要な給付	⑱ 福祉の増進
⑲ 保険給付	⑳ 利便の向上

★答9　法2条、法7条1項、法74条1項。

A　①　教育及び広報

B　⑦　相談その他の援助

C　⑳　利便の向上

D　⑰　必要な給付

E　②　国籍

★問10 次の文中の ☐☐☐☐☐☐ の部分を選択肢の中の最も適切な語句で埋め、完全な文章とせよ。

R6-選改

1　国民年金法において、被保険者の委託を受けて、保険料の納付に関する事務(以下本肢において「納付事務」という。)を行うことができる者として、国民年金基金又は国民年金基金連合会、納付事務を ☐ B ☐ ことができると認められ、かつ、政令で定める要件に該当する者として厚生労働大臣が指定するものに該当するコンビニエンスストア等があり、これらを ☐ C ☐ という。

2　遺族基礎年金が支給される子については、国民年金法第37条の2第1項第2号によると、「十八歳に達する日以後の最初の三月三十一日までの間にあるか又は二十歳未満であって障害等級に該当する障害の状態にあり、かつ、現に ☐ D ☐ こと」と規定されている。

3　遺族基礎年金を受給できる者がいない時には、被保険者又は被保険者であった者が国民年金法第52条の2に規定された支給要件を満たせば、死亡した者と死亡の当時生計を同じくする遺族に死亡一時金が支給されるが、この場合の遺族とは、死亡した者の ☐ E ☐ であり、死亡一時金を受けるべき者の順位は、この順序による。

(法改正により空欄Aに係る設問文削除)

選択肢

① 完全かつ効率的に行う
② 婚姻をしていない
③ 市町村(特別区を含む。)
④ 実施機関
⑤ 指定代理納付者
⑥ 指定納付受託者
⑦ 申請に基づき実施する
⑧ 適正かつ円滑に行う
⑨ 適正かつ確実に実施する
⑩ 都道府県
⑪ 日本国内に住所を有している
⑫ 納付受託者
⑬ 配偶者又は子
⑭ 配偶者、子又は父母
⑮ 配偶者、子、父母又は孫
⑯ 配偶者、子、父母、孫、祖父母又は兄弟姉妹
⑰ 保険者
⑱ 保険料納付確認団体
⑲ 離縁によって、死亡した被保険者又は被保険者であった者の子でなくなっていない
⑳ 養子縁組をしていない

★答10 法37条の2,1項2号、法52条の3,1項、2項、法92条の3,1項、法92条の4,1項。

A （法改正により削除）

B ⑨ 適正かつ確実に実施する

C ⑫ 納付受託者

D ② 婚姻をしていない

E ⑯ 配偶者、子、父母、孫、祖父母又は兄弟姉妹

2 厚年
（厚生年金保険法）

厚生年金保険法

凡 例

法	→厚生年金保険法
法附則	→厚生年金保険法附則
(60)法附則	→昭和60年改正法附則
(6) 法附則	→平成 6 年改正法附則
(12)法附則	→平成12年改正法附則
(16)法附則	→平成16年改正法附則
(24)法附則	→平成24年改正法附則
(25)法附則	→平成25年改正法附則
(令和2)法附則	→令和 2 年改正法附則
(令和3)令附則	→令和 3 年改正施行令附則
令	→厚生年金保険法施行令
則	→厚生年金保険法施行規則

厚年：目次

厚年：択一式出題ランキング

1位　届出等（37問）
1位　本来の老齢厚生年金－年金額（37問）
2位　保険料（32問）

過去問

1問 1
□□□
H30-7D

厚生年金保険制度は、老齢、障害又は死亡によって国民生活の安定がそこなわれることを国民の共同連帯によって防止し、もって健全な国民生活の維持及び向上に寄与することを目的としている。

1問 2
□□□
H30-7E

厚生年金保険は、厚生年金保険法に定める実施機関がそれぞれ管掌することとされている。

1問 3
□□□
R2-6A
難

第2号厚生年金被保険者に係る厚生年金保険法第84条の5第1項の規定による拠出金の納付に関する事務は、実施機関としての国家公務員共済組合が行う。

1問 4
□□□
R2-3エ

日本年金機構は、滞納処分等を行う場合には、あらかじめ、厚生労働大臣の認可を受けるとともに、厚生年金保険法第100条の7第1項に規定する滞納処分等実施規程に従い、徴収職員に行わせなければならない。

1問 5
□□□
R2-3ウ

厚生労働大臣は、滞納処分等その他の処分に係る納付義務者が滞納処分等その他の処分の執行を免れる目的でその財産について隠ぺいしているおそれがあることその他の政令で定める事情があるため、保険料その他厚生年金保険法の規定による徴収金の効果的な徴収を行う上で必要があると認めるときは、政令で定めるところにより、財務大臣に、当該納付義務者に関する情報その他必要な情報を提供するとともに、当該納付義務者に係る滞納処分等その他の処分の権限の全部又は一部を委任することができる。

1問 6
□□□
H27-8D
難

厚生労働大臣は、政令で定める場合における保険料の収納を、政令で定めるところにより、日本年金機構に行わせることができる。日本年金機構は、保険料等の収納をしたときは、遅滞なく、これを日本銀行に送付しなければならない。

1答1 ×　法1条。設問の記述は、国民年金法の目的条文(同法1条)である。なお、厚生年金保険法は、**労働者**の老齢、障害又は死亡について保険給付を行い、**労働者**及びその遺族の**生活の安定**と**福祉の向上**に寄与することを目的としている。

1答2 ×　法2条。厚生年金保険は、**政府**が、管掌する。

1答3 ×　法2条の5,2号、令1条1項3号ホ。設問の事務は、国家公務員共済組合連合会が行う。

1答4 ○　法100条の6,1項。設問の通り正しい。

「滞納処分等実施規程」に従い滞納処分等を行わせる**徴収職員**は、滞納処分等に係る法令に関する知識並びに実務に必要な知識及び能力を有する日本年金機構の職員のうちから、**厚生労働大臣の認可**を受けて、日本年金機構の**理事長が任命**するものとされている。

1答5 ○　法100条の5,1項。設問の通り正しい。

保険料等の滞納処分に関する厚生労働大臣の権限は、日本年金機構に委任されているが、日本年金機構の求めに応じて厚生労働大臣自ら権限を行うこととした場合等において、設問のような悪質な納付義務者についての滞納処分等の権限の全部又は一部を財務大臣に委任することができるものとされている。

1答6 ○　法100条の11,1項、3項。設問の通り正しい。

■ 問 7
□□□
H30-7C

日本年金機構が国の毎会計年度所属の保険料等を収納する期限は、当該年度の3月31日限りとされている。

2 適用事業所

過去問

② 問 1
□□□
H28-1イ改

常時5人の従業員を使用する、個人経営の貨物積み卸し業の事業主は、その事業所を適用事業所とするためには任意適用事業所の認可を受けなければならない。

② 問 2
□□□
H28-1オ改

常時5人の従業員を使用する、個人経営の学習塾の事業の事業主は、その事業所を適用事業所とするためには任意適用事業所の認可を受けなければならない。

② 問 3
□□□
R元-4B

個人経営の青果商である事業主の事業所は、常時5人以上の従業員を使用していたため、適用事業所となっていたが、その従業員数が4人になった。この場合、適用事業所として継続するためには、任意適用事業所の認可申請を行う必要がある。

② 問 4
□□□
R元-4C

常時5人以上の従業員を使用する個人経営のと殺業者である事業主は、厚生労働大臣の認可を受けることで、当該事業所を適用事業所とすることができる。

② 問 5
□□□
R4-10A

常時5人の従業員を使用する個人経営の美容業の事業所については、法人化した場合であっても適用事業所とはならず、当該法人化した事業所が適用事業所となるためには、厚生労働大臣から任意適用事業所の認可を受けなければならない。

② 問 6
□□□
H28-1エ改

常時使用している船員(船員法第1条に規定する船員)が5人から4人に減少した船舶所有者は、その事業所を適用事業所とするためには任意適用事業所の認可を受けなければならない。

1答7 ✕　令4条の7。日本年金機構において国の毎会計年度所属の保険料等を収納するのは、翌年度の4月30日限りとされている。

2答1 ✕　法6条1項1号ヘ。貨物積み卸し業は適用業種であり、設問の事業所は強制適用事業所となる。

2答2 ✕　法6条1項1号ワ。教育の事業は適用業種であり、設問の事業所は強制適用事業所となる。

2答3 ✕　法6条1項2号、法7条。設問の場合、任意適用事業所の認可があったものとみなされ、引き続き適用事業所となるため、任意適用事業所の認可申請を行う必要はない。

2答4 ✕　法6条1項1号。常時5人以上の従業員を使用する個人経営のと殺業者である事業主の事業所は、強制適用事業所である。

2答5 ✕　法6条1項2号。**法人**の事業所又は事務所であって、**常時**従業員を使用するものは、強制適用事業所とされる。したがって、設問の個人経営の美容業（非適用業種）の事業所が法人化した場合には、強制適用事業所となる。

2答6 ✕　法6条1項3号、2項。設問の船舶所有者に使用される船員が乗り組む船舶は、強制適用事業所となる。

2問7 常時5人以上の従業員を使用する個人経営の畜産業者である事
□□□ 業主の事業所は、強制適用事業所となるので、適用事業所となるた
R元-4A めに厚生労働大臣から任意適用事業所の認可を受ける必要はない。

2問8 宿泊業を営み、常時10人の従業員を使用する個人事業所は、任
□□□ 意適用の申請をしなくとも、厚生年金保険の適用事業所となる。
R4-7E

2問9 常時5人の従業員を使用する、個人経営の理容業の事業主は、
□□□ その事業所を適用事業所とするためには任意適用事業所の認可を受
H28-1ウ改 けなければならない。

2問10 常時5人の従業員を使用する、個人経営の旅館の事業主は、そ
□□□ の事業所を適用事業所とするためには任意適用事業所の認可を受け
H28-17改 なければならない。

2問11 厚生年金保険の強制適用事業所であった個人事業所において、常
□□□ 時使用する従業員が5人未満となった場合、任意適用の申請をし
R4-7D なければ、適用事業所ではなくなる。

2問12 任意適用事業所の認可を受けようとする事業主は、当該事業所に
□□□ 使用される者(厚生年金保険法第12条に規定する者及び特定4分の
R2-6B 3未満短時間労働者を除く。)の3分の1以上の同意を得たことを
証する書類を添えて、厚生年金保険任意適用申請書を日本年金機構
に提出しなければならない。

2問13 任意適用事業所の事業主は、厚生労働大臣の認可を受けることに
□□□ より当該事業所を適用事業所でなくすることができるが、このため
R5-3A には、当該事業所に使用される者の全員の同意を得ることが必要で
ある。なお、当該事業所には厚生年金保険法第12条各号のいずれ
かに該当する者又は特定4分の3未満短時間労働者に該当する者
はいないものとする。

2答7 ×　法6条1項、3項。畜産業は非適用業種であるため、常時5人以上の従業員を使用する個人経営の畜産業者である事業主の事業所は、強制適用事業所とならない。したがって、適用事業所となるためには、厚生労働大臣から任意適用事業所の認可を受ける必要がある。

2答8 ×　法6条1項、3項。宿泊業は非適用業種であるため、宿泊業の個人事業所を適用事業所とするためには、その事業主は、任意適用の申請をし、厚生労働大臣の認可を受ける必要がある。

2答9 ○　法6条1項、3項。設問の通り正しい。理容業は非適用業種である。

2答10 ○　法6条1項、3項。設問の通り正しい。旅館の事業は非適用業種である。

2答11 ×　法7条。強制適用事業所（船舶を除く。）が、強制適用の要件に該当しなくなったときは、その事業所について任意適用事業所の認可があったものとみなされるため、任意適用の申請をしなくても、引き続き適用事業所とされる。

2答12 ×　法6条4項、則13条の3。設問の場合、当該事業所に使用される者の**2分の1以上**の同意を得たことを証する書類を添えることを要する。

2答13 ×　法8条。設問の事業主が、任意適用取消の認可を受けるためには、当該事業所に使用される者の**4分の3以上**の同意を得ることが必要である。

❷問14 　任意適用事業所を適用事業所でなくするための認可を受けようと
☐☐☐ するときは、当該事業所に使用される者の3分の2以上の同意を
H30-5A 得て、厚生労働大臣に申請することとされている。なお、当該事業
所には厚生年金保険法第12条各号のいずれかに該当し、適用除外
となる者又は特定4分の3未満短時間労働者に該当する者はいな
いものとする。

❷問15 　2以上の船舶の船舶所有者が同一である場合には、当該2以上
☐☐☐ の船舶を1つの適用事業所とすることができる。このためには厚
H30-1A 生労働大臣の承認を得なければならない。

3 　当然被保険者等

最新問題

❸問 1 　特定適用事業所で使用されている甲(所定内賃金が月額88,000円
☐☐☐ 以上、かつ、学生ではない。)は、雇用契約書で定められた所定労働
R6-6A 時間が週20時間未満である。しかし、業務の都合によって、2か
🈔 月連続で実際の労働時間が週20時間以上となっている。引き続き
同様の状態が続くと見込まれる場合は、実際の労働時間が週20時
間以上となった月の3か月目の初日に、甲は厚生年金保険の被保
険者資格を取得する。

過去問

❸問 1 　株式会社の代表取締役は、70歳未満であっても被保険者となる
☐☐☐ ことはないが、代表取締役以外の取締役は被保険者となることがあ
R2-6E る。

2答14 ✕　法 8 条、(24)法附則17条の 2 。設問の認可を受けようとするときは、当該事業所に使用される者の **4 分の 3 以上**の同意を得て、厚生労働大臣に申請することとされている。

2答15 ✕　法 8 条の 3 。 2 以上の船舶の船舶所有者が同一である場合には、当該 2 以上の船舶は、法律上当然に 1 つの適用事業所とされるため、 1 つの適用事業所とするために厚生労働大臣の承認を受ける必要はない。

3答1 ○　法12条 5 号、(24)法附則17条 1 項、短時間労働者に対する健康保険・厚生年金保険の適用拡大Ｑ＆Ａ集。設問の通り正しい。いわゆる 4 分の 3 基準を満たさない短時間労働者については、「① 1 週間の所定労働時間が20時間以上であること、②報酬について、資格取得時決定の例により算定した額が、88,000円以上であること、③学生等でないこと、④特定適用事業所に使用される者であること」のいずれの要件にも該当する場合には、被保険者となるが、就業規則や雇用契約書等で定められた所定労働時間が週20時間未満である者(上記①以外の要件には該当しているものとする。)が、業務の都合等により恒常的に実際の労働時間が週20時間以上となった場合、具体的には、実際の労働時間が連続する 2 月において週20時間以上となった場合で、引き続き同様の状態が続いている又は続くことが見込まれる場合は、実際の労働時間が週20時間以上となった月の 3 月目の初日に被保険者の資格を取得する取扱いとされている。

3答1 ✕　法 9 条、昭和24.7.28保発74号。株式会社の代表取締役及び代表取締役以外の取締役は、いずれも被保険者となることがある。

3問2 代表者の他に従業員がいない法人事業所において、当該法人の経
□□□
R4-7B 営への参画を内容とする経常的な労務を提供し、その対価として、
社会通念上労務の内容にふさわしい報酬が経常的に支払われている
代表者Y（50歳）は、厚生年金保険の被保険者となる。

※ Yは、厚生年金保険法第12条第1号から第4号までに規定す
る適用除外者には該当しないものとする。

3問3 季節的業務に使用される者（船舶所有者に使用される船員を除
□□□
H27-2D く。）は、当初から継続して6か月を超えて使用されるべき場合を
除き、被保険者とならない。

3問4 4か月間の臨時的事業の事業所に使用される70歳未満の者は、
□□□
H28-8E その使用されるに至った日から被保険者となる。

3問5 船員法に規定する船員として船舶所有者に2か月以内の期間を
□□□
H30-1B改 定めて臨時に使用される者であって、当該定めた期間を超えて使用
されることが見込まれない70歳未満の者は、当該期間を超えて使
用されないときは、厚生年金保険の被保険者とならない。

3問6 適用事業所に使用される70歳未満の者であって、2か月以内の
□□□
R4-10B改 期間を定めて臨時に使用される者（船舶所有者に使用される船員を
除き、当該定めた期間を超えて使用されることが見込まれないもの
とする。）は、厚生年金保険法第12条第1号に規定する適用除外に
該当せず、使用される当初から厚生年金保険の被保険者となる。

3問7 適用事業所に使用される70歳未満の者は、厚生年金保険の被保
□□□
R5-3C 険者となるが、船舶所有者に臨時に使用される船員であって日々雇
い入れられる者は被保険者とはならない。

⑤答2 ◯　法6条2号、法9条、昭和24.7.28保発74号、疑義照会回答。設問の通り正しい。

⑤答3 ×　法12条3号。季節的業務に使用される者（船舶所有者に使用される船員を除く。）は、当初から継続して**4か月を超えて使用される**べき場合を除き、被保険者とならない。

⑤答4 ×　法12条4号。臨時的事業の事業所に使用される70歳未満の者であって、**継続して6月を超えて使用されるべき**ものは、その使用されるに至った日から被保険者となることができる。

> **Point**　臨時的事業の事業所に使用される者は被保険者としないもの（適用除外）とされているが、当初から継続して6月を超えて使用される場合は、適用除外とされていない。

⑤答5 ×　法12条1号。船舶所有者に使用される船員は、適用除外の対象となる「臨時に使用される者」から除かれているため、当該期間を超えて使用されないときであっても、当初から被保険者となる。

⑤答6 ×　法12条1号ロ。2月以内の期間を定めて臨時に使用される者（船舶所有者に使用される船員を除く。）であって、当該定めた期間を超えて使用されることが見込まれないものは、当該定めた期間を超え、引き続き使用されるに至った場合を除き、適用除外に該当し、厚生年金保険の被保険者とされない。なお、当該定めた期間を超え、引き続き使用されるに至った場合は、そのときから被保険者となる。

⑤答7 ×　法12条1号イ。船舶所有者に使用される船員は、適用除外とされる「臨時に使用される者」から除かれているため、設問の船員は被保険者となる。

❸問8 被保険者であった70歳以上の者で、日々雇い入れられる者として船舶所有者以外の適用事業所に臨時に使用されている場合（1か月を超えて引き続き使用されるに至っていないものとする。）、その者は、厚生年金保険法第27条で規定する「70歳以上の使用される者」には該当しない。

□□□
R5-3E

❸問9 1週間の所定労働時間及び1か月間の所定労働日数が、ともに同一の事業所に使用される通常の労働者の4分の3以上であっても大学の学生であれば、厚生年金保険の被保険者とならない。

□□□
H29-4B

❸問10 特定4分の3未満短時間労働者に対して厚生年金保険が適用されることとなる特定適用事業所とは、事業主が同一である1又は2以上の適用事業所であって、当該1又は2以上の適用事業所に使用される労働者の総数が常時50人を超える事業所のことである。

□□□
R5-8A改

❸問11 特定適用事業所に使用される者は、その1週間の所定労働時間が同一の事業所に使用される通常の労働者の1週間の所定労働時間の4分の3未満であって、厚生年金保険法の規定により算定した報酬の月額が88,000円未満である場合は、厚生年金保険の被保険者とならない。

□□□
R2-7ウ

❸問12 特定適用事業所に使用される者は、その1か月間の所定労働日数が同一の事業所に使用される通常の労働者の1か月間の所定労働日数の4分の3未満であって、当該事業所に継続して1年以上使用されることが見込まれない場合は、厚生年金保険の被保険者とならない。

□□□
R2-7イ

3答8 ○　法12条１号イ、法27条、則10条の４。設問の通り正しい。「70歳以上の使用される者」とは、被保険者であった70歳以上の者であって、適用事業所に使用され、かつ、法12条各号（適用除外）に定める者に該当しないものをいう。

3答9 ×　法12条５号。１週間の所定労働時間及び１か月間の所定労働日数が、ともに同一の事業所に使用される通常の労働者の４分の３以上である者は、大学の学生であっても、厚生年金保険の被保険者となり得る。

3答10 ×　(24)法附則17条12項。特定適用事業所とは、事業主が同一である１又は２以上の適用事業所であって、当該１又は２以上の適用事業所に使用される**特定労働者**(70歳未満の者のうち、法12条各号のいずれにも該当しないものであって、特定４分の３未満短時間労働者以外のものをいう。)の総数が**常時50人を超える**ものの各適用事業所をいう。

3答11 ○　法12条５号ロ、(24)法附則17条１項。設問の通り正しい。

3答12 ×　法12条５号、(24)法附則17条１項。いわゆる４分の３基準を満たさない短時間労働者について、「当該事業所に継続して１年以上使用されることが見込まれないこと」は、適用除外の判断基準とされていないため、他の適用除外の事由に該当しない場合は、厚生年金保険の被保険者となる。
　※　出題当時は、いわゆる４分の３基準を満たさない短時間労働者について、「当該事業所に継続して１年以上使用されることが見込まれないこと」が、適用除外の要件の一つとされていたため「○」の記述であった。

特定適用事業所でない適用事業所に使用される特定4分の3未満短時間労働者は、事業主が実施機関に所定の申出をしない限り、厚生年金保険の被保険者とならない。

特定適用事業所に該当しなくなった適用事業所に使用される特定4分の3未満短時間労働者は、事業主が実施機関に所定の申出をしない限り、厚生年金保険の被保険者とならない。

常時40人の従業員を使用する地方公共団体において、1週間の所定労働時間が25時間、月の基本給が15万円で働く短時間労働者で、生徒又は学生ではないX(30歳)は、厚生年金保険の被保険者とはならない。

※　Xは、厚生年金保険法第12条第1号から第4号までに規定する適用除外者には該当しないものとする。

常時90人の従業員を使用する法人事業所において、1週間の所定労働時間が30時間、1か月間の所定労働日数が18日で雇用される学生Z(18歳)は、厚生年金保険の被保険者とならない。なお、Zと同一の事業所に使用される通常の労働者で同様の業務に従事する者の1週間の所定労働時間は40時間、1か月間の所定労働日数は24日である。

※　Zは、厚生年金保険法第12条第1号から第4号までに規定する適用除外者には該当しないものとする。

3答13 ○　(24)法附則17条5項。設問の通り正しい。

> 特定適用事業所以外の適用事業所の事業主は、労働組合等の所定の同意を得て、実施機関に任意特定適用事業所の申出をすることができる。この場合において、特定4分の3未満短時間労働者については、当該申出が受理された日に、被保険者の資格を取得する。

3答14 ×　(24)法附則17条2項。特定適用事業所に該当しなくなった適用事業所に使用される特定4分の3未満短時間労働者は、事業主が実施機関に所定の申出をしない限り、厚生年金保険の被保険者となる。

3答15 ×　法12条5号、(24)法附則17条1項。「1週間の所定労働時間」及び「1月間の所定労働日数」が、同一の事業所に使用される通常の労働者の1週間の所定労働時間及び1月間の所定労働日数の4分の3以上であるという基準(以下「4分の3基準」という。)を満たさない短時間労働者については、次の①～④のいずれの要件にも該当する場合には、厚生年金保険の被保険者となる。設問のXは、①～④のいずれの要件にも該当するため、4分の3基準を満たさない短時間労働者であったとしても被保険者となる。
①1週間の所定労働時間が**20時間以上**であること。
②報酬(一定のものを除く。)について、資格取得時決定の規定の例により算定した額が、**88,000円以上**であること。
③学校教育法に規定する高等学校の**生徒**、同法に規定する大学の**学生**その他の厚生労働省令で定める者でないこと。
④**特定適用事業所**又は**国**若しくは**地方公共団体**の適用事業所に使用される者であること。

3答16 ×　法12条5号。設問の学生Zは、4分の3基準を満たしているため、被保険者となる。

3問17 特定適用事業所以外の適用事業所においては、1週間の所定労働時間及び1か月間の所定労働日数が、同一の事業所に使用される通常の労働者の1週間の所定労働時間及び1か月間の所定労働日数の4分の3以上（以下「4分の3基準」という。）である者を被保険者として取り扱うこととされているが、雇用契約書における所定労働時間又は所定労働日数と実際の労働時間又は労働日数が乖離していることが常態化しているとき、4分の3基準を満たさないものの、事業主等に対する事情の聴取やタイムカード等の書類の確認を行った結果、実際の労働時間又は労働日数が直近6か月において4分の3基準を満たしている場合で、今後も同様の状態が続くことが見込まれるときは、4分の3基準を満たしているものとして取り扱うこととされている。

R2-9D

難

3問18 昭和20年10月2日以後に生まれた者であり、かつ、平成27年10月1日の前日から引き続いて国、地方公共団体に使用される者で共済組合の組合員であった者は、平成27年10月1日に厚生年金保険の被保険者の資格を取得する。

H28-8D

難

3問19 被保険者（高齢任意加入被保険者及び第4種被保険者を除く。）は、死亡したときはその日に、70歳に達したときはその翌日に被保険者資格を喪失する。

H27-2E

3問20 適用事業所に使用される70歳未満の被保険者が70歳に達したときは、それに該当するに至った日の翌日に被保険者の資格を喪失する。

R元-5ウ

3答17 ✕　平成29.3.17年管管発0317第５号。事業主等に対する事情の聴取やタイムカード等の書類の確認を行った結果、実際の労働時間又は労働日数が直近の**２か月**において４分の３基準を満たしている場合で、今後も同様の状態が続くことが見込まれるときは、４分の３基準を満たしているものとして取り扱うこととされている。

3答18 ◯　(24)法附則５条。設問の通り正しい。なお、昭和20年10月２日以後に生まれた者とは、被用者年金一元化法の施行日（平成27年10月１日）の前日において70歳に達していない者のことである。

3答19 ✕　法14条１号、５号。設問の被保険者は、死亡したときはその**日の翌日**に、70歳に達したときは**その日**に被保険者資格を喪失する。

3答20 ✕　法14条５項。適用事業所に使用される70歳未満の被保険者が70歳に達したときは、それに該当するに至った**日**に、被保険者の資格を喪失する。

4 任意単独被保険者

4 問1
□□□
R2-9C

適用事業所以外の事業所に使用される70歳未満の者であって、任意単独被保険者になることを希望する者は、当該事業所の事業主の同意を得たうえで資格取得に係る認可の申請をしなければならないが、事業主の同意を得られなかった場合でも保険料をその者が全額自己負担するのであれば、申請することができる。

4 問2
□□□
R2-7オ

適用事業所以外の事業所に使用される70歳未満の特定4分の3未満短時間労働者については、厚生年金保険法第10条第1項に規定する厚生労働大臣の認可を受けて任意単独被保険者となることができる。

4 問3
□□□
H27-2A

任意単独被保険者が厚生労働大臣の認可を受けてその資格を喪失するには、事業主の同意を得た上で、所定の事項を記載した申請書を提出しなければならない。

4 問4
□□□
R5-8E

厚生年金保険の任意単独被保険者となっている者は、厚生労働大臣の認可を受けて、被保険者の資格を喪失することができるが、資格喪失に際しては、事業主の同意を得る必要がある。

④答1 ✕ 法10条。任意単独被保険者となるための認可の申請をするに当たっては、必ず事業主の同意を得なければならない。設問のような例外規定は設けられていない。

> **Point** 厚生労働大臣の認可を受けて被保険者(任意単独被保険者)となるためには、事業主の同意を得なければならず、任意単独被保険者となることに同意をした事業主は、当該被保険者の保険料の半額を負担し、保険料の全額を納付する義務を負う。

④答2 ✕ (24)法附則17条の3。当分の間、適用事業所以外の事業所に使用される特定4分の3未満短時間労働者については、法10条1項(任意単独被保険者)の規定にかかわらず、厚生年金保険の被保険者としないこととされている。

④答3 ✕ 法11条、則5条。任意単独被保険者が厚生労働大臣の認可を受けてその資格を喪失する場合、事業主の同意を得る必要はない。

> **Point** 任意単独被保険者の資格取得には、事業主の同意を得て、厚生労働大臣の認可を受けることが必要である。

> **プラスα** 任意単独被保険者が、厚生労働大臣の認可を受けて被保険者の資格を喪失する場合は、**厚生労働大臣の認可があった日の翌日**(その事実があった日に被保険者になったときは、その日)に喪失する。

④答4 ✕ 法11条。任意単独被保険者が、厚生労働大臣の認可を受けて被保険者の資格を喪失する際に、事業主の同意を得る必要はない。

5問1

☐☐☐

R6-3B

適用事業所に使用される70歳以上の者であって、老齢厚生年金、国民年金法による老齢基礎年金その他の老齢又は退職を支給事由とする年金たる給付であって政令で定める給付の受給権を有しないもの(厚生年金保険法第12条各号に該当する者を除く。)は、厚生年金保険法第9条の規定にかかわらず、実施機関に申し出て被保険者となることができる。

5問1

☐☐☐

R元-5オ

適用事業所以外の事業所に使用される70歳以上の者であって、老齢厚生年金、国民年金法による老齢基礎年金その他の老齢又は退職を支給事由とする年金たる給付であって政令で定める給付の受給権を有しないもの(厚生年金保険法第12条各号に該当する者を除く。)が高齢任意加入の申出をした場合は、厚生労働大臣の認可があった日に被保険者の資格を取得する。

5問2

☐☐☐

H28-10D

適用事業所に使用される70歳以上の遺族厚生年金の受給権者が、老齢厚生年金、国民年金法による老齢基礎年金その他の老齢又は退職を支給事由とする年金たる給付であって政令で定める給付の受給権を有しない場合、実施機関に申し出て、被保険者となることができる。なお、この者は厚生年金保険法第12条の被保険者の適用除外の規定に該当しないものとする。

5問3

☐☐☐

R元-5エ

適用事業所に使用される70歳以上の者であって、老齢厚生年金、国民年金法による老齢基礎年金その他の老齢又は退職を支給事由とする年金たる給付であって政令で定める給付の受給権を有しないもの(厚生年金保険法第12条各号に該当する者を除く。)が高齢任意加入の申出をした場合は、実施機関への申出が受理された日に被保険者の資格を取得する。

5答1 ○　法附則 4 条の3,1項。設問の通り正しい。

5答1 ○　法13条 2 項。法附則 4 条の5,1項。設問の通り正しい。適用事業所以外の事業所に使用される70歳以上の者が高齢任意加入の認可申請をした場合は、厚生労働大臣の認可があった日に被保険者の資格を取得する。

> **Point**　適用事業所以外の事業所に使用される70歳以上の者が高齢任意加入被保険者となるためには、事業主の同意を得たうえで、厚生労働大臣の認可を受けなければならない。

5答2 ○　法附則 4 条の3,1項。設問の通り正しい。なお、実施機関に申し出るに当たり、事業主の同意は不要である。

5答3 ○　法附則 4 条の3,2項。設問の通り正しい。適用事業所に使用される70歳以上の者が高齢任意加入の申出をした場合は、実施機関への申出が受理された日に被保険者の資格を取得する。

5問4
□□□
H29-1D

高齢任意加入被保険者を使用する適用事業所の事業主は、当該被保険者に係る保険料の半額を負担し、かつ、当該被保険者及び自己の負担する保険料を納付する義務を負うことにつき同意すること及びその同意を将来に向かって撤回することができるとされているが、当該被保険者が第4号厚生年金被保険者であるときは、この規定は適用されない。

以下の**5問5**と**5問6**及び**5問8**と**5問9**において、「当該被保険者」とは、「適用事業所に使用される高齢任意加入被保険者」のことをいう。

5問5
□□□
R4-2A

当該被保険者を使用する適用事業所の事業主が、当該被保険者に係る保険料の半額を負担し、かつ、当該被保険者及び自己の負担する保険料を納付する義務を負うことにつき同意をしたときを除き、当該被保険者は保険料の全額を負担するが、保険料の納付義務は当該被保険者が保険料の全額を負担する場合であっても事業主が負う。

5問6
□□□
R4-2B

当該被保険者に係る保険料の半額を負担し、かつ、当該被保険者及び自己の負担する保険料を納付する義務を負うことにつき同意をした適用事業所の事業主は、厚生労働大臣の認可を得て、将来に向かって当該同意を撤回することができる。

5問7
□□□
H27-2C改

適用事業所に使用される高齢任意加入被保険者は、保険料(初めて納付すべき保険料を除く。)を滞納し、督促状の指定期限までに、その保険料を納付しないときは、当該保険料の納期限の日に、その資格を喪失する。なお、当該適用事業所の事業主(第2号厚生年金被保険者及び第3号厚生年金被保険者に係るものを除く。)は、保険料を半額負担し、かつ、その保険料納付義務を負うことについて同意していないものとする。

⑤答4 ×　法附則4条の3,10項。第2号厚生年金被保険者又は第3号厚生年金被保険者に係る事業主については、設問の規定は適用しないこととされている。

Point
> 適用事業所に使用される70歳以上の者であって、実施機関に申し出て高齢任意加入被保険者となった者の厚生年金保険料は、当該高齢任意加入被保険者がその全額を負担し、自ら納付義務を負うが、事業主（第2号厚生年金被保険者及び第3号厚生年金被保険者に係るものを除く。）が同意したときは、当該事業主が、高齢任意加入被保険者に係る保険料の半額を負担し、当該高齢任意加入被保険者の負担分を合わせて保険料の全額を納付する義務を負う。

プラスα
> 適用事業所以外の事業所に使用される70歳以上の者が高齢任意加入被保険者となるためには、事業主の同意を得た上で、厚生労働大臣の認可を受けなければならず、当該認可を受けて高齢任意加入被保険者となったときは、事業主は、当該高齢任意加入被保険者の保険料の半額を負担し、かつその全額を納付する義務を負う。

⑤答5 ×　法附則4条の3,7項。高齢任意加入被保険者を使用する適用事業所の事業主が、当該被保険者に係る保険料の半額を負担し、かつ、当該被保険者及び自己の負担する保険料を納付する義務を負うことにつき同意をしたときを除き、当該被保険者が、保険料の全額を負担し、自己の負担する保険料を納付する義務を負うものとされている。

⑤答6 ×　法附則4条の3,8項。設問の高齢任意加入被保険者に係る保険料の半額を負担し、かつ、当該被保険者及び自己の負担する保険料を納付する義務を負うことにつき同意をした事業主は、被保険者の同意を得て、将来に向かって、当該同意を撤回することができる。

⑤答7 ×　法附則4条の3,6項。設問の場合、適用事業所に使用される高齢任意加入被保険者は、保険料の納期限の属する月の前月の末日に、その資格を喪失する。

⑤問8
□□□
R4-2C

当該被保険者が保険料(初めて納付すべき保険料を除く。)を滞納し、厚生労働大臣が指定した期限までにその保険料を納付しないときは、厚生年金保険法第83条第1項に規定する当該保険料の納期限の属する月の末日に、その被保険者の資格を喪失する。なお、当該被保険者の事業主は、保険料の半額を負担し、かつ、当該被保険者及び自己の負担する保険料を納付する義務を負うことについて同意していないものとする。

⑤問9
□□□
R4-2E

当該被保険者が、実施機関に対して当該被保険者資格の喪失の申出をしたときは、当該申出が受理された日の翌日(当該申出が受理された日に更に被保険者の資格を取得したときは、その日)に被保険者の資格を喪失する。

6 資格の得喪の確認・期間計算等

最新問題

⑥問1
□□□
R6-3D

甲は、令和6年5月1日に厚生年金保険の被保険者の資格を取得したが、同月15日にその資格を喪失し、同日、国民年金の第1号被保険者の資格を取得した。この場合、同年5月分については、1か月として厚生年金保険における被保険者期間に算入する。

過去問

⑥問1
□□□
H28-10A

第1号厚生年金被保険者の資格の取得及び喪失に係る厚生労働大臣の確認は、事業主による届出又は被保険者若しくは被保険者であった者からの請求により、又は職権で行われる。

⑥問2
□□□
R4-3C

適用事業所に使用されている第1号厚生年金被保険者である者は、いつでも、当該被保険者の資格の取得に係る厚生労働大臣の確認を請求することができるが、当該被保険者であった者が適用事業所に使用されなくなった後も同様に確認を請求することができる。

5答8 × 法附則4条の3,6項。設問の場合、法第83条第1項に規定する当該保険料の納期限の属する月の**前月の末日**に、被保険者の資格を喪失する。

5答9 ○ 法附則4条の3,5項3号。設問の通り正しい。

> 高齢任意加入被保険者は、年齢を理由に、その資格を喪失することはない。

6答1 × 法19条2項。設問の場合、令和6年5月分については、厚生年金保険の被保険者期間に算入しない。被保険者の資格を取得した月にその資格を喪失したときは、その月を1か月として被保険者期間に算入する。ただし、その月に更に被保険者又は国民年金の被保険者(第2号被保険者を除く。)の資格を取得したときは、この限りでない。

6答1 ○ 法18条2項。設問の通り正しい。

> 被保険者等からの確認の請求は、いつでもすることができ、文書又は口頭で行うものとされている。

6答2 ○ 法31条1項。設問の通り正しい。**被保険者又は被保険者であった者**は、いつでも、設問の確認を請求することができる。

6 問 3
□□□
H29-3オ

任意適用事業所に使用される被保険者について、その事業所が適用事業所でなくなったことによる被保険者資格の喪失は、厚生労働大臣の確認によってその効力を生ずる。

6 問 4
□□□
H29-3ア

適用事業所以外の事業所に使用される任意単独被保険者の被保険者資格の喪失は、厚生労働大臣の確認によってその効力を生ずる。

6 問 5
□□□
R4-2D

当該被保険者の被保険者資格の取得は、厚生労働大臣の確認によってその効力を生ずる。
※ 「当該被保険者」とは、「適用事業所に使用される高齢任意加入被保険者」のことをいう。

6 問 6
□□□
H28-6C

第1号厚生年金被保険者である者が同時に第4号厚生年金被保険者の資格を有することとなった場合、2以上事業所選択届を、選択する年金事務所又は日本私立学校振興・共済事業団に届け出なければならない。

6 問 7
□□□
R3-7D

第1号厚生年金被保険者が同時に第2号厚生年金被保険者の資格を有するに至ったときは、その日に、当該第1号厚生年金被保険者の資格を喪失する。

6 問 8
□□□
H30-9B

被保険者期間を計算する場合には、月によるものとし、例えば、平成29年10月1日に資格取得した被保険者が、平成30年3月30日に資格喪失した場合の被保険者期間は、平成29年10月から平成30年2月までの5か月間であり、平成30年3月は被保険者期間には算入されない。なお、平成30年3月30日の資格喪失以後に被保険者の資格を取得していないものとする。

6 問 9
□□□
R5-4ア

被保険者期間を計算する場合には、月によるものとし、被保険者の資格を取得した月からその資格を喪失した月の前月までをこれに算入する。

答3　✕　法14条3号、法18条1項。任意適用事業所に使用される被保険者が、その事業所が厚生労働大臣の認可を受けて適用事業所でなくなったことにより、被保険者の資格を喪失した場合には、厚生労働大臣の確認によることなく、その効力を生ずる。

答4　✕　法14条3号、法18条1項。任意単独被保険者が厚生労働大臣の資格喪失の認可を受けて被保険者の資格を喪失した場合には、厚生労働大臣の確認によることなく、その効力を生ずる。

答5　✕　令6条。適用事業所に使用される高齢任意加入被保険者の資格の取得については、設問の確認を要しないものとされている。

答6　✕　法18条の2。第2号厚生年金被保険者、第3号厚生年金被保険者又は第4号厚生年金被保険者は、同時に、第1号厚生年金被保険者の資格を取得しない。また、第1号厚生年金被保険者が同時に第2号厚生年金被保険者、第3号厚生年金被保険者又は第4号厚生年金被保険者の資格を有するに至ったときは、その日に、当該第1号厚生年金被保険者の資格を喪失する。

答7　○　法18条の2,2項。設問の通り正しい。

第2号厚生年金被保険者、第3号厚生年金被保険者又は第4号厚生年金被保険者は、同時に、第1号厚生年金被保険者の資格を取得しない。

答8　○　法19条1項。設問の通り正しい。被保険者期間を計算する場合には、月によるものとし、被保険者の資格を取得した月からその資格を喪失した月の前月までをこれに算入する。

答9　○　法19条1項。設問の通り正しい。

⑥問10 適用事業所に平成28年3月1日に採用され、第1号厚生年金被
□□□ 保険者の資格を取得した者が同年3月20日付けで退職し、その翌
H28-9E 日に被保険者資格を喪失し国民年金の第1号被保険者となった。
その後、この者は同年4月1日に再度第1号厚生年金被保険者と
なった。この場合、同年3月分については、厚生年金保険におけ
る被保険者期間に算入されない。

⑥問11 同一の月において被保険者の種別に変更があったときは、その月
□□□ は変更後の被保険者の種別の被保険者であった月とみなす。なお、
R3-6C 同一月において2回以上にわたり被保険者の種別に変更があった
ときは、最後の被保険者の種別の被保険者であった月とみなす。

⑥問12 甲は、昭和62年5月1日に第3種被保険者の資格を取得し、平
□□□ 成元年11月30日に当該被保険者資格を喪失した。甲についての、
R4-3A この期間の厚生年金保険の被保険者期間は、36月である。

7 届出等

最新問題

⑦問1 第1号厚生年金被保険者が、2か所の適用事業所(管轄の年金
□□□ 事務所が異なる適用事業所)に同時に使用されることになった場合
R6-6B は、その者に係る日本年金機構の業務を分掌する年金事務所を選択
しなければならない。この選択に関する届出は、被保険者が選択し
た適用事業所の事業主が、所定の事項を記載した届書を日本年金機
構に提出することとされている。

⑦問2 適用事業所に使用される高齢任意加入被保険者(厚生労働大臣が
□□□ 住民基本台帳法第30条の9の規定により地方公共団体情報システ
R6-3C ム機構が保存する本人確認情報の提供を受けることができる者を除
く。)は、その住所を変更したときは、所定の事項を記載した届書を
10日以内に日本年金機構に提出しなければならない。

6答10 ○ 法19条2項。設問の通り正しい。なお、条文においては、「被保険者の資格を取得した月にその資格を喪失したときは、その月を1箇月として被保険者期間に算入する。ただし、その月に更に被保険者又は**国民年金の被保険者**(国民年金の第2号被保険者を除く。)の資格を取得したときは、この限りでない。」とされている。

6答11 ○ 法19条5項。設問の通り正しい。

6答12 ○ (60)法附則47条4項。設問の通り正しい。
※ 昭和62年5月〜平成元年10月…30月　30月×6/5＝36月

7答1 × 則1条1項、2項。設問の選択に関する届出は、「第1号厚生年金被保険者」が、所定の事項を記載した届書を日本年金機構に提出することとされている。

7答2 ○ 則5条の5。設問の通り正しい。

7 問 1
□□□
R元-4D

初めて適用事業所(第 1 号厚生年金被保険者に係るものに限る。)となった事業所の事業主は、当該事実があった日から 5 日以内に日本年金機構に所定の事項を記載した届書を提出しなければならないが、それが船舶所有者の場合は10日以内に提出しなければならないとされている。

7 問 2
□□□
R元-8C改

事業主が同一である 1 又は 2 以上の適用事業所であって、当該 1 又は 2 以上の適用事業所に使用される特定労働者の総数が常時50人を超えるものの各適用事業所のことを特定適用事業所というが、初めて特定適用事業所となった適用事業所(第 1 号厚生年金被保険者に係るものに限る。)の事業主は、当該事実があった日から 5 日以内に所定の事項を記載した届書を日本年金機構に提出しなければならない。

7 問 3
□□□
R元-8D

厚生年金保険法施行規則第14条の 4 の規定による特定適用事業所の不該当の申出は、特定適用事業所に該当しなくなった適用事業所に使用される厚生年金保険の被保険者及び70歳以上の使用される者(被保険者であった70歳以上の者であって当該適用事業所に使用されるものとして厚生労働省令で定める要件に該当するものをいう。)の 4 分の 3 以上で組織する労働組合があるときは、当該労働組合の同意を得たことを証する書類を添えて行わなければならない。

7 問 4
□□□
H27-1イ改

厚生年金保険法第27条の規定による当然被保険者(船員被保険者を除く。)の資格取得の届出は、当該事実があった日から 5 日以内に、厚生年金保険被保険者資格取得届・70歳以上被用者該当届又は当該届書に記載すべき事項を記録した光ディスクを日本年金機構に提出することによって行うものとする。

7 問 5
□□□
R2-2C

厚生年金保険法第27条の規定による当然被保険者(船員被保険者を除く。)の資格の取得の届出は、当該事実があった日から 5 日以内に、厚生年金保険被保険者資格取得届・70歳以上被用者該当届又は当該届書に記載すべき事項を記録した光ディスク(これに準ずる方法により一定の事項を確実に記録しておくことができる物を含む。)を日本年金機構に提出することによって行うものとされている。

7答1 ○ 則13条3項。設問の通り正しい。

7答2 ○ 則14条の3,1項、(24)法附則17条12項。設問の通り正しい。

7答3 ○ (24)法附則17条2項1号、則14条の4,1項。設問の通り正しい。

7答4 ○ 則15条1項。設問の通り正しい。

7答5 ○ 則15条1項。設問の通り正しい。

7 問6
□□□
R5-2E

適用事業所の事業主は、被保険者(船員被保険者を除く。)の資格の取得に関する事項を厚生労働大臣に届け出なければならないが、この届出は、当該事実があった日から5日以内に、所定の届書等を日本年金機構に提出することによって行うものとされている。

7 問7
□□□
H29-8C改

第1号厚生年金被保険者に係る適用事業所の事業主は、被保険者が70歳に到達し、引き続き当該事業所に使用される場合(当該者の標準報酬月額に相当する額が70歳以上の使用される者の要件に該当するに至った日の前日における標準報酬月額と同額である場合を除く。)、被保険者の資格喪失の届出にあわせて70歳以上の使用される者の該当の届出をしなければならないが、70歳以上の者(厚生年金保険法第12条各号に定める適用除外者に該当する者を除く。)を新たに雇い入れたときは、70歳以上の使用される者の該当の届出をすることを要しない。なお、本問の事業所は、特定適用事業所とする。

7 問8
□□□
R2-9B

第1号厚生年金被保険者に係る適用事業所の事業主は、被保険者が70歳に到達し、引き続き当該事業所に使用されることにより70歳以上の使用される者の要件(厚生年金保険法施行規則第10条の4の要件をいう。)に該当する場合であって、当該者の標準報酬月額に相当する額が70歳到達日の前日における標準報酬月額と同額である場合は、70歳以上被用者該当届及び70歳到達時の被保険者資格喪失届を省略することができる。

7 問9
□□□
R3-2C

第1号厚生年金被保険者(船員被保険者を除く。)の資格喪失の届出が必要な場合は、当該事実があった日から10日以内に、所定の届書又は所定の届書に記載すべき事項を記録した光ディスクを日本年金機構に提出しなければならない。

7 問10
□□□
R3-2D

船員被保険者の資格喪失の届出が必要な場合は、当該事実があった日から14日以内に、被保険者の氏名など必要な事項を記載した届書を日本年金機構に提出しなければならない。

7 問11
□□□
R3-2E

老齢厚生年金の受給権を取得することにより、適用事業所に使用される高齢任意加入被保険者が資格を喪失した場合には、資格喪失の届出は必要ない。

答6 ○ 法27条、則15条1項。設問の通り正しい。

答7 × 則10条の4、則15条の2。設問の70歳以上の者を新たに雇い入れたときにおいても、70歳以上の使用される者の該当の届出をすることを要する。

> 70歳以上の使用される者(被用者)は、厚生年金保険の被保険者ではないが、これらの者にも在職老齢年金の仕組みを適用するために、70歳以上の使用される者の該当の届出が必要となる。

答8 ○ 則15条の2,1項、則22条1項4号。設問の通り正しい。

答9 × 則22条1項。第1号厚生年金被保険者(船員被保険者を除く。)の資格喪失の届出は、当該事実があった日から**5日以内**に、所定の届書又は当該届書に記載すべき事項を記録した光ディスクを日本年金機構に提出することによって行うものとされている。

答10 × 則22条4項。船員被保険者の資格喪失の届出は、当該事実があった日から**10日以内**に、被保険者の氏名等、所定の事項を記載した届書を日本年金機構に提出することによって行うものとされている。

答11 ○ 則22条1項2号。設問の通り正しい。なお、適用事業所に使用される高齢任意加入被保険者が、資格喪失の申出の受理又は保険料滞納により資格を喪失した場合にも、資格喪失の届出は必要ない。

厚年

7 問12 適用事業所以外の事業所に使用される高齢任意加入被保険者が、
H27-2B 老齢基礎年金の受給権を取得したために資格を喪失するときは、当
該高齢任意加入被保険者の資格喪失届を提出する必要はない。

7 問13 厚生年金保険法第6条第1項の規定により初めて適用事業所と
H2/-1ウ なった船舶の船舶所有者は、当該事実があった日から5日以内に、
所定の事項を記載した届書を日本年金機構に提出しなければならな
い。

7 問14 適用事業所の事業主(船舶所有者を除く。)は、廃止、休止その他
R2-2D の事情により適用事業所に該当しなくなったときは、原則として、
当該事実があった日から5日以内に、所定の事項を記載した届書
を日本年金機構に提出しなければならない。

7 問15 船舶所有者は、船舶が適用事業所に該当しなくなったときは、当
R2-6D 該事実があった日から5日以内に、所定の事項を記載した届書を
提出しなければならない。

7 問16 住所に変更があった事業主は、5日以内に日本年金機構に所定
R元-4E の事項を記載した届書を提出しなければならないが、それが船舶所
有者の場合は10日以内に提出しなければならないとされている。

7 問17 船舶所有者は、その住所に変更があったときは、5日以内に、
R5-2A 所定の届書を日本年金機構に提出しなければならない。

7 問18 適用事業所の事業主(船舶所有者を除く。以下本肢において同
H27-17 じ。)は、厚生年金保険法の規定に基づいて事業主がしなければなら
ない事項につき、代理人をして処理させようとするときは、あらか
じめ、文書でその旨を日本年金機構に届け出なければならない。

7 問19 船舶所有者による船員被保険者の資格の取得の届出については、
R2-6C 船舶所有者は船長又は船長の職務を行う者を代理人として処理させ
ることができる。

7 答12 ○ 法附則4条の5,2項、則22条1項3号。設問の通り正しい。

7 答13 × 則13条3項。初めて適用事業所となった船舶の船舶所有者は、当該事実があった日から**10日以内**に、所定の事項を記載した届書を日本年金機構に提出しなければならない。

7 答14 ○ 則13条の2,1項。設問の通り正しい。

> 船舶所有者は、船舶が適用事業所に該当しなくなったときは、当該事実があった日から**10日以内**に届書を提出しなければならない。

7 答15 × 則13条の2,4項。設問の場合、当該事実があった日から**10日以内**に、所定の事項を記載した届書を提出しなければならない。

7 答16 × 則23条1項、4項。住所変更があった船舶所有者は、**速やかに**、所定の事項を記載した届書を日本年金機構に提出しなければならない。なお、設問の船舶所有者以外の事業主に関する記述については正しい。

7 答17 × 則23条4項。船舶所有者は、その住所に変更があったときは、**速やかに**、所定の届書を日本年金機構に提出しなければならない。

7 答18 ○ 則29条1項。設問の通り正しい。

7 答19 ○ 則15条3項、則29条の2。設問の通り正しい。

7 問20
☐☐☐
R元-107

第1号厚生年金被保険者又は厚生年金保険法第27条に規定する70歳以上の使用される者(法律によって組織された共済組合の組合員又は私立学校教職員共済法の規定による私立学校教職員共済制度の加入者を除く。)は、同時に2以上の事業所(第1号厚生年金被保険者に係るものに限る。)に使用されるに至ったとき、当該2以上の事業所に係る日本年金機構の業務が2以上の年金事務所に分掌されている場合は、その者に係る日本年金機構の業務を分掌する年金事務所を選択しなければならない。

7 問21
☐☐☐
R2-2A

第1号厚生年金被保険者は、同時に2以上の事業所に使用されるに至ったときは、その者に係る日本年金機構の業務を分掌する年金事務所を選択し、2以上の事業所に使用されるに至った日から5日以内に、所定の事項を記載した届書を日本年金機構に提出しなければならない。

7 問22
☐☐☐
H29-1E改

適用事業所に使用される第1号厚生年金被保険者である高齢任意加入被保険者(厚生労働大臣が住民基本台帳法の規定により機構保存本人確認情報の提供を受けることができる者を除く。)は、その住所を変更したときは個人番号又は基礎年金番号、変更前及び変更後の住所等を記載した届書を5日以内に、またその氏名を変更したときは個人番号又は基礎年金番号、変更前及び変更後の氏名等を記載した届書に基礎年金番号通知書を添えて10日以内に、それぞれ日本年金機構に提出しなければならない。

7 問23
☐☐☐
R5-2B

住民基本台帳法第30条の9の規定により、厚生労働大臣が機構保存本人確認情報の提供を受けることができない被保険者(適用事業所に使用される高齢任意加入被保険者又は第4種被保険者等ではないものとする。)は、その氏名を変更したときは、速やかに、変更後の氏名を事業主に申し出なければならない。

7 問24
☐☐☐
H27-1エ改

被保険者(適用事業所に使用される高齢任意加入被保険者及び第4種被保険者を除き、厚生労働大臣が住民基本台帳法の規定により機構保存本人確認情報の提供を受けることができない者に限る。)は、その住所を変更したときは、速やかに、変更後の住所及び変更の年月日を事業主に申し出なければならない。

7答20 ○ 則1条1項。設問の通り正しい。

7答21 × 則1条1項、2項。設問の場合、2以上の事業所に使用されるに至った日から**10日以内**に、所定の事項を記載した届書を日本年金機構に提出しなければならない。

7答22 × 則5条の4、則5条の5。設問の住所変更に係る届書の提出期限は、**10日以内**である。また、設問の住所変更に係る届書又は氏名変更に係る届書に基礎年金番号を記載する場合には、これらの届書に基礎年金番号通知書その他の基礎年金番号を明らかにすることができる書類を添えなければならない。

7答23 ○ 則6条。設問の通り正しい。

7答24 ○ 則6条の2。設問の通り正しい。

7 問25 適用事業所の事業主は、第1号厚生年金被保険者であって、産
□□□ 前産後休業期間中や育児休業期間中における保険料の免除が適用さ
R元-10オ れている者に対して、当該休業期間中に賞与を支給した場合は、賞
与額の届出を行わなければならない。

7 問26 被保険者は、老齢厚生年金の受給権者でない場合であっても、国
□□□ 会議員となったときは、速やかに、国会議員となった年月日等所定
R元-6C の事項を記載した届書を日本年金機構に提出しなければならないと
されている。

7 問27 老齢厚生年金の受給権者は、行政手続における特定の個人を識別
□□□ するための番号の利用等に関する法律第2条第5項に規定する個人
R5-2D 番号を変更したときは、速やかに、所定の事項を記載した届書を、
日本年金機構に提出しなければならないが、老齢厚生年金の受給権
者が同時に老齢基礎年金の受給権を有する場合において、当該受給
権者が国民年金法施行規則第20条の2第1項の届出を行ったとき
は、本届出を行ったものとみなされる。

7 問28 老齢厚生年金の受給権者の属する世帯の世帯主その他その世帯に
□□□ 属する者は、当該受給権者の所在が3か月以上明らかでないとき
R元-6B は、速やかに、所定の事項を記載した届書を日本年金機構に提出し
なければならないとされている。

7 問29 障害等級1級又は2級の障害の状態にある障害厚生年金の受給
□□□ 権者は、当該障害厚生年金の加給年金額の対象者である配偶者が
R元-6D 65歳に達したときは、10日以内に所定の事項を記載した届書を日
本年金機構に提出しなければならないとされている。

7 問30 障害等級2級の障害厚生年金の受給権者について、その者の障
□□□ 害の程度が障害等級3級に該当しない程度となったときは、障害
H29-1A 厚生年金及び当該障害厚生年金と同一の支給事由に基づく障害基礎
(難) 年金について、それぞれ個別に障害の状態に関する医師又は歯科医
師の診断書を添えた障害不該当の届出を日本年金機構に提出しなけ
ればならない。

7答25 ○　則19条の5,1項。設問の通り正しい。

7答26 ×　則32条の3,1項。設問の届書は、**老齢厚生年金の受給権者**が国会議員となったときに提出するものである。

7答27 ○　則38条の2。設問の通り正しい。

7答28 ×　則40条の2,1項。老齢厚生年金の受給権者の属する世帯の世帯主その他その世帯に属する者は、当該受給権者の所在が**1か月**以上明らかでないときは、速やかに、所定の事項を記載した届書を日本年金機構に提出しなければならない。

7答29 ×　則46条。加給年金額対象者の不該当の事由が、「**配偶者が65歳に達したとき**」である場合には、設問の届書を提出する必要はない。

7答30 ×　則48条2項。障害厚生年金の受給権者が当該障害厚生年金と同一の支給事由に基づく障害基礎年金の受給権を有する場合において、当該受給権者が国民年金法施行規則で定める障害状態不該当の届出を行ったときは、厚生年金保険法施行規則で定める障害状態不該当の届出を行ったものとみなされる。なお、当該届出に医師又は歯科医師の診断書の添付は不要である。

7 問31 加給年金額の対象者がある障害厚生年金の受給権者(当該障害厚
□□□ 生年金は支給が停止されていないものとする。)は、原則として、毎
H30-1D 年、厚生労働大臣が指定する日(以下「指定日」という。)までに、
加給年金額の対象者が当該受給権者によって生計を維持している旨
等の所定の事項を記載し、かつ、自ら署名した届書を、日本年金機
構に提出しなければならないが、当該障害厚生年金の裁定が行われ
た日以後1年以内に指定日が到来する年は提出を要しない。なお、
当該障害厚生年金の受給権者は、第1号厚生年金被保険者期間の
みを有するものとする。

7 問32 厚生労働大臣は、毎月、住民基本台帳法第30条の9の規定によ
□□□ る老齢厚生年金の受給権者に係る機構保存本人確認情報の提供を受
R2-8A け、必要な事項について確認を行うが、当該受給権者の生存若しく
は死亡の事実が確認されなかったとき(厚生年金保険法施行規則第
35条の2第1項に規定する場合を除く。)又は必要と認めるときに
は、当該受給権者に対し、当該受給権者の生存の事実について確認
できる書類の提出を求めることができる。

7 問33 厚生労働大臣は、住民基本台帳法第30条の9の規定による遺族
□□□ 厚生年金の受給権者に係る機構保存本人確認情報の提供を受けるこ
R元-8A とができない場合には、当該受給権者に対し、所定の事項を記載
し、かつ、自ら署名した届書を毎年指定日までに提出することを求
めることができる。

7 問34 遺族厚生年金の受給権を有する障害等級1級又は2級に該当す
□□□ る程度の障害の状態にある子について、当該子が19歳に達した日
R2-1A にその事情がやんだときは、10日以内に、遺族厚生年金の受給権
の失権に係る届書を日本年金機構に提出しなければならない。

7 問35 受給権者又は受給権者の属する世帯の世帯主その他その世帯に属
□□□ する者は、厚生労働省令の定めるところにより、厚生労働大臣に対
R5-2C し、厚生労働省令の定める事項を届け出、かつ、厚生労働省令の定
める書類その他の物件を提出しなければならない。

7答31 ○ 則51条の3。設問の通り正しい。

「指定日」は、受給権者の**誕生日の属する月の末日**とされている。

7答32 ○ 則35条1項、3項。設問の通り正しい。

7答33 ○ 則68条の2,1項。設問の通り正しい。

7答34 ○ 則63条1項。設問の通り正しい。

7答35 ○ 法98条3項。設問の通り正しい。

8 基礎年金番号通知書等

8問1
□□□
R6-3E

厚生年金保険法第28条によれば、実施機関は、被保険者に関する原簿を備え、これに所定の事項を記録しなければならないとされるが、この規定は第2号厚生年金被保険者についても適用される。

過去問

8問1
□□□
R2-8C

厚生労働大臣は、適用事業所以外の事業所に使用される70歳未満の者を厚生年金保険の被保険者とする認可を行ったときは、その旨を当該被保険者に通知しなければならない。

8問2
□□□
H27-10A改

厚生労働大臣は、第1号厚生年金被保険者に係る標準報酬の決定又は改定を行ったときはその旨を原則として事業主に通知しなければならないが、厚生年金保険法第78条の14第2項及び第3項に規定する「特定被保険者及び被扶養配偶者についての標準報酬の特例」における標準報酬の改定又は決定を行ったときは、その旨を特定被保険者及び被扶養配偶者に通知しなければならない。

8問3
□□□
H30-6A

第2号厚生年金被保険者であった者は、その第2号厚生年金被保険者期間について厚生労働大臣に対して厚生年金保険原簿の訂正の請求をすることができない。

8問4
□□□
R3-6A

第1号厚生年金被保険者であり、又は第1号厚生年金被保険者であった者は、厚生労働大臣において備えている被保険者に関する原簿(以下本問において「厚生年金保険原簿」という。)に記録された自己に係る特定厚生年金保険原簿記録(第1号厚生年金被保険者の資格の取得及び喪失の年月日、標準報酬その他厚生労働省令で定める事項の内容をいう。以下本問において同じ。)が事実でない、又は厚生年金保険原簿に自己に係る特定厚生年金保険原簿記録が記録されていないと思料するときは、厚生労働省令で定めるところにより、厚生労働大臣に対し、厚生年金保険原簿の訂正の請求をすることができる。

厚年

8答1 ○　法28条。設問の通り正しい。設問の規定は、第1号厚生年金被保険者以外の種別に係る被保険者についても適用される。

8答1 ×　法10条1項、法29条。設問の場合、その旨を当該事業所の事業主に通知しなければならない。

8答2 ○　法29条1項、法31条の3、法78条の16。設問の通り正しい。

> 事業主は、設問前段の通知があったときは、すみやかに、これを被保険者又は被保険者であった者に通知しなければならない。

8答3 ○　法28条の2,1項、法31条の3。設問の通り正しい。法28条の2に規定する厚生年金保険原簿の訂正の請求は、第1号厚生年金被保険者であり、又はあった者が、第1号厚生年金被保険者期間についてのみ行うことができるものである。

8答4 ○　法28条の2,1項。設問の通り正しい。

> 厚生労働大臣は、訂正請求に理由があると認めるときは、当該訂正請求に係る厚生年金保険原簿の訂正をする旨を決定しなければならない。また、厚生労働大臣は、当該決定をしようとするときは、あらかじめ、社会保障審議会に諮問しなければならない。

⑧問5
⬜⬜⬜
H30-6B
第1号厚生年金被保険者であった老齢厚生年金の受給権者が死亡した場合、その者の死亡により遺族厚生年金を受給することができる遺族はその死亡した者の厚生年金保険原簿の訂正の請求をすることができるが、その者の死亡により未支給の保険給付の支給を請求することができる者はその死亡した者の厚生年金保険原簿の訂正の請求をすることができない。

⑧問6
⬜⬜⬜
H30-6E
厚生年金基金の加入員となっている第1号厚生年金被保険者期間については、厚生労働大臣に対して厚生年金保険原簿の訂正の請求をすることができる。

⑧問7
⬜⬜⬜
H30-6C
厚生労働大臣は、訂正請求に係る厚生年金保険原簿の訂正に関する方針を定めなければならず、この方針を定めようとするときは、あらかじめ、社会保障審議会に諮問しなければならない。

⑧問8
⬜⬜⬜
H30-6D
厚生労働大臣が行った訂正請求に係る厚生年金保険原簿の訂正をしない旨の決定に不服のある者は、厚生労働大臣に対して行政不服審査法に基づく審査請求を行うことができる。

9 標準報酬－定義

過去問

⑨問1
⬜⬜⬜
H29-4A
被保険者が労働の対償として毎年期日を定め四半期毎に受けるものは、いかなる名称であるかを問わず、厚生年金保険法における賞与とみなされる。

⑨問2
⬜⬜⬜
H30-8D
難
7月1日前の1年間を通じ4回以上の賞与が支給されているときは、当該賞与を報酬として取り扱うが、当該年の8月1日に賞与の支給回数を、年間を通じて3回に変更した場合、当該年の8月1日以降に支給される賞与から賞与支払届を提出しなければならない。

⑧答5 × 法28条の2,2項。第1号厚生年金被保険者であった老齢厚生年金の受給権者が死亡した場合、その者の死亡により未支給の保険給付の支給を請求することができる者は、その死亡した者の厚生年金保険原簿の訂正の請求をすることができる。

⑧答6 ○ 法28条の2,1項、則11条の2、則89条3号。設問の通り正しい。

⑧答7 ○ 法28条の3。設問の通り正しい。

⑧答8 ○ 法90条1項ただし書、法91条の2、行政不服審査法2条、同法4条1項。設問の通り正しい。

⑨答1 × 法3条1項3号、4号。賞与とは、労働者が労働の対償として、**3月を超える期間**ごとに受けるものをいう。四半期ごとに受けるものは、3月ごとに受けるものであるため、賞与とされない。

⑨答2 × 平成27.9.18年管管発0918第1号・保保発第0918第1号。設問のように賞与を報酬として取り扱うこととなったときは、賞与の支給回数が、当該年の7月2日以降新たに年間を通じて4回未満に変更された場合においても、次期標準報酬月額の定時決定等による標準報酬月額が適用されるまでの間は、報酬に係る当該賞与の取扱いは変らないものとされている。したがって、設問の当該年の8月1日以降に支給される賞与は、引き続き報酬として取り扱うこととなるため、賞与支払届を提出する必要はない。

9 問3
H30-8C
難
在籍出向、在宅勤務等により適用事業所以外の場所で常時勤務する者であって、適用事業所と常時勤務する場所が所在する都道府県が異なる場合は、その者の勤務地ではなく、その者が使用される事業所が所在する都道府県の現物給与の価額を適用する。

9 問4
R2-5A
被保険者の報酬月額の算定に当たり、報酬の一部が通貨以外のもので支払われている場合には、その価額は、その地方の時価によって、厚生労働大臣が定める。

10 標準報酬月額

最新問題

10 問1
R6-7A
令和2年9月から厚生年金保険の標準報酬月額の上限について、政令によって読み替えて法の規定を適用することとされており、変更前の最高等級である第31級の上に第32級が追加された。第32級の標準報酬月額は65万円である。

10 問2
R6-7B
厚生年金保険法第22条によれば、実施機関は、被保険者の資格を取得した者について、月、週その他一定期間によって報酬が定められる場合には、被保険者の資格を取得した日の現在の報酬の額をその期間の総日数で除して得た額の30倍に相当する額を報酬月額として、その者の標準報酬月額を決定する。

過去問

10 問1
R元-2A改
厚生年金保険の標準報酬月額は標準報酬月額等級の第1級88,000円から第32級650,000円まで区分されており、この等級区分については毎年3月31日における全被保険者の標準報酬月額を平均した額の100分の200に相当する額が標準報酬月額等級の最高等級の標準報酬月額を超える場合において、その状態が継続すると認められるときは、その年の4月1日から、健康保険法第40条第1項に規定する標準報酬月額の等級区分を参酌して、政令で、当該最高等級の上に更に等級を加える標準報酬月額の等級区分の改定を行うことができる。

⑨答3 ○ 平成25.2.4年管管発0204第1号。設問の通り正しい。

⑨答4 ○ 法25条。設問の通り正しい。

⑩答1 ○ 法20条2項、厚生年金保険法の標準報酬月額の等級区分の改定等に関する政令1条。設問の通り正しい。

⑩答2 ○ 法22条1項1号。設問の通り正しい。

⑩答1 × 法20条2項、厚生年金保険法の標準報酬月額の等級区分の改定等に関する政令1条。設問の場合、その年の**9月1日**から、当該最高等級の上に更に等級を加える標準報酬月額の等級区分の改定を行うことができる。

毎年12月31日における全被保険者の標準報酬月額を平均した額の100分の200に相当する額が標準報酬月額等級の最高等級の標準報酬月額を超える場合において、その状態が継続すると認められるときは、政令で、当該最高等級の上に更に等級を加える標準報酬月額の等級区分の改定を行わなければならない。

11 標準報酬月額の決定・改定

過去問

実施機関は、被保険者の資格を取得した者について、日、時間、出来高又は請負によって報酬が定められる場合には、被保険者の資格を取得した月前1か月間に当該事業所で、同様の業務に従事し、かつ、同様の報酬を受ける者が受けた報酬の額を平均した額を報酬月額として、その者の標準報酬月額を決定する。当該標準報酬月額は、被保険者の資格を取得した月からその年の8月(6月1日から12月31日までの間に被保険者の資格を取得した者については、翌年の8月)までの各月の標準報酬月額とする。

実施機関は、被保険者が現に使用される事業所において継続した3か月間(各月とも、報酬支払の基礎となった日数が、17日以上であるものとする。)に受けた報酬の総額を3で除して得た額が、その者の標準報酬月額の基礎となった報酬月額に比べて、著しく高低を生じた場合において、必要があると認めるときは、その額を報酬月額として、その著しく高低を生じた月の翌月から、標準報酬月額を改定することができる。

月給制である給与を毎月末日に締め切り、翌月10日に支払っている場合、4月20日に育児休業から職場復帰した被保険者の育児休業等終了時改定は、5月10日に支払った給与、6月10日に支払った給与及び7月10日に支払った給与の平均により判断する。

⑩答2 ✕ 法20条2項。**毎年3月31日**における全被保険者の標準報酬月額を平均した額の**100分の200**に相当する額が標準報酬月額等級の最高等級の標準報酬月額を超える場合において、その状態が継続すると認められるときは、**その年の9月1日**から、健康保険法40条1項に規定する標準報酬月額の等級区分を参酌して、政令で、当該最高等級の上に更に等級を加える標準報酬月額の等級区分の**改定を行うことができる。**

⑪答1 ○ 法22条1項2号、2項。設問の通り正しい。

⑪答2 ○ 法23条1項。設問の通り正しい。

> 設問の随時改定の規定によって改定された標準報酬月額は、その年の8月(7月から12月までのいずれかの月から改定されたものについては、翌年の8月)までの各月の標準報酬月額とする。

⑪答3 ✕ 法23条の2,1項。育児休業等終了時改定は、**育児休業等を終了した日の翌日が属する月以後の3月間に受けた報酬**(原則として、報酬支払の基礎となった日数が**17日未満**である月があるときは、その月を除く。)の平均により判断する。なお、設問の場合においては4月、5月及び6月に支払った給与の平均により判断することになるが、設問の者が、仮に、育児休業をした日数分給与が差し引かれる場合には、4月は給与の支払いがなく、5月については、報酬支払基礎日数が17日未満であるため、6月10日に支払った給与により判断することとなる。

11 問4
□□□
R3-6D

育児休業等を終了した際の標準報酬月額の改定若しくは産前産後休業を終了した際の標準報酬月額の改定を行うためには、被保険者が現に使用される事業所において、育児休業等終了日又は産前産後休業終了日の翌日が属する月以後3か月間の各月とも、報酬支払の基礎となった日数が17日以上でなければならない。

11 問5
□□□
R3-6E

被保険者自身の行為により事業者から懲戒としての降格処分を受けたために標準報酬月額が低下した場合であっても、所定の要件を満たす限り、育児休業等を終了した際の標準報酬月額の改定は行われる。

11 問6
□□□
R3-8A
難

育児休業を終了した被保険者に対して昇給があり、固定的賃金の変動があった。ところが職場復帰後、育児のために短時間勤務制度の適用を受けることにより労働時間が減少したため、育児休業等終了日の翌日が属する月以後3か月間に受けた報酬をもとに計算した結果、従前の標準報酬月額等級から2等級下がることになった場合は、育児休業等終了時改定には該当せず随時改定に該当する。

11 問7
□□□
H29-8B

平成28年5月31日に育児休業を終えて同年6月1日に職場復帰した3歳に満たない子を養育する被保険者が、育児休業等終了時改定に該当した場合、その者の標準報酬月額は同年9月から改定される。また、当該被保険者を使用する事業主は、当該被保険者に対して同年10月に支給する報酬から改定後の標準報酬月額に基づく保険料を控除することができる。

11 問8
□□□
R元-7A

被保険者が産前産後休業終了日の翌日に育児休業等を開始している場合には、当該産前産後休業を終了した際の標準報酬月額の改定は行われない。

11 問9
□□□
R元-7C

被保険者の報酬月額について、厚生年金保険法第21条第1項の定時決定の規定によって算定することが困難であるとき、又は、同項の定時決定の規定によって算定された被保険者の報酬月額が著しく不当であるときは、当該規定にかかわらず、実施機関が算定する額を当該被保険者の報酬月額とする。

⑪答4 ×　法23条の2,1項、法23条の3,1項。育児休業等終了日又は産前産後休業終了日の翌日が属する月以後3か月間に**報酬支払の基礎となった日数が17日未満の月があるときは、その月を除いて**報酬月額を算定し、標準報酬月額の改定を行う。

⑪答5 ○　法23条の2,1項。設問の通り正しい。標準報酬月額の低下について、理由は問われない。

⑪答6 ×　法23条1項、法23条の2,1項。平成29.6.2事務連絡。固定的賃金の増額・減額と、実際の平均報酬月額の増額・減額が一致しない場合、随時改定の対象とはならない。したがって、設問の場合、随時改定には該当せず、育児休業等終了時改定に該当する。

⑪答7 ○　法23条の2,2項、法84条1項。設問の通り正しい。育児休業等終了時改定の規定により改定された標準報酬月額は、**育児休業等終了日の翌日から起算して2月を経過した日の属する月の翌月以降の各月の標準報酬月額とされる。また、事業主は、被保険者に対して通貨をもって報酬を支払う場合においては、原則として、被保険者の負担すべき前月の標準報酬月額に係る保険料を報酬から控除することができる。

⑪答8 ○　法23条の3,1項ただし書。設問の通り正しい。

⑪答9 ○　法24条1項。設問の通り正しい。

⑪問10
□□□
R4-3E

同時に2以上の適用事業所で報酬を受ける厚生年金保険の被保険者について標準報酬月額を算定する場合においては、事業所ごとに報酬月額を算定し、その算定した額の平均額をその者の報酬月額とする。

12 養育期間中の標準報酬月額の特例

過去問

⑫問1
□□□
H30-8A

被保険者の配偶者が出産した場合であっても、所定の要件を満たす被保険者は、厚生年金保険法第26条に規定する3歳に満たない子を養育する被保険者等の標準報酬月額の特例の申出をすることができる。

⑫問2
□□□
R3-7A

3歳に満たない子を養育している被保険者又は被保険者であった者が、当該子を養育することとなった日の属する月から当該子が3歳に達するに至った日の翌日の属する月の前月までの各月において、年金額の計算に使用する平均標準報酬月額の特例の取扱いがあるが、当該特例は、当該特例の申出が行われた日の属する月前の月にあっては、当該特例の申出が行われた日の属する月の前月までの3年間のうちにあるものに限られている。

⑫問3
□□□
H27-10E

9月3日に出産した被保険者について、その年の定時決定により標準報酬月額が280,000円から240,000円に改定され、産後休業終了後は引き続き育児休業を取得した。職場復帰後は育児休業等終了時改定に該当し、標準報酬月額は180,000円に改定された。この被保険者が、出産日から継続して子を養育しており、厚生年金保険法第26条に規定する養育期間標準報酬月額特例の申出をする場合の従前標準報酬月額は240,000円である。

⑫問4
□□□
R5-1A

本特例についての実施機関に対する申出は、第1号厚生年金被保険者又は第4号厚生年金被保険者はその使用される事業所の事業主を経由して行い、第2号厚生年金被保険者又は第3号厚生年金被保険者は事業主を経由せずに行う。

※「本特例」とは「厚生年金保険法第26条に規定する3歳に満たない子を養育する被保険者等の標準報酬月額の特例」のことをいう。

⑪答10 ✕　法24条2項。同時に2以上の事業所で報酬を受ける被保険者について報酬月額を算定する場合においては、「各事業所について、定時決定等の規定によって算定した額の合算額」をその者の報酬月額とする。

⑫答1 〇　法26条1項。設問の通り正しい。設問の特例の対象となる者は、3歳に満たない子を養育する被保険者等であり、当該子を出産した者に限られていない。

⑫答2 ✕　法26条1項。設問の3歳に満たない子を養育する被保険者等の平均標準報酬額の特例は、当該特例の申出が行われた日の属する月前の月にあっては、当該特例の申出が行われた日の属する月の前月までの2年間のうちにあるものに限られる。

⑫答3 ✕　法26条1項。設問の場合における従前標準報酬月額は、当該子を養育することとなった日(9月3日)の属する月の前月(8月)の標準報酬月額である「280,000円」である。

⑫答4 〇　法26条1項、4項。設問の通り正しい。

⑫問5

□□□

R5-1B

本特例が適用される場合には、老齢厚生年金の額の計算のみならず、保険料額の計算に当たっても、実際の標準報酬月額ではなく、従前標準報酬月額が用いられる。

※「本特例」とは「厚生年金保険法第26条に規定する3歳に満たない子を養育する被保険者等の標準報酬月額の特例」のことをいう。

⑫問6

□□□

R5-1C

甲は、第1号厚生年金被保険者であったが、令和4年5月1日に被保険者資格を喪失した。その後、令和5年6月15日に3歳に満たない子の養育を開始した。更に、令和5年7月1日に再び第1号厚生年金被保険者の被保険者資格を取得した。この場合、本特例は適用される。

※「本特例」とは「厚生年金保険法第26条に規定する3歳に満たない子を養育する被保険者等の標準報酬月額の特例」のことをいう。

⑫問7

□□□

R5-1D

難

第1子の育児休業終了による職場復帰後に本特例が適用された被保険者乙の従前標準報酬月額は30万円であったが、育児休業等終了時改定に該当し標準報酬月額は24万円に改定された。その後、乙は第2子の出産のため厚生年金保険法第81条の2の2第1項の適用を受ける産前産後休業を取得し、第2子を出産し産後休業終了後に職場復帰したため第2子の養育に係る本特例の申出を行った。第2子の養育に係る本特例が適用された場合、被保険者乙の従前標準報酬月額は24万円である。

※「本特例」とは「厚生年金保険法第26条に規定する3歳に満たない子を養育する被保険者等の標準報酬月額の特例」のことをいう。

⑫問8

□□□

R5-1E

本特例の適用を受けている被保険者の養育する第1子が満3歳に達する前に第2子の養育が始まり、この第2子の養育にも本特例の適用を受ける場合は、第1子の養育に係る本特例の適用期間は、第2子が3歳に達した日の翌日の属する月の前月までとなる。

※「本特例」とは「厚生年金保険法第26条に規定する3歳に満たない子を養育する被保険者等の標準報酬月額の特例」のことをいう。

⑫答5 ✕　法26条1項。本特例が適用される場合であっても、保険料額の計算に当たっては、実際の標準報酬月額が用いられる。

⑫答6 ✕　法26条1項。甲は3歳に満たない子を養育することとなった日の属する月の前月において被保険者でなく、また、当該月前1年以内に被保険者であった月がないことから、従前標準報酬月額となる標準報酬月額が存在しないため、本特例は適用されない。

⑫答7 ✕　法26条1項6号、3項。第2子の養育に係る本特例が適用された場合、被保険者乙の従前標準報酬月額は30万円である。

⑫答8 ✕　法26条1項3号。第1子の養育に係る本特例の適用期間は、第2子について本特例の適用を受ける場合における当該第2子を養育することとなった日の翌日の属する月の前月までとなる。

13 標準賞与額

13問1
□□□
R3-7C

実施機関は、被保険者が賞与を受けた月において、その月に当該被保険者が受けた賞与額に基づき、これに千円未満の端数を生じたときはこれを切り捨てて、その月における標準賞与額を決定する。この場合において、当該標準賞与額が1つの適用事業所において年間の累計額が150万円(厚生年金保険法第20条第2項の規定による標準報酬月額の等級区分の改定が行われたときは、政令で定める額とする。以下本問において同じ。)を超えるときは、これを150万円とする。

13問2
□□□
H29-4C

同時に2か所の適用事業所A及びBに使用される第1号厚生年金被保険者について、同一の月に適用事業所Aから200万円、適用事業所Bから100万円の賞与が支給された。この場合、適用事業所Aに係る標準賞与額は150万円、適用事業所Bに係る標準賞与額は100万円として決定され、この合計である250万円が当該被保険者の当該月における標準賞与額とされる。

14 保険料

14問1
□□□
R6-7C

事業主は、その使用する被保険者及び自己の負担する保険料を納付する義務を負う。毎月の保険料は、翌月末日までに、納付しなければならない。高齢任意加入被保険者の場合は、被保険者が保険料の全額を負担し、自己の負担する保険料を納付する義務を負うことがあるが、その場合も、保険料の納期限は翌月末日である。

14問2
□□□
R6-7E

産前産後休業をしている被保険者に係る保険料については、事業主負担分及び被保険者負担分の両方が免除される。

⓭答1 ✕　法24条の4,1項。被保険者が賞与を受けた月における**標準賞与額が150万円を超えるときは、これを150万円として決定される。**年間の累計額による上限は設けられていない。

⓭答2 ✕　法24条2項、法24条の4,2項。設問の場合、適用事業所Aの賞与（200万円）と適用事業所Bの賞与（100万円）の合算額が設問の第1号厚生年金被保険者の賞与額とされ、当該賞与額に基づき標準賞与額が決定されることとなる。合算額は300万円であり、上限額の150万円を超えるため、150万円が当該被保険者の標準賞与額とされる。

⓮答1 ○　法82条2項、法83条1項、法附則4条の3,7項。設問の通り正しい。

⓮答2 ○　法81条の2の2,1項。設問の通り正しい。

⑭問3
□□□
R6-2D
保険料の納付の督促を受けた納付義務者がその指定の期限までに保険料を納付しないときは、厚生労働大臣は、自ら国税滞納処分の例によってこれを処分することができるほか、納付義務者の居住地等の市町村(特別区を含む。以下本肢において同じ。)に対して市町村税の例による処分を請求することもできる。後者の場合、厚生労働大臣は徴収金の100分の5に相当する額を当該市町村に交付しなければならない。

⑭問4
□□□
R6-2E
難
滞納処分等を行う徴収職員は、滞納処分等に係る法令に関する知識並びに実務に必要な知識及び能力を有する日本年金機構の職員のうちから厚生労働大臣が任命する。

⑭問5
□□□
R6-7D
厚生労働大臣は、保険料等の効果的な徴収を行う上で必要があると認めるときは、滞納者に対する滞納処分等の権限の全部又は一部を財務大臣に委任することができる。この権限委任をすることができる要件のひとつは、納付義務者が1年以上の保険料を滞納していることである。

⑭問6
□□□
R6-2B
厚生年金保険の保険料を滞納した者に対して督促が行われたときは、原則として延滞金が徴収されるが、納付義務者の住所及び居所がともに明らかでないため公示送達の方法によって督促したときは、延滞金は徴収されない。

⑭問7
□□□
R6-2C
厚生年金保険の保険料を滞納した者に対して督促が行われた場合において、督促状に指定した期限までに保険料を完納したとき、又は厚生年金保険法第87条第1項から第3項までの規定によって計算した金額が1,000円未満であるときは、延滞金は徴収しない。

過去問

⑭問1
□□□
R2-37
厚生年金保険の保険料は、被保険者の資格を取得した月についてはその期間が1日でもあれば徴収されるが、資格を喪失した月については徴収されない。よって月末日で退職したときは退職した日が属する月の保険料は徴収されない。

⑭答3 ✕　法86条6項。市町村が、設問の処分の請求を受け、市町村税の例によって処分する場合においては、厚生労働大臣は、徴収金の「**100の4**」に相当する額を当該市町村に交付しなければならない。

⑭答4 ✕　法100条の6,2項。設問の徴収職員は、滞納処分等に係る法令に関する知識並びに実務に必要な知識及び能力を有する日本年金機構の職員のうちから、厚生労働大臣の認可を受けて、「日本年金機構の理事長」が任命する。

⑭答5 ✕　法100条の5,1項、令4条の2の16,1号、則99条。設問の権限委任をすることができる要件の一つは、納付義務者が「**24月以上**」の保険料を滞納していることである。

⑭答6 ○　法87条1項3号。設問の通り正しい。納付義務者の住所若しくは居所が国内にないため、又はその住所及び居所がともに明らかでないため、公示送達の方法によって督促したときは、延滞金は徴収されない。

⑭答7 ✕　法87条4項。延滞金の額として計算した金額が「**100円未満**」であるときは、延滞金は、徴収しない。

---

⑭答1 ✕　法19条、法81条2項。月末日で退職したときは、その翌月が資格喪失月となるため、退職した日が属する月の保険料は徴収される。

Point　保険料は、被保険者期間の計算の基礎となる各月（被保険者の資格を取得した月からその資格を喪失した月の前月までの各月）につき、徴収される。

14 問2
□□□
R元-2C

厚生年金保険の保険料率は段階的に引き上げられてきたが、上限が1000分の183.00に固定(統一)されることになっている。第1号厚生年金被保険者の保険料率は平成29年9月に、第2号及び第3号厚生年金被保険者の保険料率は平成30年9月にそれぞれ上限に達したが、第4号厚生年金被保険者の保険料率は平成31年4月12日時点において上限に達していない。

14 問3
□□□
H30-9A

被保険者が厚生年金保険法第6条第1項第3号に規定する船舶に使用され、かつ、同時に事業所に使用される場合においては、船舶所有者(同号に規定する船舶所有者をいう。以下同じ。)以外の事業主は保険料を負担せず、保険料を納付する義務を負わないものとし、船舶所有者が当該被保険者に係る保険料の半額を負担し、当該保険料及び当該被保険者の負担する保険料を納付する義務を負うものとされている。

14 問4
□□□
H28-6B

第1号厚生年金被保険者が同時に2以上の適用事業所(船舶を除く。)に使用される場合における各事業主の負担すべき標準報酬月額に係る保険料の額は、各事業所について算定した報酬月額を当該被保険者の報酬月額で除し、それにより得た数を当該被保険者の保険料の半額に乗じた額とする。

14 問5
□□□
R5-4ウ

被保険者が同時に2以上の事業所に使用される場合における各事業主の負担すべき標準賞与額に係る保険料の額は、各事業所についてその月に各事業主が支払った賞与額をその月に当該被保険者が受けた賞与額で除して得た数を当該被保険者の保険料の額に乗じて得た額とされている。

14 問6
□□□
H27-6A

被保険者が同時にいずれも適用事業所である船舶甲及び事業所乙に使用される場合、当該被保険者を使用する甲及び乙が負担すべき標準賞与額に係る保険料の額は、甲及び乙がその月に支払った賞与額をその月に当該被保険者が受けた賞与額で除して得た数を当該被保険者の保険料の半額に乗じて得た額とし、甲及び乙がそれぞれ納付する義務を負う。

14 問7
□□□
R元-2E

育児休業期間中の第1号厚生年金被保険者に係る保険料の免除の規定については、任意単独被保険者は対象になるが、高齢任意加入被保険者はその対象にはならない。

14答2 ○　法81条4項、(24)法附則83条～85条。設問の通り正しい。

14答3 ○　令4条4項。設問の通り正しい。

14答4 ○　令4条1項。設問の通り正しい。なお、設問文中「各事業所について算定した報酬月額」は、正確には「各事業所について算定した報酬月額に相当する額」とすべきである。

14答5 ×　令4条2項。被保険者が同時に2以上の事業所に使用される場合における各事業主の負担すべき標準賞与額に係る保険料の額は、各事業所についてその月に各事業主が支払った賞与額をその月に当該被保険者が受けた賞与額で除して得た数を当該被保険者の保険料の半額に乗じて得た額とされている。

14答6 ×　令4条4項。設問の場合、甲が支払った賞与額（標準賞与額）に基づき当該被保険者に係る保険料を算定し、甲のみが保険料の半額負担及び納付の義務を負う。

14答7 ×　法81条の2,1項。任意単独被保険者及び高齢任意加入被保険者は、いずれも育児休業期間中の第1号厚生年金被保険者に係る保険料の免除の規定の対象となる。

⑭問8
□□□
H27-1ｱ改

育児休業期間中における厚生年金保険料の免除の規定により保険料の徴収を行わない被保険者を使用する事業所の事業主は、当該被保険者が育児休業等を終了する予定の日を変更したとき又は育児休業等を終了する予定の日の前日までに育児休業等を終了したときは、速やかに、これを日本年金機構に届け出なければならない。ただし、当該被保険者が育児休業等を終了する予定の日の前日までに産前産後休業期間中における厚生年金保険料の免除の規定の適用を受ける産前産後休業を開始したことにより育児休業等を終了したときは、この限りでない。

⑭問9
□□□
H29-3ｲ

産前産後休業期間中の保険料の免除の申出は、被保険者が第1号厚生年金被保険者又は第4号厚生年金被保険者である場合には当該被保険者が使用される事業所の事業主が、また第2号厚生年金被保険者又は第3号厚生年金被保険者である場合には当該被保険者本人が、主務省令で定めるところにより実施機関に行うこととされている。

⑭問10
□□□
H30-8B

産前産後休業期間中の保険料の免除の適用を受ける場合、その期間中における報酬の支払いの有無は問われない。

⑭問11
□□□
H30-10E

第1号厚生年金被保険者に対して通貨をもって報酬を支払う場合において、事業主が被保険者の負担すべき保険料を報酬から控除したときは、保険料の控除に関する計算書を作成し、その控除額を被保険者に通知しなければならない。

14**答8** ○　則25条の2,3項。設問の通り正しい。

14**答9** ○　法81条の2の2。設問の通り正しい。

14**答10** ○　法81条の2の2,1項。設問の通り正しい。

14**答11** ○　法84条1項、3項。設問の通り正しい。

> 第1号厚生年金被保険者に係る事業主は、被保険者に対して通貨をもって報酬を支払う場合においては、被保険者の負担すべき前月の標準報酬月額に係る保険料（被保険者がその事業所又は船舶に使用されなくなった場合においては、前月及びその月の標準報酬月額に係る保険料）を報酬から控除することができる。

⑭問12 次のアからオの記述のうち、厚生年金保険法第85条の規定により、保険料を保険料の納期前であっても、すべて徴収することができる場合として正しいものの組合せは、後記AからEまでのうちどれか。

□□□
R4-4

ア 法人たる納付義務者が法人税の重加算税を課されたとき。
イ 納付義務者が強制執行を受けるとき。
ウ 納付義務者について破産手続開始の申立てがなされたとき。
エ 法人たる納付義務者の代表者が死亡したとき。
オ 被保険者の使用される事業所が廃止されたとき。

A（アとウ）　　　B（アとエ）　　　C（イとウ）
D（イとオ）　　　E（ウとオ）

⑭問13 第1号厚生年金被保険者に係る保険料は、法人たる納付義務者が破産手続開始の決定を受けたときは、納期前であっても、すべて徴収することができる。

□□□
H30-8E

⑭問14 保険料は、法人たる納付義務者が解散した場合は、納期前であってもすべて徴収することができる。

□□□
H29-7A

⑭問15 被保険者の使用される船舶について船舶所有者の変更があった場合には、厚生年金保険法第85条の規定に基づいて保険料を納期前にすべて徴収することができる。

□□□
H27-6B

⑭問16 被保険者の使用される船舶について、当該船舶が滅失し、沈没し、又は全く運航に堪えなくなるに至った場合には、事業主は当該被保険者に係る保険料について、当該至った日の属する月以降の免除の申請を行うことができる。

□□□
R元-2B

⑭答12 正解　D（イとオ）

ア　×　法85条。「法人たる納付義務者が法人税の重加算税を課されたとき。」は、法第85条の繰上げ徴収の事由には該当しない。

イ　○　法85条1号ロ。設問の通り正しい。「納付義務者が強制執行を受けるとき。」は、法第85条の繰上げ徴収の事由に該当し、保険料を保険料の納期前であっても、すべて徴収することができる。

ウ　×　法85条1号ハ。「納付義務者について破産手続開始の申立てがなされたとき。」は、法第85条の繰上げ徴収の事由には該当しない。なお、「納付義務者が、破産手続開始の決定を受けたとき。」は、法第85条の繰上げ徴収の事由に該当し、保険料を保険料の納期前であっても、すべて徴収することができる。

エ　×　法85条。「法人たる納付義務者の代表者が死亡したとき。」は、法第85条の繰上げ徴収の事由には該当しない。

オ　○　法85条3号。設問の通り正しい。「被保険者の使用される事業所が廃止されたとき。」は、法第85条の繰上げ徴収の事由に該当し、保険料を保険料の納期前であっても、すべて徴収することができる。

⑭答13　○　法85条1号ハ。設問の通り正しい。

⑭答14　○　法85条2号。設問の通り正しい。

⑭答15　○　法85条4号。設問の通り正しい。被保険者の使用される船舶について「船舶所有者の変更があった場合」は、繰上徴収の対象となる。

⑭答16　×　法85条4号他。設問の場合に、事業主が保険料の免除の申請を行うことができる旨の規定はない。

⑭問17
□□□
H27-6C

保険料に係る延滞金は、保険料額が1,000円未満であるときは徴収しないこととされている。

⑭問18
□□□
R元-1B

厚生年金保険法第86条第2項の規定により厚生労働大臣が保険料の滞納者に対して督促をしたときは、保険料額に所定の割合を乗じて計算した延滞金を徴収するが、当該保険料額が1,000円未満の場合には、延滞金を徴収しない。また、当該保険料額に所定の割合を乗じて計算した延滞金が100円未満であるときも、延滞金を徴収しない。

⑭問19
□□□
H28-8B

第1号厚生年金被保険者に係る保険料の納付義務者の住所及び居所がともに明らかでないため、公示送達の方法によって滞納された保険料の督促が行われた場合にも、保険料額に所定の割合を乗じて計算した延滞金が徴収される。

⑭問20
□□□
H30-3エ

厚生年金保険法第86条の規定によると、厚生労働大臣は、保険料の納付義務者が保険料を滞納したため期限を指定して督促したにもかかわらずその期限までに保険料を納付しないときは、納付義務者の居住地若しくはその者の財産所在地の市町村(特別区を含むものとし、地方自治法第252条の19第1項の指定都市にあっては、区又は総合区とする。以下同じ。)に対して、その処分を請求することができ、当該処分の請求を受けた市町村が市町村税の例によってこれを処分したときは、厚生労働大臣は、徴収金の100分の4に相当する額を当該市町村に交付しなければならないとされている。

⑭問21
□□□
H30-2エ

第1号厚生年金被保険者に係る保険料その他厚生年金保険法の規定による徴収金の先取特権の順位は、国税及び地方税に次ぐものとされている。

答17 ○ 法87条1項1号。設問の通り正しい。

> プラス
> α
>
> 保険料についての「延滞金の割合」は、**年14.6％**（納期限の翌日から3月を経過する日までの期間については、**年7.3％**）の割合と規定されているが、当分の間、各年の延滞税特例基準割合（租税特別措置法に規定する延滞税特例基準割合をいう。）が年7.3％の割合に満たない場合には、その年中においては、年14.6％の割合については当該延滞税特例基準割合に**年7.3％の割合を加算した割合**とし、年7.3％の割合については、**年7.3％**又は延滞税特例基準割合に**年1％の割合を加算した割合**のいずれか低い割合とする軽減措置が講じられている。

答18 ○ 法87条1項1号、4項。設問の通り正しい。

答19 × 法87条1項3号。**公示送達の方法**によって滞納保険料の督促が行われた場合には、延滞金は徴収されない。

答20 ○ 法86条5項1号、6項。設問の通り正しい。

> Point
>
> 保険料等を滞納している納付義務者の居住地若しくは財産所在地の市町村が、厚生労働大臣の請求を受けて市町村税の例によって処分をした場合には、厚生労働大臣は、**徴収金の4％**に相当する額を市町村に交付しなければならない。

答21 ○ 法88条。設問の通り正しい。

15 本来の老齢厚生年金 – 支給要件等及び失権

過去問

15 問 1

H30-27

老齢基礎年金を受給している66歳の者が、平成30年4月1日に被保険者の資格を取得し、同月20日に喪失した(同月に更に被保険者の資格を取得していないものとする。)。当該期間以外に被保険者期間を有しない場合、老齢厚生年金は支給されない。

16 本来の老齢厚生年金 – 年金額

最新問題

16 問 1

R6-6C

老齢厚生年金の報酬比例部分の年金額を計算する際に、総報酬制導入以後の被保険者期間分については、平均標準報酬額×給付乗率×被保険者期間の月数で計算する。この給付乗率は原則として1000分の5.481であるが、昭和36年4月1日以前に生まれた者については、異なる数値が用いられる。

16 問 2

R6-9B

2以上の種別の被保険者であった期間を有する者に係る老齢厚生年金の額は、その者の2以上の種別の被保険者であった期間を合算して一の期間に係る被保険者期間のみを有するものとみなして平均標準報酬額を算出し計算することとされている。

⓯答1 × 法19条2項、法42条。設問の場合、老齢厚生年金が支給される。設問の者は、いわゆる同月得喪の規定により厚生年金保険の被保険者期間を1月有することとなるため、それにより老齢厚生年金の支給要件（①被保険者期間を1月以上有すること、②65歳以上であること、③受給資格期間を満たしていること）を満たすこととなる。

⓰答1 × 法43条1項、(60)法附則59条1項。「**昭和21年4月1日以前**」に生まれた者については、給付乗率の読替えが行われる。

⓰答2 × 法78条の26,1項。2以上の種別の被保険者であった期間を有する者に係る老齢厚生年金の額については、各号の厚生年金被保険者期間ごとに算定する。

16 問 3
□□□
R6-2A
難

甲は第1号厚生年金被保険者期間を140か月有していたが、後に第2号厚生年金被保険者期間を150か月有するに至り、それぞれの被保険者期間に基づく老齢厚生年金の受給権が同じ日に発生した（これら以外の被保険者期間は有していない。）。甲について加給年金額の加算の対象となる配偶者がいる場合、第1号厚生年金被保険者期間に基づく老齢厚生年金に加給年金額が加算される。

過去問

16 問 1
□□□
R4-9A

1つの種別の厚生年金保険の被保険者期間のみを有する者の総報酬制導入後の老齢厚生年金の報酬比例部分の額の計算では、総報酬制導入後の被保険者期間の各月の標準報酬月額と標準賞与額に再評価率を乗じて得た額の総額を当該被保険者期間の月数で除して得た平均標準報酬額を用いる。

16 問 2
□□□
H29-9I

2以上の種別の被保険者であった期間を有する者の老齢厚生年金の額の計算においては、その者の2以上の被保険者の種別に係る期間を合算して1の期間に係る被保険者期間のみを有するものとみなして平均標準報酬額を算出する。

16答3 ✕ 法78条の27、令3条の13,1項、2項。設問の場合、第2号厚生年金被保険者期間に基づく老齢厚生年金に加給年金額が加算される。2以上の種別の被保険者であった期間を有する者に係る加給年金額の加算要件(老齢厚生年金の額の計算の基礎となる被保険者期間の月数が240以上であること)の判定については、2以上の種別の被保険者であった期間に係る被保険者期間を合算する。また、2以上の種別の被保険者であった期間を有する者に係る老齢厚生年金について加給年金額が加算される場合は、各号の厚生年金被保険者期間のうち一の被保険者の種別に係る被保険者であった期間(以下「一の期間」という。)に基づく老齢厚生年金について加給年金額を加算する。この場合における優先順位は次の通りである。

① 最も早い日において受給権を取得した老齢厚生年金
② 最も早い日において受給権を取得した老齢厚生年金が2以上あるときは、各号の厚生年金被保険者期間のうち最も長い一の期間に基づく老齢厚生年金
③ 最も長い一の期間が2以上ある場合は、第1号厚生年金被保険者期間、第2号厚生年金被保険者期間、第3号厚生年金被保険者期間、第4号厚生年金被保険者期間の優先順位で決定された期間に基づく老齢厚生年金

16答1 ◯ 法43条1項。設問の通り正しい。

16答2 ✕ 法78条の26,2項。2以上の種別の被保険者であった期間を有する者に係る老齢厚生年金の額の計算においては、その者の2以上の被保険者の種別に係る被保険者期間ごとに平均標準報酬額を算出する。

16 問 3
□□□
R3-2A

厚生年金保険の被保険者期間の月数にかかわらず、60歳以上の厚生年金保険の被保険者期間は、老齢厚生年金における経過的加算額の計算の基礎とされない。

16 問 4
□□□
R5-9A

今年度65歳に達する被保険者甲と乙について、20歳に達した日の属する月から60歳に達した日の属する月の前月まで厚生年金保険に加入した甲と、20歳に達した日の属する月から65歳に達した日の属する月の前月まで厚生年金保険に加入した乙とでは、老齢厚生年金における経過的加算の額は異なる。

16 問 5
□□□
R3-2B

経過的加算額の計算においては、第3種被保険者期間がある場合、当該被保険者期間に係る特例が適用され、当該被保険者期間は必ず3分の4倍又は5分の6倍される。

16 問 6
□□□
R4-9B

65歳以上の老齢厚生年金受給者については、毎年基準日である7月1日において被保険者である場合、基準日の属する月前の被保険者であった期間をその計算の基礎として、基準日の属する月の翌月から、年金の額を改定する在職定時改定が導入された。

16 問 7
□□□
R5-9D

厚生年金保険法第43条第2項の在職定時改定の規定において、基準日が被保険者の資格を喪失した日から再び被保険者の資格を取得した日までの間に到来し、かつ、当該被保険者の資格を喪失した日から再び被保険者の資格を取得した日までの期間が1か月以内である場合は、基準日の属する月前の被保険者であった期間を老齢厚生年金の額の計算の基礎として、基準日の属する月の翌月から年金の額を改定するものとする。

⑯答3 ×　(60)法附則59条１項。経過的加算額は、「定額部分の額」から「老齢基礎年金相当額」を控除して得た額であるが、厚生年金保険の被保険者期間は、20歳未満、60歳以上の期間を含めて、所定の上限月数の範囲内で「定額部分の額」の計算の基礎とされる。なお、20歳未満、60歳以上の厚生年金保険の被保険者期間は、「老齢基礎年金相当額」の計算の基礎とされない。

⑯答4 ×　(60)法附則59条２項。甲と乙に支給する老齢厚生年金に係る経過的加算の額は、同額※となる。
※　1,628円×改定率×480月－780,900円×改定率×480月/480月

⑯答5 ×　(60)法附則59条２項。経過的加算額は、「定額部分の額」から「老齢基礎年金相当額」を控除して得た額である。この経過的加算額の計算において、「定額部分の額」については、第３種被保険者期間に係る特例が適用されるが、「老齢基礎年金相当額」については、第３種被保険者期間に係る特例は適用されない。

⑯答6 ×　法43条２項。設問の在職定時改定の規定に係る基準日は、9月1日である。

⑯答7 ○　法43条２項。設問の通り正しい。

> **Point**
> 受給権者が毎年９月１日(以下「基準日」という。)において被保険者である場合(基準日に被保険者の資格を取得した場合を除く。)の老齢厚生年金の額は、基準日の属する月前の被保険者であった期間をその計算の基礎とするものとし、基準日の属する月の翌月から、年金の額を改定する。ただし、基準日が被保険者の資格を喪失した日から再び被保険者の資格を取得した日までの間に到来し、かつ、当該被保険者の資格を喪失した日から再び被保険者の資格を取得した日までの期間が１月以内である場合は、基準日の属する月前の被保険者であった期間を老齢厚生年金の額の計算の基礎とするものとし、基準日の属する月の翌月から、年金の額を改定する。

16 問 8
□□□
R元-1C改

老齢厚生年金の額の計算において、受給権取得後の受給権者の被保険者であった期間については、被保険者である受給権者がその被保険者の資格を喪失し、かつ、被保険者となることなくして被保険者の資格を喪失した日から起算して1か月を経過したときは、その被保険者の資格を喪失した月前における被保険者であった期間を老齢厚生年金の額の計算の基礎とするものとする。

16 問 9
□□□
R2-9A

被保険者である老齢厚生年金の受給者(昭和25年7月1日生まれ)が70歳になり当該被保険者の資格を喪失した場合における老齢厚生年金は、当該被保険者の資格を喪失した月前における被保険者であった期間も老齢厚生年金の額の計算の基礎となり、令和2年8月分から年金の額が改定される。

16 問 10
□□□
R5-9E

被保険者である受給権者がその被保険者の資格を喪失し、かつ、再び被保険者となることなくして被保険者の資格を喪失した日から起算して1か月を経過したときは、その被保険者の資格を喪失した月以前における被保険者であった期間を老齢厚生年金の額の計算の基礎とするものとし、資格を喪失した日から起算して1か月を経過した日の属する月から、年金の額を改定する。

16 問 11
□□□
H28-8A

在職老齢年金の受給者が平成28年1月31日付けで退職し同年2月1日に被保険者資格を喪失し、かつ被保険者となることなくして被保険者の資格を喪失した日から起算して1か月を経過した場合、当該被保険者資格を喪失した月前における被保険者であった期間も老齢厚生年金の額の計算の基礎とするものとし、平成28年3月から年金額が改定される。

16 問 12
□□□
H28-5D

老齢厚生年金に加算される加給年金額は、厚生年金保険法第44条第2項に規定する所定の額に改定率を乗じて得た額とされるが、この計算において、5円未満の端数が生じたときは、これを切り捨て、5円以上10円未満の端数が生じたときは、これを10円に切り上げるものとされている。

⑯答8 ○　法43条3項。設問の通り正しい。

Point

> 被保険者である受給権者がその被保険者の資格を喪失し、かつ、被保険者となることなくして被保険者の資格を喪失した日から起算して1月を経過したときは、その被保険者の資格を喪失した月前における被保険者であった期間を老齢厚生年金の額の計算の基礎とするものとし、資格を喪失した日（事業所に使用されなくなったとき等は、その日）から起算して1月を経過した日の属する月から、年金の額を改定する。

⑯答9 ×　法43条3項。設問の場合、資格喪失日である令和2年6月30日（70歳到達日）から起算して1月を経過した日が属する月である令和2年7月分から年金額が改定される。

⑯答10 ×　法43条3項。被保険者である受給権者がその被保険者の資格を喪失し、かつ、被保険者となることなくして被保険者の資格を喪失した日から起算して1月を経過したときは、その被保険者の資格を喪失した**月前**における被保険者であった期間を老齢厚生年金の額の計算の基礎とするものとし、資格を喪失した日（事業所に使用されなくなったとき等は、**その日**）から起算して1月を経過した日の属する月から、年金の額を改定する。

⑯答11 ×　法43条3項。設問の場合、平成28年2月から年金額が改定される。

⑯答12 ×　法44条2項。設問の加給年金額の計算において、50円未満の端数が生じたときは、これを切り捨て、50円以上100円未満の端数が生じたときは、これを100円に切り上げるものとされている。

⑯問13
□□□
R2-1E

老齢厚生年金の加給年金額の加算の対象となる妻と子がある場合の加給年金額は、配偶者及び2人目までの子についてはそれぞれ224,700円に、3人目以降の子については1人につき74,900円に、それぞれ所定の改定率を乗じて得た額（その額に50円未満の端数が生じたときは、これを切り捨て、50円以上100円未満の端数が生じたときは、これを100円に切り上げるものとする。）である。

⑯問14
□□□
R5-7A

老齢厚生年金に係る子の加給年金額は、その対象となる子の数に応じて加算される。1人当たりの金額は、第2子までは配偶者の加給年金額と同額だが、第3子以降は、配偶者の加給年金額の3分の2の額となる。

⑯問15
□□□
H30-10C

被保険者である老齢厚生年金の受給権者は、その受給権を取得した当時、加給年金額の対象となる配偶者がいたが、当該老齢厚生年金の額の計算の基礎となる被保険者期間の月数が240未満であったため加給年金額が加算されなかった。その後、被保険者資格を喪失した際に、被保険者期間の月数が240以上になり、当該240以上となるに至った当時、加給年金額の対象となる配偶者がいたとしても、当該老齢厚生年金の受給権を取得した当時における被保険者期間が240未満であるため、加給年金額が加算されることはない。

⑯問16
□□□
R4-6C

老齢厚生年金（その年金額の計算の基礎となる被保険者期間の月数が240以上であるものに限る。）の受給権者が、受給権を取得した以後に初めて婚姻し、新たに65歳未満の配偶者の生計を維持するようになった場合には、当該配偶者に係る加給年金額が加算される。

16答13 ○　法44条２項。設問の通り正しい。

加算対象者	加給年金額
配偶者／第１子・第２子	224,700円×改定率
第３子以降	74,900円×改定率

16答14 ×　法44条２項。第３子以降の加給年金額は、配偶者の加給年金額の３分の１に相当する額となる。**16答13**の表参照。

16答15 ×　法44条１項。老齢厚生年金の額の計算の基礎となる被保険者期間の月数が、いわゆる退職改定の規定により240以上となるに至った当時加給年金額の対象となる配偶者（その者によって生計を維持していたその者の65歳未満の配偶者）がいるときは、当該老齢厚生年金に加給年金額が加算される。

16答16 ×　法44条１項。設問の場合、配偶者に係る加給年金額は加算されない。老齢厚生年金の加給年金額は、受給権者がその**権利を取得した当時**（その権利を取得した当時、年金額の計算の基礎となる被保険者期間の月数が240未満であったときは、在職定時改定又は退職改定により当該月数が240以上となるに至った当時）その者によって生計を維持していた加算対象となる配偶者又は子があるときでなければ、加算されない。

16問17 老齢厚生年金の受給権者の子(15歳)の住民票上の住所が受給権者と異なっている場合でも、加給年金額の加算の対象となることがある。

□□□
R3-3B

16問18 老齢厚生年金(その計算の基礎となる被保険者期間の月数は240か月以上。)の加給年金額に係る生計維持関係の認定要件について、受給権者がその権利を取得した当時、その前年の収入(前年の収入が確定しない場合にあっては前々年の収入)が厚生労働大臣の定める金額以上の収入を有すると認められる者以外の者でなければならず、この要件に該当しないが、定年退職等の事情により近い将来収入がこの金額を下回ると認められる場合であっても、生計維持関係が認定されることはない。

□□□
H27-7C

16問19 昭和9年4月2日以後に生まれた老齢厚生年金の受給権者に支給される配偶者に係る加給年金額については、その配偶者の生年月日に応じた特別加算が行われる。

□□□
H28-5E

16問20 昭和9年4月2日以後に生まれた老齢厚生年金の受給権者に支給される配偶者の加給年金額に加算される特別加算の額は、受給権者の生年月日に応じて33,200円に改定率を乗じて得た額から165,800円に改定率を乗じて得た額の範囲内であって、受給権者の生年月日が早いほど特別加算の額は大きくなる。

□□□
H30-1C

⑯答17 ○　平成23.3.23年発0323第1号。設問の通り正しい。加給年金額の生計維持認定対象者に係る生計同一関係の認定に当たっては、配偶者又は子について、住民票上の住所が受給権者と異なっている場合であっても、次の①又は②のいずれかに該当するときは、生計を同じくする者に該当するものとされ、加給年金額の加算の対象となり得る。

①　現に起居を共にし、かつ、消費生活上の家計を一つにしていると認められるとき

②　単身赴任、就学又は病気療養等の止むを得ない事情により住所が住民票上異なっているが、次のような事実が認められ、その事情が消滅したときは、起居を共にし、消費生活上の家計を一つにすると認められるとき

ア　生活費、療養費等の経済的な援助が行われていること

イ　定期的に音信、訪問が行われていること

⑯答18 ×　平成23.3.23年発0323第1号。定年退職等の事情により近い将来（おおむね5年以内）収入が年額850万円未満又は所得が年額655.5万円未満となると認められる場合には、生計維持関係があるものと認定され得る。

⑯答19 ×　(60)法附則60条2項。加給年金額の特別加算は、老齢厚生年金の受給権者の生年月日に応じて行われる。

⑯答20 ×　(60)法附則60条2項。特別加算の額は、受給権者の生年月日が遅いほど大きくなる。

Point　配偶者を対象とする加給年金額の特別加算は、老齢厚生年金の受給権者の生年月日に応じて加算額が定められており、若いほど加算額は多くなっているが、昭和18年4月2日以後に生まれた者については同額である。

昭和9年4月2日以後に生まれた老齢厚生年金の受給権者については、配偶者の加給年金額に更に特別加算が行われる。特別加算額は、受給権者の生年月日によって異なり、その生年月日が遅いほど特別加算額が少なくなる。

老齢厚生年金の加給年金額の対象となっている配偶者が、収入を増加させて、受給権者による生計維持の状態がやんだ場合であっても、当該老齢厚生年金の加給年金額は減額されない。

子に係る加給年金額が加算された老齢厚生年金について、その加給年金額の対象者である子が養子縁組によって当該老齢厚生年金の受給権者の配偶者の養子になったときは、その翌月から当該子に係る加給年金額は加算されないこととなる。

老齢厚生年金の加給年金額の加算の対象となっていた子（障害等級に該当する障害の状態にないものとする。）が、18歳に達した日以後の最初の3月31日よりも前に婚姻したときは、その子が婚姻した月の翌月から加給年金額の加算がされなくなる。

老齢厚生年金の受給権者がその権利を取得した当時その者によって生計を維持していた子が18歳に達した日以後の最初の3月31日が終了したため、子に係る加給年金額が加算されなくなった。その後、その子は、20歳に達する日前までに障害等級1級又は2級に該当する程度の障害の状態となった。この場合、その子が20歳に達するまで老齢厚生年金の額にその子に係る加給年金額が再度加算される。

障害等級2級に該当する程度の障害の状態であり老齢厚生年金における加給年金額の加算の対象となっている受給権者の子が、17歳の時に障害の状態が軽減し障害等級2級に該当する程度の障害の状態でなくなった場合、その時点で加給年金額の加算の対象から外れ、その月の翌月から年金の額が改定される。

16答21 ✕ (60)法附則60条2項。特別加算額は、受給権者の生年月日が遅いほど高額となる。

16答22 ✕ 法44条4項2号。老齢厚生年金の加給年金額の加算対象となっている配偶者が、受給権者による生計維持の状態がやんだ場合には、当該配偶者に係る加給年金額は加算されないものとされ、その翌月から、年金の額が改定される。

16答23 ✕ 法44条4項5号。加給年金額の対象者である子が養子縁組によって当該老齢厚生年金の受給権者の配偶者以外の者の養子となったときは、その翌月から当該子に係る加給年金額は加算されないこととなる。

16答24 ◯ 法44条4項7号。設問の通り正しい。老齢厚生年金の加給年金額の加算対象となっていた子が婚姻をしたときは、その者に係る加給年金額は加算されないものとされ、その翌月から、年金の額が改定される。

16答25 ✕ 法44条1項、4項。老齢厚生年金の加給年金額対象者である子が18歳に達した日以後の最初の3月31日が終了したため、当該子に係る加給年金額が加算されなくなった場合には、その後、その子が20歳に達する日前までに障害等級1級又は2級に該当する程度の障害の状態となった場合であっても、その子に係る加給年金額は再度加算されることはない。

プラスα 加給年金額の加算対象者である障害の状態にない子が18歳に達する日以後の最初の3月31日までの間に障害等級1級又は2級の障害の状態に該当するに至ったときは、他の不該当事由(減額改定事由)に該当しない限り、当該子が20歳に達するまで当該子について加給年金額が加算される。

16答26 ✕ 法44条4項9号。18歳に達する日以後の最初の3月31日までの間にある子が、障害等級2級に該当する程度の障害の状態でなくなった場合であっても、その時点では加給年金額の加算対象から外れない。その後、18歳に達する日以後の最初の3月31日が終了したときに、加給年金額の加算対象から外れることとなる。

16問27 加給年金額が加算された老齢厚生年金について、その加算の対象
☐☐☐ となる配偶者が老齢厚生年金の支給を受けることができるときは、
H28-5B その間、加給年金額の部分の支給が停止されるが、この支給停止は
当該配偶者の老齢厚生年金の計算の基礎となる被保険者期間が300
か月以上の場合に限られる。

16問28 加給年金額が加算されている老齢厚生年金の受給者である夫につ
☐☐☐ いて、その加算の対象となっている妻である配偶者が、老齢厚生年
R4-9E 金の計算の基礎となる被保険者期間が240月以上となり、退職し再
就職はせずに、老齢厚生年金の支給を受けることができるようにな
った場合、老齢厚生年金の受給者である夫に加算されていた加給年
金額は支給停止となる。

16問29 老齢厚生年金における加給年金額の加算の対象となる配偶者が、
☐☐☐ 障害等級1級若しくは2級の障害厚生年金及び障害基礎年金を受
R3-8D 給している間、当該加給年金額は支給停止されるが、障害等級3
級の障害厚生年金若しくは障害手当金を受給している場合は支給停
止されることはない。

16問30 配偶者に係る加給年金額が加算された老齢厚生年金について、そ
☐☐☐ の対象となる配偶者が繰上げ支給の老齢基礎年金の支給を受けると
H28-5A きは、当該配偶者については65歳に達したものとみなされ、加給
年金額に相当する部分が支給されなくなる。

16問31 老齢厚生年金における加給年金額の加算対象となる配偶者が、繰
☐☐☐ 上げ支給の老齢基礎年金の支給を受けるときは、当該配偶者に係る
R5-3D 加給年金額は支給が停止される。

16問32 子の加算額が加算された障害基礎年金の支給を受けている者に、
☐☐☐ 当該子に係る加給年金額が加算された老齢厚生年金が併給されるこ
H29-7B ととなった場合、当該老齢厚生年金については、当該子について加
算する額に相当する部分の支給が停止される。

16 答27 ✕　法46条 6 項、令 3 条の7,1号。設問の支給停止が行われるの
は、加給年金額対象者である配偶者の老齢厚生年金の計算の基礎と
なる被保険者期間が、原則として**240か月以上**の場合に限られる。

16 答28 ◯　法46条 6 項、令 3 条の7,1号。設問の通り正しい。

> **Point**
>
> 加給年金額が加算された老齢厚生年金については、当該加給年金額の
> 対象者である配偶者が、次に掲げる年金たる給付の支給を受けること
> ができるとき（障害を支給事由とする給付にあってはその全額につき支
> 給を停止されている場合を除く。）は、その間、当該配偶者に係る加給
> 年金額に相当する部分の支給を停止する。
> ①　老齢厚生年金（その年金額の計算の基礎となる被保険者期間の月数
> 　　が240以上であるものに限る。）
> ②　障害厚生年金
> ③　国民年金法による障害基礎年金　　　　　　　　　　等

16 答29 ✕　法46条 6 項、令 3 条の7,1号。加給年金額の加算の対象となる
配偶者が、障害等級 3 級の障害厚生年金を受給している場合も、
当該加給年金額は支給停止される。なお、障害手当金を受給する場
合は支給停止されない。

16 答30 ✕　法44条 4 項他。設問のような規定はない。加給年金額対象者
である配偶者が老齢基礎年金の支給繰上げの請求をした場合であっ
ても、65歳に達したとき等の減額改定事由に該当しない限り、引
き続き当該配偶者に係る加給年金額は加算される。

16 答31 ✕　法46条 6 項、令 3 条の 7 。老齢厚生年金の加給年金額の加算
対象となる配偶者が、繰上げ支給の老齢基礎年金の支給を受ける
ときであっても、当該配偶者に係る加給年金額の支給は停止されな
い。

16 答32 ◯　法44条 1 項ただし書。設問の通り正しい。設問の場合におい
ては、障害基礎年金の子の加算額が優先される。

16問33
□□□
H30-4エ
難

２つの被保険者の種別に係る被保険者であった期間を有する者に、一方の被保険者の種別に係る被保険者であった期間に基づく老齢厚生年金と他方の被保険者の種別に係る被保険者であった期間に基づく老齢厚生年金の受給権が発生した。当該２つの老齢厚生年金の受給権発生日が異なり、加給年金額の加算を受けることができる場合は、遅い日において受給権を取得した種別に係る老齢厚生年金においてのみ加給年金額の加算を受けることができる。

16問34
□□□
H28-5C

第１号厚生年金被保険者期間を170か月、第２号厚生年金被保険者期間を130か月有する昭和25年10月２日生まれの男性が、老齢厚生年金の受給権を65歳となった平成27年10月１日に取得した。この場合、一定の要件を満たす配偶者がいれば、第１号厚生年金被保険者期間に基づく老齢厚生年金に加給年金額が加算される。なお、この者は、障害等級３級以上の障害の状態になく、上記以外の被保険者期間を有しないものとする。

17 65歳以後の在職老齢年金（高在老）

最新問題

17問1
□□□
R6-8C

加給年金額が加算されている老齢厚生年金の受給権者であっても、在職老齢年金の仕組みにより、自身の老齢厚生年金の一部の支給が停止される場合、加給年金額は支給停止となる。

17問2
□□□
R6-9E

65歳以後の在職老齢年金の仕組みにおいて、在職中であり、被保険者である老齢厚生年金の受給権者が、66歳以降に繰下げの申出を行った場合、当該老齢厚生年金の繰下げ加算額は、在職老齢年金の仕組みによる支給停止の対象とはならない。

16答33 ✕　法78条の27、令3条の13,2項。2以上の種別の被保険者であった期間を有する者に係る老齢厚生年金について加給年金額が加算される場合は、原則として、最も早い日において受給権を取得した種別に係る老齢厚生年金について加給年金額が加算される。

16答34 ○　法44条1項、法78条の27、令3条の13,2項。設問の通り正しい。2以上の種別の被保険者であった期間を有する者に係る老齢厚生年金の額について、加給年金額の加算要件である「老齢厚生年金の額の計算の基礎となる被保険者期間の月数が240以上であること。」の判定については、その者の2以上の種別の被保険者であった期間に係る被保険者期間を合算して行う。また、加給年金額が加算される場合において、各号の厚生年金被保険者期間に基づく老齢厚生年金の受給権を取得した時期が同じであるときは、各号の厚生年金被保険者期間のうち最も長い一の期間に基づく老齢厚生年金に加給年金額が加算される。

17答1 ✕　法46条1項他。在職老齢年金の仕組みにより、老齢厚生年金の全部の支給が停止される場合、加給年金額は支給停止となる。

17答2 ○　法46条1項。設問の通り正しい。なお、支給停止基準額が老齢厚生年金の額（加給年金額、繰下げ加算額及び経過的加算額を除く。）以上であるときは、老齢厚生年金の全部（加給年金額を含み、繰下げ加算額及び経過的加算額を除く。）の支給を停止するものとする。

17 問 1
□□□
H28-7オ

昭和12年４月１日以前生まれの者が平成28年４月に適用事業所に使用されている場合、その者に支給されている老齢厚生年金は、在職老齢年金の仕組みによる支給停止が行われることはない。

17 問 2
□□□
R4-8B

在職老齢年金は、総報酬月額相当額と基本月額との合計額が支給停止調整額を超える場合、年金額の一部又は全部が支給停止される仕組みであるが、適用事業所に使用される70歳以上の者に対しては、この在職老齢年金の仕組みが適用されない。

17 問 3
□□□
R5-4イ

厚生年金保険の適用事業所で使用される70歳以上の者であっても、厚生年金保険法第12条各号に規定する適用除外に該当する者は、在職老齢年金の仕組みによる老齢厚生年金の支給停止の対象とはならない。

17 問 4
□□□
R4-8C

在職中の被保険者が65歳になり老齢基礎年金の受給権が発生した場合において、老齢基礎年金は在職老齢年金の支給停止額を計算する際に支給停止の対象とはならないが、経過的加算額については在職老齢年金の支給停止の対象となる。

17 問 5
□□□
R3-7B

在職中の老齢厚生年金の支給停止の際に用いる総報酬月額相当額とは、被保険者である日の属する月において、その者の標準報酬月額とその月以前の１年間の標準賞与額の総額を12で除して得た額とを合算して得た額のことをいい、また基本月額とは、老齢厚生年金の額(その者に加給年金額が加算されていればそれを加算した額)を12で除して得た額のことをいう。

17答1 ×　法46条1項、改正前(16)法附則41条。従来は、昭和12年4月1日以前生まれの70歳以上の者は、在職老齢年金の規定は適用しないこととしていたが、被用者年金一元化法による改正に伴い、平成27年10月1日からは、当該者についても適用されることとなった。

17答2 ×　法46条1項。70歳以上の使用される者（被保険者であった70歳以上の者であって適用事業所に使用されるものとして厚生労働省令で定める要件に該当するものをいう。）に対しても、在職老齢年金の仕組みが適用される。

17答3 ○　法27条、法46条1項、則10条の4。設問の通り正しい。在職老齢年金の仕組みの対象となる「70歳以上の使用される者」とは、被保険者であった70歳以上の者であって、適用事業所に使用され、かつ、法12条各号（適用除外）に定める者に該当しないものをいう。

17答4 ×　法46条1項、(60)法附則62条1項。老齢基礎年金及び老齢厚生年金の経過的加算額は、いずれも在職老齢年金の支給停止の対象とならない。

17答5 ×　法46条1項。基本月額とは、老齢厚生年金の額（その者に加給年金額が加算されていればその額を**除いた**額）を12で除して得た額のことをいう。

17 問6 　在職老齢年金について、支給停止額を計算する際に使用される支
□□□
R4-8E
　給停止調整額は、一定額ではなく、年度ごとに改定される場合があ
る。

17 問7 　60歳台後半の在職老齢年金の仕組みにおいて、経過的加算額及
□□□
H29-1C
　び繰下げ加算額は、支給停止される額の計算に用いる基本月額の計
算の対象に含まれる。

17 問8 　70歳以上の老齢厚生年金（基本月額150,000円）の受給権者が
□□□
H27-9B改
　適用事業所に使用され、その者の標準報酬月額に相当する額が
360,000円であり、その月以前1年間に賞与は支給されていない
場合、支給停止される月額は25,000円となる。

17 問9 　令和6年4月において、総報酬月額相当額が480,000円の66歳
□□□
H29-10D改
　の被保険者（第1号厚生年金被保険者期間のみを有し、前月以前の
月に属する日から引き続き当該被保険者の資格を有する者とする。）
が、基本月額が100,000円の老齢厚生年金を受給することができる
場合、在職老齢年金の仕組みにより月額40,000円の老齢厚生年金
が支給停止される。

17 問10 　在職老齢年金の支給停止額を計算する際に用いる総報酬月額相当
□□□
R4-8A
　額は、在職中に標準報酬月額や標準賞与額が変更されることがあっ
ても、変更されない。

⑰答6 ○　法46条3項。設問の通り正しい。なお法第46条第3項では、「支給停止調整額は、48万円とする。ただし、48万円に平成17年度以後の各年度の物価変動率に法第43条の2第1項第2号に掲げる率を乗じて得た率をそれぞれ乗じて得た額(その額に5千円未満の端数が生じたときは、これを切り捨て、5千円以上1万円未満の端数が生じたときは、これを1万円に切り上げるものとする。)が48万円(この項の規定による支給停止調整額の改定の措置が講ぜられたときは、直近の当該措置により改定した額)を超え、又は下るに至った場合においては、当該年度の4月以後の支給停止調整額を当該乗じて得た額に改定する。」と規定している。

⑰答7 ×　法46条1項、(60)法附則62条1項。経過的加算額及び繰下げ加算額は、基本月額の計算の対象に含まれない。

> **プラスα**
>
> 高在老の計算において、老齢基礎年金の額は考慮されない。

⑰答8 ×　法46条1項、改定率改定令5条。設問の支給停止される月額は、「5,000円」となる。
・総報酬月額相当額＝360,000円
・支給停止月額＝(360,000円＋150,000円－500,000円)×1/2
　　　　　　　　＝5,000円

⑰答9 ○　法46条1項、改定率改定令5条。設問の通り正しい。なお、設問の支給停止月額の計算式は次の通りである。(480,000円＋100,000円－500,000円)×1/2＝40,000円

⑰答10 ×　法46条1項。総報酬月額相当額は、在職老齢年金の支給停止額の計算の対象となる被保険者である日が属する月について、その者の標準報酬月額とその月以前の1年間の標準賞与額の総額を12で除して得た額とを合算して得た額であり、その計算の基礎となる標準報酬月額や標準賞与額が変更されれば、総報酬月額相当額も変更される。

厚年

17問11
□□□
H27-8E

在職老齢年金を受給する者の総報酬月額相当額が改定された場合は、改定が行われた月の翌月から、新たな総報酬月額相当額に基づいて支給停止額が再計算され、年金額が改定される。

18 本来の老齢厚生年金－支給の繰下げ・繰上げ

【最新問題】

18問1
□□□
R6-4ア改

老齢厚生年金の受給権を取得したときに障害厚生年金の受給権者であった者は、老齢厚生年金の支給繰下げの申出をすることができない。

※なお、老齢厚生年金の支給繰下げの申出に係るその他の条件を満たしているものとする。

18問2
□□□
R6-4イ改

老齢厚生年金の受給権を取得したときに遺族厚生年金の受給権者であった者は、老齢厚生年金の支給繰下げの申出をすることができない。

※なお、老齢厚生年金の支給繰下げの申出に係るその他の条件を満たしているものとする。

18問3
□□□
R6-4ウ改

老齢厚生年金の受給権を取得したときに老齢基礎年金の受給権者であった者は、老齢厚生年金の支給繰下げの申出をすることができない。

※なお、老齢厚生年金の支給繰下げの申出に係るその他の条件を満たしているものとする。

18問4
□□□
R6-4エ改

老齢厚生年金の受給権を取得したときに障害基礎年金の受給権者であった者は、老齢厚生年金の支給繰下げの申出をすることができない。

※なお、老齢厚生年金の支給繰下げの申出に係るその他の条件を満たしているものとする。

18問5
□□□
R6-4オ改

老齢厚生年金の受給権を取得したときに遺族基礎年金の受給権者であった者は、老齢厚生年金の支給繰下げの申出をすることができない。

※なお、老齢厚生年金の支給繰下げの申出に係るその他の条件を満たしているものとする。

⑰答11 ×　法46条5項他。総報酬月額相当額が改定された場合は、改定が行われた「月」から、新たな総報酬月額相当額に基づいて支給停止額が再計算され、年金の支給額が変更される。

⑱答1 ○　法44条の3,1項。設問の通り正しい。老齢厚生年金の受給権を取得したときに障害厚生年金の受給権者であった者は、老齢厚生年金の支給繰下げの申出をすることができない。

⑱答2 ○　法44条の3,1項。設問の通り正しい。老齢厚生年金の受給権を取得したときに遺族厚生年金の受給権者であった者は、老齢厚生年金の支給繰下げの申出をすることができない。

⑱答3 ×　法44条の3,1項。老齢厚生年金の受給権を取得したときに老齢基礎年金の受給権者であった者は、その他の条件を満たしていれば、老齢厚生年金の支給繰下げの申出をすることができる。

⑱答4 ×　法44条の3,1項。老齢厚生年金の受給権を取得したときに障害基礎年金の受給権者であった者は、その他の条件を満たしていれば、老齢厚生年金の支給繰下げの申出をすることができる。

⑱答5 ○　法44条の3,1項。設問の通り正しい。老齢厚生年金の受給権を取得したときに遺族基礎年金の受給権者であった者は、老齢厚生年金の支給繰下げの申出をすることができない。

18 問 1
□□□
H28-4B

60歳から受給することのできる特別支給の老齢厚生年金については、支給を繰り下げることができない。

18 問 2
□□□
R5-6D

報酬比例部分のみの特別支給の老齢厚生年金の受給権を有する者であって、受給権を取得した日から起算して1年を経過した日前に当該老齢厚生年金を請求していなかった場合は、当該老齢厚生年金の支給繰下げの申出をすることができる。

18 問 3
□□□
H28-4C

障害基礎年金の受給権者が65歳になり老齢厚生年金の受給権を取得したものの、その受給権を取得した日から起算して1年を経過した日前に当該老齢厚生年金を請求していなかった場合、その者は、老齢厚生年金の支給繰下げの申出を行うことができる。なお、その者は障害基礎年金、老齢基礎年金及び老齢厚生年金以外の年金の受給権者となったことがないものとする。

18 問 4
□□□
H28-4D

老齢厚生年金の支給の繰下げの請求があったときは、その請求があった日の属する月から、その者に老齢厚生年金が支給される。

18 問 5
□□□
R4-5C

68歳0か月で老齢厚生年金の支給繰下げの申出を行った者に対する老齢厚生年金の支給は、当該申出を行った月の翌月から開始される。

18 問 6
□□□
R5-9C

65歳到達時に老齢厚生年金の受給権が発生していた者が、72歳のときに老齢厚生年金の裁定請求をし、かつ、請求時に繰下げの申出をしない場合には、72歳から遡って5年分の年金給付が一括支給されることになるが、支給される年金には繰下げ加算額は加算されない。

18答1 ○　法44条の3、法附則8条他。設問の通り正しい。

18答2 ×　法44条の3他。特別支給の老齢厚生年金について、支給繰下げの規定はない。

18答3 ○　法44条の3,1項。設問の通り正しい。なお、老齢厚生年金の受給権を取得したときに、**他の年金たる給付**〔他の年金たる保険給付又は国民年金法による年金たる給付(**老齢基礎年金**及び**付加年金**並びに**障害基礎年金を除く。**)をいう。以下同じ。〕**の受給権者であったとき**、又は当該老齢厚生年金の受給権を取得した日から1年を経過した日までの間において**他の年金たる給付の受給権者**となった**ときは**、当該老齢厚生年金の支給繰下げの申出をすることができない。

18答4 ×　法42条、法44条の3、法附則7条の3,3項。法42条の要件を満たしたときに老齢厚生年金は支給される(受給権が発生する)。繰上げ支給の老齢厚生年金と異なり、繰下げの請求(申出)により老齢厚生年金が支給される(受給権が発生する)ものではない。なお、繰下げ支給の老齢厚生年金の支給は、繰下げの申出のあった月の翌月から始めるものとされている。

18答5 ○　法44条の3,3項。設問の通り正しい。老齢厚生年金の支給繰下げの申出をした者に対する老齢厚生年金の支給は、法第36条第1項の規定にかかわらず、当該申出のあった月の翌月から始めるものとされている。

18答6 ×　法44条の3,5項。設問の場合、裁定請求をした日の**5年前の日**に支給繰下げの申出があったものとみなされるため、支給される老齢厚生年金には繰下げ加算額が加算される。

18問7
□□□
R3-9E

昭和28年4月10日生まれの女性は、65歳から老齢基礎年金を受給し、老齢厚生年金は繰下げし70歳から受給する予定でいたが、配偶者が死亡したことにより、女性が68歳の時に遺族厚生年金の受給権を取得した。この場合、68歳で老齢厚生年金の繰下げの申出をせずに、65歳に老齢厚生年金を請求したものとして遡って老齢厚生年金を受給することができる。また、遺族厚生年金の受給権を取得してからは、その老齢厚生年金の年金額と遺族厚生年金の年金額を比較して遺族厚生年金の年金額が高ければ、その差額分を遺族厚生年金として受給することができる。

18問8
□□□
R4-5E

令和4年4月以降、老齢厚生年金の支給繰下げの申出を行うことができる年齢の上限が70歳から75歳に引き上げられた。ただし、その対象は、同年3月31日時点で、70歳未満の者あるいは老齢厚生年金の受給権発生日が平成29年4月1日以降の者に限られる。

18問9
□□□
H30-10B

第1号厚生年金被保険者期間と第2号厚生年金被保険者期間を有する者に係る老齢厚生年金について、支給繰下げの申出を行う場合、第1号厚生年金被保険者期間に基づく老齢厚生年金の申出と、第2号厚生年金被保険者期間に基づく老齢厚生年金の申出を同時に行わなければならない。

18問10
□□□
R4-9D

2つの種別の厚生年金保険の被保険者期間を有する者が、老齢厚生年金の支給繰下げの申出を行う場合、両種別の被保険者期間に基づく老齢厚生年金の繰下げについて、申出は同時に行わなければならない。

18問11
□□□
R4-5D

老齢厚生年金の支給繰下げの申出を行った場合でも、経過的加算として老齢厚生年金に加算された部分は、当該老齢厚生年金の支給繰下げの申出に応じた増額の対象とはならない。

18問12
□□□
R5-9B

老齢厚生年金の支給繰下げの申出をした者に支給する繰下げ加算額は、老齢厚生年金の受給権を取得した日の属する月までの被保険者期間を基礎として計算した老齢厚生年金の額と在職老齢年金の仕組みによりその支給を停止するものとされた額を勘案して、政令で定める額とする。

⑱答7 ○　法36条1項、法38条1項、法44条の3,1項、2項、法64条の2、法附則17条。設問の通り正しい。設問の者は次の①又は②のいずれかを選択することができる。

①　老齢厚生年金の支給繰下げの申出をし、遺族厚生年金の受給権を取得した月の翌月分から繰り下げた老齢厚生年金の支給を受ける。

②　支給繰下げの申出をせずに通常の裁定請求をし、65歳に達した月の翌月分から通常の老齢厚生年金の支給を受ける。

⑱答8 ○　（令和2）法附則8条。設問の通り正しい。設問の改正後の規定は、施行日の前日（令和4年3月31日）において、老齢厚生年金の受給権を取得した日から起算して5年を経過していない者について適用される。

⑱答9 ○　法78条の28。設問の通り正しい。

⑱答10 ○　法78条の28。設問の通り正しい。

⑱答11 ×　令3条の5の2,1項。経過的加算として老齢厚生年金に加算された部分は、当該老齢厚生年金の支給繰下げの申出に応じた増額の対象となる。

⑱答12 ×　法44条の3,4項。繰下げ加算額は、老齢厚生年金の受給権を取得した日の属する月の**前月**までの被保険者期間を基礎として計算した老齢厚生年金の額と在職老齢年金の仕組みによりその支給を停止するものとされた額を勘案して政令で定める額とする。

18問13
□□□
H27-8A

老齢厚生年金の支給繰上げの請求は、老齢基礎年金の支給繰上げの請求と同時に行わなければならない。

18問14
□□□
R4-5A

老齢厚生年金の支給繰上げの請求は、老齢基礎年金の支給繰上げの請求を行うことができる者にあっては、その請求を同時に行わなければならない。

18問15
□□□
R4-5B

昭和38年4月1日生まれの男性が老齢厚生年金の支給繰上げの請求を行い、60歳0か月から老齢厚生年金の受給を開始する場合、その者に支給する老齢厚生年金の額の計算に用いる減額率は24パーセントとなる。

18問16
□□□
H30-4オ

繰上げ支給の老齢厚生年金を受給している者であって、当該繰上げの請求があった日以後の被保険者期間を有する者が65歳に達したときは、その者が65歳に達した日の属する月前における被保険者であった期間を当該老齢厚生年金の額の計算の基礎とするものとし、65歳に達した日の属する月の翌月から、年金の額を改定する。

19 特別支給の老齢厚生年金－支給要件及び失権

最新問題

19問1
□□□
R6-9A

2以上の種別の被保険者であった期間を有する者の場合、厚生年金保険法附則第8条の規定により支給される特別支給の老齢厚生年金の支給要件のうち「1年以上の被保険者期間を有すること」については、その者の2以上の種別の被保険者であった期間に係る被保険者期間を合算することはできない。

⑱答13 ○　法附則７条の3,2項他。設問の通り正しい。

　老齢厚生年金の支給繰下げの申出と老齢基礎年金の支給繰下げの申出は、同時に行う必要はない。

⑱答14 ○　法附則７条の3,2項他。設問の通り正しい。

⑱答15 ○　法附則７条の3,4項、令６条の３、(令和３)令附則６条。設問の通り正しい。
　　　　※　0.4％×60月＝24％

⑱答16 ○　法附則７条の3,5項。設問の通り正しい。

　在職定時改定及び退職改定の規定については、特別支給の老齢厚生年金が支給されない世代に係る繰上げ支給の老齢厚生年金の受給権者にあっては、65歳に達しているものに限り適用される。つまり、65歳に達するまでの間は、在職定時改定は行われず、また、退職した場合であっても退職改定は行われない。

⑲答1 ×　法附則20条１項。２以上の種別の被保険者であった期間を有する者に係る特別支給の老齢厚生年金の支給要件のうち、「１年以上の被保険者期間を有すること」については、その者の２以上の種別の被保険者であった期間に係る被保険者期間を合算する。

19問1
□□□
R元-1D

老齢基礎年金の受給資格期間を満たしている場合であっても、1年以上の厚生年金保険の被保険者期間を有していない場合には、特別支給の老齢厚生年金の受給権は生じない。

19問2
□□□
H28-7ウ

国民年金の第1号被保険者としての保険料納付済期間が25年ある昭和31年4月2日生まれの女性が、60歳となった時点で第1号厚生年金被保険者期間を8か月及び第4号厚生年金被保険者期間を10か月有していた場合であっても、それぞれの種別の厚生年金保険の被保険者期間が1年以上ないため、60歳から特別支給の老齢厚生年金を受給することはできない。

19問3
□□□
R2-10イ

老齢基礎年金の受給資格期間を満たしている60歳以上65歳未満の者であって、特別支給の老齢厚生年金の生年月日に係る要件を満たす者が、特別支給の老齢厚生年金の受給開始年齢に到達した日において第1号厚生年金被保険者期間が9か月しかなかったため特別支給の老齢厚生年金を受給することができなかった。この者が、特別支給の老齢厚生年金の受給開始年齢到達後に第3号厚生年金被保険者の資格を取得し、当該第3号厚生年金被保険者期間が3か月になった場合は、特別支給の老齢厚生年金を受給することができる。なお、この者は上記期間以外に被保険者期間はないものとする。

19問4
□□□
R元-1A
難

昭和36年4月2日以後生まれの男性である第1号厚生年金被保険者(坑内員たる被保険者であった期間及び船員たる被保険者であった期間を有しないものとする。)は特別支給の老齢厚生年金の支給対象にはならないが、所定の要件を満たす特定警察職員等は昭和36年4月2日以後生まれであっても昭和42年4月1日以前生まれであれば、男女を問わず特別支給の老齢厚生年金の支給対象になる。

⑲答1 ○ 法附則8条。設問の通り正しい。

> 本来支給の老齢厚生年金は、被保険者期間を（1月以上）有する者が、次のいずれにも該当するに至ったときに、その者に支給する。
> ① 65歳以上であること。
> ② 老齢基礎年金の受給資格期間を満たしていること。

⑲答2 × 法附則8条、法附則8条の2,1項、法附則20条1項。2以上の種別の被保険者であった期間を有する者について、特別支給の老齢厚生年金の支給要件である「1年以上の被保険者期間を有すること。」の判定については、その者の2以上の種別の被保険者であった期間に係る被保険者期間を合算して行う。したがって、設問の女性は、18か月の厚生年金保険の被保険者期間を有し、かつ、受給資格期間を満たしていることから、60歳から第1号厚生年金被保険者期間に基づく特別支給の老齢厚生年金を受給することができる。

⑲答3 ○ 法附則8条、法附則20条。設問の通り正しい。

> **Point**
> 2以上の種別の被保険者であった期間を有する者について、特別支給の老齢厚生年金の支給要件である「1年以上の被保険者期間を有すること。」の判定については、その者の2以上の種別の被保険者であった期間に係る被保険者期間を合算して行う。

⑲答4 ○ 法附則8条の2,4項。設問の通り正しい。

厚年

⑲問5
□□□
H28-7エ

第１号厚生年金被保険者期間を30年と第２号厚生年金被保険者期間を14年有する昭和29年10月２日生まれの現に被保険者でない男性は、両種別を合わせた被保険者期間が44年以上であることにより、61歳から定額部分も含めた特別支給の老齢厚生年金を受給することができる。

⑲問6
□□□
R3-9B

昭和33年４月10日生まれの男性は、第１号厚生年金被保険者として４年、第２号厚生年金被保険者として40年加入してきた（これらの期間以外被保険者期間は有していないものとする。）。当該男性は、厚生年金保険の被保険者でなければ、63歳から定額部分と報酬比例部分の特別支給の老齢厚生年金が支給される。

⑲問7
□□□
H30-2ウ

特別支給の老齢厚生年金の受給権者（第１号厚生年金被保険者期間のみを有する者とする。）が65歳に達し、65歳から支給される老齢厚生年金の裁定を受けようとする場合は、新たに老齢厚生年金に係る裁定の請求書を日本年金機構に提出しなければならない。

20 特別支給の老齢厚生年金－支給開始年齢

最新問題

⑳問1
□□□
R6-9C

第１号厚生年金被保険者として在職中である者が、報酬比例部分のみの特別支給の老齢厚生年金の受給権を取得したとき、第１号厚生年金被保険者としての期間が44年以上である場合は、老齢厚生年金の額の計算に係る特例の適用となり、その者の特別支給の老齢厚生年金に定額部分が加算される。

⑲答5 ✕ 法附則8条の2,1項、法附則20条2項。いわゆる長期加入者の老齢厚生年金の支給要件である「被保険者期間が44年以上であること。」の判定については、2以上の種別の被保険者であった期間に係る被保険者期間を合算せず、各号の厚生年金被保険者期間ごとに行う。したがって、設問の場合には、長期加入者の老齢厚生年金の支給要件を満たさない。

⑲答6 ✕ 法附則8条の2,1項、法附則9条の3,1項、法附則20条2項。2以上の種別の被保険者であった期間を有する者に係る老齢厚生年金について、いわゆる長期加入者の特例の要件である「被保険者期間が44年以上であること。」の判定に当たっては、2以上の種別の被保険者であった期間に係る被保険者期間を合算せず、各号の厚生年金被保険者期間ごとに行う。

⑲答7 ◯ 則30条の2,1項。設問の通り正しい。

⑳答1 ✕ 法附則9条の3,1項。報酬比例部分のみの特別支給の老齢厚生年金の受給権者が、その権利を取得した当時、被保険者でなく、かつ、その者の被保険者期間が44年以上であるときは、老齢厚生年金の額の計算に係る特例の適用となる。設問の者は、第1号厚生年金被保険者として在職中であるため、当該特例の適用とならない。

⑳問1
□□□
H29-10B

　昭和29年4月1日生まれの女性(障害の状態になく、第1号厚生年金被保険者期間を120月、国民年金の第1号被保険者としての保険料納付済期間を180月有するものとする。)が、特別支給の老齢厚生年金における報酬比例部分を受給することができるのは60歳からであり、また、定額部分を受給することができるのは64歳からである。なお、支給繰上げの請求はしないものとする。

⑳問2
□□□
R3-3C

　厚生年金保険法附則第8条の2に定める「特例による老齢厚生年金の支給開始年齢の特例」の規定によると、昭和35年8月22日生まれの第1号厚生年金被保険者期間のみを有する女子と、同日生まれの第1号厚生年金被保険者期間のみを有する男子とでは、特別支給の老齢厚生年金の支給開始年齢が異なる。なお、いずれの場合も、坑内員たる被保険者であった期間及び船員たる被保険者であった期間を有しないものとする。

⑳問3
□□□
R3-3D

　厚生年金保険法附則第8条の2に定める「特例による老齢厚生年金の支給開始年齢の特例」の規定によると、昭和35年8月22日生まれの第4号厚生年金被保険者期間のみを有する女子と、同日生まれの第4号厚生年金被保険者期間のみを有する男子とでは、特別支給の老齢厚生年金の支給開始年齢は同じである。

⑳問4
□□□
R3-9A

　昭和35年4月10日生まれの女性は、第1号厚生年金被保険者として5年、第2号厚生年金被保険者として35年加入してきた(これらの期間以外被保険者期間は有していないものとする。)。当該女性は、62歳から第1号厚生年金被保険者期間としての報酬比例部分の特別支給の老齢厚生年金が支給され、64歳からは、第2号厚生年金被保険者期間としての報酬比例部分の特別支給の老齢厚生年金についても支給される。

⑳答1 ○ 法附則8条、(6)法附則20条1項、2項、4項。設問の通り正しい。

⑳答2 ○ 法附則8条の2,1項、2項。設問の通り正しい。

> **Point**
>
> **特別支給の老齢厚生年金の支給開始年齢**
>
> | 生年月日 | | 支給開始年齢 | |
> | --- | --- | --- | --- |
> | 男子・第2号～第4号女子[※1] | 第1号女子[※2] | 定額部分 | 報酬比例部分 |
> | S24.4.2 ～ S28.4.1 | S29.4.2 ～ S33.4.1 | | 60歳 |
> | S28.4.2 ～ S30.4.1 | S33.4.2 ～ S35.4.1 | | 61歳 |
> | S30.4.2 ～ S32.4.1 | S35.4.2 ～ S37.4.1 | | 62歳 |
> | S32.4.2 ～ S34.4.1 | S37.4.2 ～ S39.4.1 | | 63歳 |
> | S34.4.2 ～ S36.4.1 | S39.4.2 ～ S41.4.1 | | 64歳 |
>
> ※1 第2号～第4号厚生年金被保険者であり、又は第2号～第4号厚生年金被保険者期間を有する女子
>
> ※2 第1号厚生年金被保険者であり、又は第1号厚生年金被保険者期間を有する女子

⑳答3 ○ 法附則8条の2,1項。設問の通り正しい。**⑳答2**の **Point** 参照。

⑳答4 ○ 法附則8条の2,1項、2項。設問の通り正しい。**⑳答2**の **Point** 参照。

20問5
☐☐☐
R5-6A

第2号厚生年金被保険者期間のみを有する昭和36年1月1日生まれの女性で、特別支給の老齢厚生年金の受給資格要件を満たす場合、報酬比例部分の支給開始年齢は64歳である。

20問6
☐☐☐
R5-6E

報酬比例部分のみの特別支給の老齢厚生年金の受給権を有する者が、被保険者でなく、かつ、障害の状態にあるときは、老齢厚生年金の額の計算に係る特例の適用を請求することができる。ただし、ここでいう障害の状態は、厚生年金保険の障害等級1級又は2級に該当する程度の障害の状態に限定される。

20問7
☐☐☐
R元-10イ

船員たる被保険者であった期間が15年以上あり、特別支給の老齢厚生年金を受給することができる者であって、その者が昭和35年4月2日生まれである場合には、60歳から定額部分と報酬比例部分を受給することができる。

21 特別支給の老齢厚生年金－年金額

【過去問】

21問1
☐☐☐
R4-6D

報酬比例部分のみの特別支給の老齢厚生年金の年金額には、加給年金額は加算されない。また、本来支給の老齢厚生年金の支給を繰り上げた場合でも、受給権者が65歳に達するまで加給年金額は加算されない。

22 失業等給付との調整

【最新問題】

22問1
☐☐☐
R6-9D

65歳以上の被保険者で老齢厚生年金の受給権者が離職し、雇用保険法に基づく高年齢求職者給付金を受給した場合は、当該高年齢求職者給付金に一定の率を乗じて得た額に相当する部分の老齢厚生年金の支給が停止される。

⑳答5 〇　法附則8条の2,1項。設問の通り正しい。**⑳答2**の **Point** 参照。

⑳答6 ×　法附則9条の2,1項。設問の障害の状態は、**障害等級1級、2級又は3級**に該当する程度の障害の状態とされる。

⑳答7 ×　法附則8条の2,3項、法附則9条の4,1項。設問の場合には、**62歳**から定額部分と報酬比例部分を受給することができる。

㉑答1 〇　法附則7条の3,6項、法附則9条。設問の通り正しい。

㉒答1 ×　法附則7条の4、法附則11条の5他。老齢厚生年金の受給権者が、雇用保険法の規定による高年齢求職者給付金の支給を受けた場合であっても、当該老齢厚生年金の支給は停止されない。なお、老齢厚生年金と雇用保険法に基づく給付の調整は、特別支給の老齢厚生年金（又は65歳未満の者に対する繰上げ支給の老齢厚生年金）と基本手当又は高年齢雇用継続給付との間で行われる。

厚年

㉒問1
□□□
H29-10C

特別支給の老齢厚生年金は、その受給権者が雇用保険法の規定による基本手当の受給資格を有する場合であっても、当該受給権者が同法の規定による求職の申込みをしないときは、基本手当との調整の仕組みによる支給停止は行われない。

㉒問2
□□□
R3-8B

60歳台前半の老齢厚生年金の受給権者が同時に雇用保険法に基づく基本手当を受給することができるとき、当該老齢厚生年金は支給停止されるが、同法第33条第1項に規定されている正当な理由がなく自己の都合によって退職した場合などの離職理由による給付制限により基本手当を支給しないとされる期間を含めて支給停止される。

㉒問3
□□□
H30-9E

雇用保険法に基づく基本手当と60歳台前半の老齢厚生年金の調整は、当該老齢厚生年金の受給権者が、管轄公共職業安定所への求職の申込みを行うと、当該求職の申込みがあった月の翌月から当該老齢厚生年金が支給停止されるが、当該基本手当の受給期間中に失業の認定を受けなかったことにより、1日も当該基本手当の支給を受けなかった月が1か月あった場合は、受給期間経過後又は受給資格に係る所定給付日数分の当該基本手当の支給を受け終わった後に、事後精算の仕組みによって直近の1か月について当該老齢厚生年金の支給停止が解除される。

22答1 ○ 法附則7条の4,1項、法附則11条の5。設問の通り正しい。なお、特別支給の老齢厚生年金の受給権者であって雇用保険法の規定による基本手当の受給資格を有する者が、求職の申込みをしたときは、当該求職の申込みがあった月の翌月から基本手当の受給期間が経過するに至った月等までの各月において、当該老齢厚生年金の支給を停止する。

22答2 × 法附則7条の4,1項、2項、3項、法附則11の5、則34条の3,1項、令6条の4,1項。60歳台前半の老齢厚生年金の受給権者が雇用保険法の規定による求職の申込みをしたときは、当該求職の申込みがあった月の翌月から、当該老齢厚生年金は、支給停止される。ただし、当該求職の申込みがあった月の翌月以降の各月について、基本手当の支給を受けた日とみなされる日(実際に失業の認定を受けた基本手当の支給に係る日ではなく、失業認定日の直前にこの「失業の認定を受けた基本手当の支給に係る日」が連続しているものとみなされた日)がないときや、在職老齢年金の仕組みにより、老齢厚生年金の全部又は一部の支給が停止されているときは、その月の分の老齢厚生年金については、支給停止されない。また、基本手当の受給期間が経過した後等に行われる事後精算の仕組みにより、直近の各月について、老齢厚生年金の支給停止が行われなかったものとみなされる場合がある。

22答3 × 法附則7条の4,1項、2項1号、3項、法附則11条の5、則34条の3。1日も基本手当の支給を受けなかった月(厳密には、基本手当の支給を受けた日とみなされる日がなかった月)が1か月あった場合は、その月の分の老齢厚生年金については、支給停止の調整は行わないこととされている。

㉒問 4
□□□
H27-3ウ

60歳台前半において、障害等級2級の障害基礎年金及び障害厚生年金の受給権者が雇用保険の基本手当を受けることができるときは、障害厚生年金のみが支給停止の対象とされる。

㉒問 5
□□□
H27-3オ

特別支給の老齢厚生年金の受給権者が雇用保険の求職の申込みをしたときは、当該求職の申込みがあった月から当該受給資格に係る所定給付日数に相当する日数分の基本手当を受け終わった月(雇用保険法第28条第1項に規定する延長給付を受ける者にあっては、当該延長給付が終わった月。)又は当該受給資格に係る受給期間が経過した月までの各月において、当該老齢厚生年金の支給を停止する。

㉒問 6
□□□
H27-3ク

雇用保険の基本手当との調整により老齢厚生年金の支給が停止された者について、当該老齢厚生年金に係る調整対象期間が終了するに至った場合、調整対象期間の各月のうち年金停止月の数から基本手当の支給を受けた日とみなされる日の数を30で除して得た数(1未満の端数が生じたときは、これを1に切り上げるものとする。)を控除して得た数が1以上であるときは、年金停止月のうち、当該控除して得た数に相当する月数分の直近の各月については、雇用保険の基本手当との調整による老齢厚生年金の支給停止が行われなかったものとみなす。

㉒問 7
□□□
H27-3エ

特別支給の老齢厚生年金の受給権者が、雇用保険の基本手当を受けた後、再就職して厚生年金保険の被保険者になり、雇用保険の高年齢再就職給付金を受けることができる場合、その者の老齢厚生年金は、在職老齢年金の仕組みにより支給停止を行い、さらに高年齢再就職給付金との調整により標準報酬月額を基準とする一定の額が支給停止される。なお、標準報酬月額は賃金月額の75%相当額未満であり、かつ、高年齢雇用継続給付の支給限度額未満であるものとする。また、老齢厚生年金の全額が支給停止される場合を考慮する必要はない。

答4 × 法附則7条の4、法附則11条の5。設問の場合、障害基礎年金及び障害厚生年金のいずれについても支給停止の対象とはされない。

 障害基礎年金及び障害厚生年金と雇用保険の基本手当との間で、調整は行われない。

答5 × 法附則7条の4,1項、法附則11条の5。特別支給の老齢厚生年金の受給権者が雇用保険の求職の申込みをしたときは、当該求職の申込みがあった月の「翌月」から、当該老齢厚生年金の支給を停止する。

答6 ○ 法附則7条の4,3項、法附則11条の5。設問の通り正しい。いわゆる事後精算の仕組みについての記述である。

 事後精算により支給停止が行われなかったものとみなされた各月については、老齢厚生年金が遡って支給されることになる。

答7 ○ 法附則11条の6,6項、8項。設問の通り正しい。

 雇用保険法の規定による高年齢雇用継続給付との調整においては、高年齢雇用継続給付は調整されずに支給され、老齢厚生年金が、在職老齢年金の仕組みによる支給停止額に加え、標準報酬月額に所定の率を乗じて得た額に相当する額が支給停止される。

厚年

㉒問8
□□□
H27-3オ
　60歳台後半の老齢厚生年金の受給権者が、雇用保険の高年齢求職者給付金を受給した場合、当該高年齢求職者給付金の支給額に一定の割合を乗じて得た額に達するまで老齢厚生年金が支給停止される。

㉒問9
□□□
H30-4ア
　在職老齢年金の仕組みにより支給停止が行われている特別支給の老齢厚生年金の受給権を有している63歳の者が、雇用保険法に基づく高年齢雇用継続基本給付金を受給した場合、当該高年齢雇用継続基本給付金の受給期間中は、当該特別支給の老齢厚生年金には、在職による支給停止基準額に加えて、最大で当該受給権者に係る標準報酬月額の10％相当額が支給停止される。

㉒問10
□□□
R元-9C
　老齢厚生年金と雇用保険法に基づく給付の調整は、特別支給の老齢厚生年金又は繰上げ支給の老齢厚生年金と基本手当又は高年齢求職者給付金との間で行われ、高年齢雇用継続給付との調整は行われない。

㉒問11
□□□
R4-8D
　60歳以降も在職している被保険者が、60歳台前半の老齢厚生年金の受給権者であって被保険者である場合で、雇用保険法に基づく高年齢雇用継続基本給付金の支給を受けることができるときは、その間、60歳台前半の老齢厚生年金は全額支給停止となる。

㉒問12
□□□
R5-6C
　特別支給の老齢厚生年金については、雇用保険法による高年齢雇用継続給付との併給調整が行われる。ただし、在職老齢年金の仕組みにより、老齢厚生年金の全部又は一部が支給停止されている場合は、高年齢雇用継続給付との併給調整は行われない。

22答8 × 　法附則7条の4、法附則11条の5、法附則11条の6。60歳台後半の老齢厚生年金の受給権者が雇用保険の高年齢求職者給付金を受給しても、設問のような老齢厚生年金の支給停止は行われない。

22答9 × 　法附則11条の6,1項他。高年齢雇用継続基本給付金との調整により支給停止される特別支給の老齢厚生年金の額は、最大で、当該受給権者に係る標準報酬月額の **4％**相当額である。

22答10 × 　法附則7条の4,1項、法附則7条の5,1項、法附則11条の5、法附則11条の6,1項他。老齢厚生年金と雇用保険法に基づく給付の調整は、特別支給の老齢厚生年金又は繰上げ支給の老齢厚生年金と基本手当又は高年齢雇用継続給付との間で行われ、高年齢求職者給付金との調整は行われない。

22答11 × 　法附則11条の6,1項他。60歳台前半の老齢厚生年金の受給権者である被保険者が、雇用保険法に基づく高年齢雇用継続基本給付金の支給を受けることができるときは、その間、在職老齢年金の仕組みによる支給停止額に加え、原則として、標準報酬月額に所定の率を乗じて得た額に相当する額が支給停止される。

22答12 × 　法附則11条の6,1項他。特別支給の老齢厚生年金について、在職老齢年金の仕組みによる支給停止の調整が行われる場合であっても、高年齢雇用継続給付との併給調整は行われる。

23 繰上げ支給の老齢基礎年金との調整

23 問 1
□□□
H29-7C
　被保険者期間の月数を12月以上有する昭和31年4月2日生まれの男性が老齢厚生年金の支給繰上げの請求をした場合、その者に支給する老齢厚生年金の額の計算に用いる減額率は、請求日の属する月から62歳に達する日の属する月の前月までの月数に一定率を乗じて得た率である。なお、本問の男性は、第1号厚生年金被保険者期間のみを有し、かつ、坑内員たる被保険者であった期間及び船員たる被保険者であった期間を有しないものとする。

23 問 2
□□□
H28-4E
　特別支給の老齢厚生年金の報酬比例部分の支給開始年齢が61歳である昭和29年4月2日生まれの男性が60歳に達した日の属する月の翌月からいわゆる全部繰上げの老齢厚生年金を受給し、かつ60歳から62歳まで継続して第1号厚生年金被保険者であった場合、その者が61歳に達したときは、61歳に達した日の属する月前における被保険者であった期間を当該老齢厚生年金の額の計算の基礎とし、61歳に達した日の属する月の翌月から年金額が改定される。

24 障害厚生年金－支給要件等

24 問 1
□□□
R6-107
　厚生年金保険の被保険者であった18歳のときに初診日のある傷病について、その障害認定日において障害等級3級の障害の状態にある場合にその者が20歳未満のときは、障害厚生年金の受給権は20歳に達したときに発生する。

24 問 2
□□□
R6-6E
　厚生年金保険法第47条の2に規定される事後重症による障害厚生年金は、その支給が決定した場合、請求者が障害等級に該当する障害の状態に至ったと推定される日の属する月の翌月まで遡って支給される。

㉓答1　○　法附則8条の2,1項、法附則13条の4,1項、4項、令8条の2の3,1項カッコ書。設問の通り正しい。

㉓答2　○　法附則8条の2,1項、法附則13条の4,5項。設問の通り正しい。特例による支給繰上げの請求日以後の被保険者期間を有する者が特例支給開始年齢（設問の場合61歳）に達したときは、特例支給開始年齢に達した日の属する月前における被保険者であった期間を年金額の計算の基礎とするものとし、**特例支給開始年齢に達した日の属する月の翌月**から、年金額が改定される。

㉔答1　×　法47条。設問の場合、障害厚生年金の受給権は、障害認定日に発生する。

㉔答2　×　法36条1項、法47条の2。事後重症による障害厚生年金は、その支給を請求した日に受給権が発生し、受給権が発生した日の属する月の翌月からその支給が始まる。

24問1
□□□
R2-4B

71歳の高齢任意加入被保険者が障害認定日において障害等級3級に該当する障害の状態になった場合は、当該高齢任意加入被保険者期間中に当該障害に係る傷病の初診日があり、初診日の前日において保険料の納付要件を満たしているときであっても、障害厚生年金は支給されない。

24問2
□□□
R2-4E

厚生年金保険の被保険者であった者が資格を喪失して国民年金の第1号被保険者の資格を取得したが、その後再び厚生年金保険の被保険者の資格を取得した。国民年金の第1号被保険者であった時に初診日がある傷病について、再び厚生年金保険の被保険者となってから障害等級3級に該当する障害の状態になった場合、保険料納付要件を満たしていれば当該被保険者は障害厚生年金を受給することができる。

24問3
□□□
H28-10C

「精神又は神経系統に、労働が著しい制限を受けるか、又は労働に著しい制限を加えることを必要とする程度の障害を残すもの」は、厚生年金保険の障害等級3級の状態に該当する。

24問4
□□□
H29-7D

いわゆる事後重症による障害厚生年金について、障害認定日に障害等級に該当しなかった者が障害認定日後65歳に達する日の前日までに当該傷病により障害等級3級に該当する程度の障害の状態となり、初診日の前日において保険料納付要件を満たしている場合は、65歳に達した日以後であっても障害厚生年金の支給を請求できる。

24問5
□□□
R元-3A

傷病に係る初診日に厚生年金保険の被保険者であった者であって、かつ、当該初診日の属する月の前々月までに、国民年金の被保険者期間を有しない者が、障害認定日において障害等級に該当する程度の障害の状態になかったが、障害認定日後から65歳に達する日までの間に、その傷病により障害等級に該当する程度の障害の状態に該当するに至った場合、その期間内に、障害厚生年金の支給を請求することができる。

24答 1 ✕ 法47条。設問の場合、初診日要件、障害認定日における障害の程度要件及び原則的な保険料納付要件を満たしているため、障害厚生年金は支給される。なお、特例による保険料納付要件は、初診日において65歳以上の者には適用されない。

24答 2 ✕ 法47条。初診日において厚生年金保険の被保険者でない者に障害厚生年金が支給されることはない。

24答 3 ○ 令別表第1,13号。設問の通り正しい。

> **Point** 精神の障害も障害厚生年金の対象となる。1級、2級の障害状態については、国民年金法施行令に、3級の障害の状態については、厚生年金保険法施行令にそれぞれ定められている。

24答 4 ✕ 法47条の2,1項。いわゆる事後重症による障害厚生年金については、65歳に達した日以後にその支給を請求することはできない。

24答 5 ✕ 法47条1項ただし書、法47条の2,1項、2項。いわゆる事後重症による障害厚生年金は、障害認定日後から「65歳に達する日の前日」までの間において、障害等級に該当する程度の障害の状態に該当するに至った場合に、その期間内に請求することができることとされている。

> プラスα 保険料納付要件は、初診日の属する月の前々月に国民年金の被保険者期間がある場合に問われることとされている。したがって、設問のように初診日の属する月の前々月に被保険者期間がない場合には、保険料納付要件は問われない。

24問6　傷病に係る初診日に厚生年金保険の被保険者であった者が、障害
□□□　認定日において障害等級に該当する程度の障害の状態にならなかった
R元-3B　が、その後64歳のときにその傷病により障害等級に該当する程度
の障害の状態に該当するに至った場合、その者が支給繰上げの老齢
厚生年金の受給権者であるときは、障害厚生年金の支給を請求する
ことはできない。

24問7　厚生年金保険法第47条の３に規定するいわゆる基準障害による
□□□　障害厚生年金を受給するためには、基準傷病の初診日が、基準傷病
H29-3I　以外の傷病(基準傷病以外の傷病が２以上ある場合は、基準傷病以
外の全ての傷病)に係る初診日以降でなければならない。

24問8　厚生年金保険法第47条の３第１項に規定する基準障害と他の障
□□□　害とを併合した障害の程度による障害厚生年金の支給は、当該障害
R3-47　厚生年金の請求があった月の翌月から始まる。

25 障害厚生年金－併合認定

過去問

25問1　障害等級３級の障害厚生年金の受給権者(受給権を取得した当時
□□□　から引き続き障害等級１級又は２級に該当したことはなかったも
H27-4C　のとする。)について、更に障害等級２級に該当する障害厚生年金
を支給すべき事由が生じたときは、前後の障害を併合した障害の程
度による障害厚生年金が支給され、従前の障害厚生年金の受給権は
消滅する。

25問2　障害厚生年金の受給権を取得した当時は障害等級２級に該当し
□□□　たが、現在は障害等級３級である受給権者に対して、新たに障害
H29-5D　等級２級の障害厚生年金を支給すべき事由が生じたときは、前後
の障害を併合した障害の程度による障害厚生年金を支給すること
とし、従前の障害厚生年金の受給権は消滅する。

㉔答6 ○　法附則16条の3,1項。設問の通り正しい。支給繰上げの老齢厚生年金の受給権者は、いわゆる事後重症による障害厚生年金の支給を請求することはできない。

㉔答7 ○　法47条の3,1項カッコ書。設問の通り正しい。

㉔答8 ○　法47条の3,3項。設問の通り正しい。基準傷病に基づく障害による障害厚生年金の受給権は、所定の支給要件を満たしたときに発生するが、その支給は、法第36条第1項（年金の支給期間）の規定にかかわらず、当該障害厚生年金の請求があった月の翌月から始めるものとされている。

㉕答1 ×　法48条。受給権を取得した当時から引き続き障害等級1級又は2級に該当したことがない障害等級3級の障害厚生年金の受給権者については、設問の併合認定は行われない。

㉕答2 ○　法48条。設問の通り正しい。なお、受給権を取得した当時から引き続き障害等級1級又は2級に該当したことがない障害等級3級の障害厚生年金の受給権者については、設問の併合認定は行われない。

㉕問3
□□□
R5-7ア
　乙は、視覚障害で障害等級3級の障害厚生年金(その権利を取得した当時から引き続き障害等級1級又は2級に該当しない程度の障害の状態にあるものとする。)を受給している。現在も、厚生年金保険の適用事業所で働いているが、新たな病気により、障害等級3級に該当する程度の聴覚障害が生じた。後発の障害についても、障害厚生年金に係る支給要件が満たされている場合、厚生年金保険法第48条の規定により、前後の障害を併合した障害等級2級の障害厚生年金が乙に支給され、従前の障害厚生年金の受給権は消滅する。

㉕問4
□□□
R3-4イ
　厚生年金保険法第48条第2項の規定によると、障害等級2級の障害厚生年金の受給権者が、更に障害等級2級の障害厚生年金を支給すべき事由が生じたことにより、同法第48条第1項に規定する前後の障害を併合した障害の程度による障害厚生年金の受給権を取得したときは、従前の障害厚生年金の支給は停止するものとされている。

㉕問5
□□□
R3-4ウ
　期間を定めて支給を停止されている障害等級2級の障害厚生年金の受給権者に対して更に障害等級2級の障害厚生年金を支給すべき事由が生じたときは、厚生年金保険法第48条第1項に規定する前後の障害を併合した障害の程度による障害厚生年金は、従前の障害厚生年金の支給を停止すべきであった期間、その支給が停止され、その間、その者に従前の障害を併合しない障害の程度による障害厚生年金が支給される。

㉕問6
□□□
H30-5E
　障害等級2級に該当する障害厚生年金の受給権者が更に障害厚生年金の受給権を取得した場合において、新たに取得した障害厚生年金と同一の傷病について労働基準法第77条の規定による障害補償を受ける権利を取得したときは、一定の期間、その者に対する従前の障害厚生年金の支給を停止する。

㉕問7
□□□
R3-4エ
🈔
　厚生年金保険法第48条第1項に規定する前後の障害を併合した障害の程度による障害厚生年金の額が、従前の障害厚生年金の額よりも低額であったとしても、従前の障害厚生年金は支給が停止され、併合した障害の程度による障害厚生年金の支給が行われる。

㉕答3 ✕ 法48条。当初から障害等級3級の障害厚生年金の受給権者に対して更に障害等級3級の障害厚生年金を支給すべき事由が生じた場合には、法48条の規定は適用されない。障害厚生年金(その権利を取得した当時から引き続き障害等級の1級又は2級に該当しない程度の障害の状態にある受給権者に係るものを除く。以下本解説において同じ。)の受給権者に対して更に障害厚生年金を支給すべき事由が生じたときは、法48条の規定により、前後の障害を併合した障害の程度による障害厚生年金が支給され、従前の障害厚生年金の受給権は、消滅する。

㉕答4 ✕ 法48条2項。設問の場合、従前の障害厚生年金の受給権は、消滅する。

㉕答5 ○ 法49条1項。設問の通り正しい。

㉕答6 ✕ 法49条2項。障害等級2級に該当する障害厚生年金の受給権者が更に障害等級1級又は2級の障害厚生年金の受給権を取得した場合において、新たに取得した障害厚生年金が労働基準法の規定による障害補償を受ける権利を取得したことによりその支給を停止すべきものであるときは、その停止すべき期間(6年間)、その者に対して**従前の障害厚生年金を支給**する。

㉕答7 ✕ 法50条4項。設問の場合、従前の障害厚生年金の受給権は消滅する。また、支給される前後の障害を併合した障害の程度による障害厚生年金の額は、従前の障害厚生年金の額に相当する額とされる。

過去問

26問 1
□□□
R元-3C

障害等級１級に該当する者に支給する障害厚生年金の額は、老齢厚生年金の額の計算の例により計算した額（当該障害厚生年金の額の計算の基礎となる被保険者期間の月数が300に満たないときは、これを300とする。）の100分の125に相当する額とする。

26問 2
□□□
R4-10D

障害等級２級の障害厚生年金の額は、老齢厚生年金の例により計算した額となるが、被保険者期間については、障害認定日の属する月の前月までの被保険者期間を基礎とし、計算の基礎となる月数が300に満たないときは、これを300とする。

26問 3
□□□
H29-2E

障害の程度が障害等級３級に該当する者に支給される障害厚生年金の額は、障害等級２級に該当する者に支給される障害基礎年金の額に４分の３を乗じて得た額（その額に50円未満の端数が生じたときは、これを切り捨て、50円以上100円未満の端数が生じたときは、これを100円に切り上げるものとする。）に満たないときは、当該額とされる。

26問 4
□□□
R2-4D

障害等級３級の障害厚生年金には、配偶者についての加給年金額は加算されないが、最低保障額として障害等級２級の障害基礎年金の年金額の３分の２に相当する額が保障されている。

26問 5
□□□
R5-10ア

障害厚生年金の給付事由となった障害について、国民年金法による障害基礎年金を受けることができない場合において、障害厚生年金の額が障害等級２級の障害基礎年金の額に２分の１を乗じて端数処理をして得た額に満たないときは、当該額が最低保障額として保障される。なお、配偶者についての加給年金額は加算されない。

26問 6
□□□
H28-2B

被保険者である障害厚生年金の受給権者が被保険者資格を喪失した後、被保険者となることなく１か月を経過したときは、資格を喪失した日から起算して１か月を経過した日の属する月から障害厚生年金の額が改定される。

㉖**答1** ○ 法50条1項、2項。設問の通り正しい。

㉖**答2** × 法50条1項、法51条。障害厚生年金の額については、障害認定日の属する月までの被保険者期間をその計算の基礎とする。なお、その他の記述については正しい。

㉖**答3** ○ 法50条3項。設問の通り正しい。

㉖**答4** × 法50条3項。障害等級3級の障害厚生年金の最低保障額は、障害等級2級の障害基礎年金の年金額の**4分の3**に相当する額である。

㉖**答5** × 法50条3項。障害厚生年金の給付事由となった障害について国民年金法による障害基礎年金を受けることができない場合において、障害厚生年金の額が障害等級2級の障害基礎年金の額に**4分の3**を乗じて得た額(その額に50円未満の端数が生じたときは、これを切り捨て、50円以上100円未満の端数が生じたときは、これを100円に切り上げるものとする。)に満たないときは、当該額が最低保障額として保障される。

㉖**答6** × 法50条他。障害厚生年金について、いわゆる退職改定の規定は設けられていない。

㉖問7
□□□
H29-7E

傷病に係る初診日が平成27年9月1日で、障害認定日が平成29年3月1日である障害厚生年金の額の計算において、平成29年4月以後の被保険者期間はその計算の基礎としない。なお、当該傷病以外の傷病を有しないものとする。

㉖問8
□□□
H28-10B

障害厚生年金の年金額の計算に用いる給付乗率は、平成15年3月以前の被保険者期間と、いわゆる総報酬制が導入された平成15年4月以降の被保険者期間とでは適用される率が異なる。

㉖問9
□□□
H29-9I

2以上の種別の被保険者であった期間を有する者に係る障害厚生年金の額は、初診日における被保険者の種別に係る被保険者期間のみが計算の基礎とされる。

㉖問10
□□□
H28-6D

障害厚生年金の受給権者であって、当該障害に係る障害認定日において2以上の種別の被保険者であった期間を有する者に係る当該障害厚生年金の支給に関する事務は、当該障害に係る障害認定日における被保険者の種別に応じた実施機関が行う。

㉖問11
□□□
H29-5C

障害等級1級に該当する障害厚生年金の受給権者が、その受給権を取得した日の翌日以後にその者によって生計を維持している65歳未満の配偶者を有するに至ったときは、当該配偶者を有するに至った日の属する月の翌月から、当該障害厚生年金の額に加給年金額が加算される。

㉖問12
□□□
H29-8D

障害等級1級又は2級の障害厚生年金の額は、受給権者によって生計を維持している子(18歳に達する日以後の最初の3月31日までの間にある子及び20歳未満で障害等級の1級又は2級に該当する障害の状態にある子に限る。)があるときは、当該子に係る加給年金額が加算された額とする。

㉖問13
□□□
R4-6A

障害等級1級又は2級に該当する者に支給する障害厚生年金の額は、当該受給権者によって生計を維持しているその者の65歳未満の配偶者又は子(18歳に達する日以後最初の3月31日までの間にある子及び20歳未満で障害等級1級又は2級に該当する障害の状態にある子)があるときは、加給年金額が加算された額となる。

㉖答7 ○　法47条1項、法51条。設問の通り正しい。障害厚生年金の額については、当該障害厚生年金の支給事由となった障害に係る障害認定日の属する**月後**における被保険者であった期間は、その計算の基礎としない。

㉖答8 ○　(12)法附則20条1項。設問の通り正しい。なお、平成15年3月以前の被保険者期間に係る年金額の計算に用いる給付乗率は1000分の7.125、平成15年4月以降の被保険者期間に係る年金額の計算に用いる給付乗率は1000分の5.481である。

㉖答9 ×　法78条の30。障害厚生年金の受給権者であって、2以上の種別の被保険者であった期間を有する者に係る当該障害厚生年金の額については、その者の2以上の被保険者の種別に係る被保険者であった期間を合算し、一の期間に係る被保険者期間のみを有するものとみなして、障害厚生年金の額の計算に関する規定を適用する。

㉖答10 ×　法78条の33,1項。障害認定日において2以上の種別の被保険者であった期間を有する者に対する障害厚生年金の支給に関する事務は、当該障害に係る**初診日**における被保険者の種別に応じた実施機関が行う。

㉖答11 ○　法50条の2,1項、3項。設問の通り正しい。

> 障害厚生年金の配偶者を対象とする加給年金額には、特別加算は行われない。

㉖答12 ×　法50条の2,1項。子は、障害厚生年金の加給年金額の対象者とされていない。

㉖答13 ×　法50条の2,1項。子は、障害厚生年金の加給年金額対象者とならない。

昭和9年4月2日以後に生まれた障害等級1級又は2級に該当する障害厚生年金の受給権者に支給される配偶者に係る加給年金額については、受給権者の生年月日に応じた特別加算が行われる。

加給年金額が加算された障害厚生年金の額について、当該加給年金額の対象になっている配偶者（大正15年4月1日以前に生まれた者を除く。）が65歳に達した場合は、当該加給年金額を加算しないものとし、その該当するに至った月の翌月から当該障害厚生年金の額を改定する。

障害等級2級に該当する障害基礎年金及び障害厚生年金の受給権者が、症状が軽減して障害等級3級の程度の障害の状態になったため当該2級の障害基礎年金は支給停止となった。その後、その者が65歳に達した日以後に再び障害の程度が増進して障害等級2級に該当する程度の障害の状態になった場合、障害等級2級の障害基礎年金及び障害厚生年金は支給されない。

障害厚生年金の受給権者は、障害の程度が増進した場合には、実施機関に年金額の改定を請求することができるが、65歳以上の者又は国民年金法による老齢基礎年金の受給権者であって障害厚生年金の受給権者である者（当該障害厚生年金と同一の支給事由に基づく障害基礎年金の受給権を有しない者に限る。）については、実施機関が職権でこの改定を行うことができる。

40歳の障害厚生年金の受給権者が実施機関に対し障害の程度が増進したことによる年金額の改定請求を行ったが、実施機関による診査の結果、額の改定は行われなかった。このとき、その後、障害の程度が増進しても当該受給権者が再度、額の改定請求を行うことはできないが、障害厚生年金の受給権者の障害の程度が増進したことが明らかである場合として厚生労働省令で定める場合については、実施機関による診査を受けた日から起算して1年を経過した日以後であれば、再度、額の改定請求を行うことができる。

㉖答14 × (60)法附則60条２項他。障害厚生年金の配偶者に係る加給年金額については、特別加算は行われない。なお、昭和９年４月２日以後に生まれた老齢厚生年金の受給権者に支給される配偶者に係る加給年金額については、受給権者の生年月日に応じた特別加算が行われる。

㉖答15 ○ 法44条４項４号、法50条の2,4項。設問の通り正しい。

㉖答16 × 法52条７項。設問の場合、障害基礎年金については支給停止が解除され、障害厚生年金については、障害等級３級から２級に改定されることになるため、障害等級２級の障害基礎年金及び障害厚生年金が支給される。なお、実施機関の職権による改定及び増進改定請求は、65歳以上の者であって、かつ、障害厚生年金の受給権者（当該障害厚生年金と同一の支給事由に基づく国民年金法による障害基礎年金の受給権を有しないものに限る。）については、行わない。

㉖答17 × 法52条７項、法附則16条の3,2項。65歳以上の者又は国民年金法による老齢基礎年金の受給権者であって障害厚生年金の受給権者である者（当該障害厚生年金と同一の支給事由に基づく障害基礎年金の受給権を有しない者に限る。）については、年金額の改定の請求をすることができず、また、実施機関の職権による改定も行うことはできない。

㉖答18 × 法52条２項、３項。設問の障害厚生年金の受給権者は、その後、障害の程度が増進した場合には、実施機関による診査を受けた日から起算して１年を経過した日後であれば、再度、額の改定請求を行うことができる。また、障害の程度が増進したことが明らかである場合として厚生労働省令で定める場合には、実施機関による診査を受けた日から起算して１年を経過した日前であっても、再度、額の改定請求を行うことができる。

㉖問19
□□□
R2-1D
障害厚生年金の受給権者が障害厚生年金の額の改定の請求を行ったが、診査の結果、その障害の程度が従前の障害の等級以外の等級に該当すると認められず改定が行われなかった。この場合、当該受給権者は実施機関の診査を受けた日から起算して1年6か月を経過した日後でなければ再び改定の請求を行うことはできない。

㉖問20
□□□
H27-4B改
63歳の障害等級3級の障害厚生年金の受給権者（受給権を取得した当時から引き続き障害等級1級又は2級に該当したことはなかったものとする。）が、老齢基礎年金を繰上げ受給した場合において、その後、当該障害厚生年金に係る障害の程度が増進したときは、65歳に達するまでの間であれば実施機関に対し、障害の程度が増進したことによる障害厚生年金の額の改定を請求することができる。

㉖問21
□□□
R5-7C
甲は、厚生年金保険に加入しているときに生じた障害により、障害等級2級の障害基礎年金と障害厚生年金を受給している。現在は、自営業を営み、国民年金に加入しているが、仕事中の事故によって、新たに障害等級2級に該当する程度の障害の状態に至ったため、甲に対して更に障害基礎年金を支給すべき事由が生じた。この事例において、前後の障害を併合した障害の程度が障害等級1級と認定される場合、新たに障害等級1級の障害基礎年金の受給権が発生するとともに、障害厚生年金の額も改定される。

㉖問22
□□□
H27-4A
障害等級2級の障害厚生年金と同一の支給事由に基づく障害基礎年金の受給権者が、国民年金の第1号被保険者になり、その期間中に初診日がある傷病によって国民年金法第34条第4項の規定による障害基礎年金とその他障害との併合が行われ、当該障害基礎年金が障害等級1級の額に改定された場合には、障害厚生年金についても障害等級1級の額に改定される。

㉖答19 ×　法52条３項。設問の場合、原則として、当該受給権者は実施機関の診査を受けた日から起算して**１年を経過した日後**でなければ改定の請求を行うことはできない。なお、障害厚生年金の受給権者の障害の程度が増進したことが明らかである場合として厚生労働省令で定める場合には、実施機関の診査を受けた日から起算して１年を経過した日後でなくても改定の請求を行うことができる。

㉖答20 ×　法52条７項、法附則16条の3,2項。受給権を取得した当時から**引き続き障害等級１級又は２級に該当したことがない３級の障害厚生年金**の受給権者は、老齢基礎年金を繰上げ受給した場合には、65歳に達するまでの間に障害の程度が増進しても、実施機関に対して額の改定を請求することはできない。

㉖答21 ○　法52条の2,1項。設問の通り正しい。１階部分の障害基礎年金については国民年金法31条の規定により併合認定が行われ、それに伴い、２階部分の障害厚生年金については、障害等級１級の年金額に改定される。なお、従前の障害基礎年金の受給権は消滅する。

㉖答22 ○　法48条１項カッコ書、法52条の2,2項、国年法34条４項。設問の通り正しい。

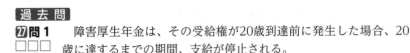

27 障害厚生年金－支給停止及び失権

27 問 1
H30-2オ
障害厚生年金は、その受給権が20歳到達前に発生した場合、20歳に達するまでの期間、支給が停止される。

27 問 2
H28-9D
障害厚生年金は、その受給権者が当該障害厚生年金に係る傷病と同一の傷病について労働者災害補償保険法の規定による障害補償給付を受ける権利を取得したときは、6年間その支給を停止する。

27 問 3
H27-4E
障害等級3級の障害厚生年金の支給を受けていた者が、63歳の時に障害の程度が軽減したためにその支給が停止された場合、当該障害厚生年金の受給権はその者が65歳に達した日に消滅する。

27 問 4
R5-10イ
甲は、障害等級3級の障害厚生年金の支給を受けていたが、63歳のときに障害等級3級に該当する程度の障害の状態でなくなったために当該障害厚生年金の支給が停止された。その後、甲が障害等級に該当する程度の障害の状態に該当することなく65歳に達したとしても、障害厚生年金の受給権は65歳に達した時点では消滅しない。

27 問 5
H30-4ウ
障害等級3級の障害厚生年金の受給権者であった者が、64歳の時点で障害等級に該当する程度の障害の状態に該当しなくなったために支給が停止された。その者が障害等級に該当する程度の障害の状態に該当しないまま65歳に達したとしても、その時点では当該障害厚生年金の受給権は消滅しない。

㉗答1 × 法54条他。設問のような規定はない。障害厚生年金は、その受給権者が20歳に達していないことを理由に支給停止されることはない。

㉗答2 × 法54条1項、労災保険法附則別表第1。障害厚生年金は、当該傷病について**労働基準法の規定による障害補償**を受ける権利を取得したときは、**6年間**、その支給を停止することとされている。労災保険法の規定による障害補償給付を受ける権利を取得したときには、障害厚生年金の支給は停止されない。なお、障害補償年金を受けることができるときは、障害補償年金が減額調整される。

㉗答3 × 法53条2号。設問の場合、65歳に達した日において、障害等級(1級～3級)に該当する程度の障害の状態に該当しなくなった日から起算して3年を経過していないので、65歳に達した日に障害厚生年金の受給権は消滅しない。

> **Point** 障害厚生年金の受給権は、①障害等級に該当する程度の障害の状態に該当しなくなった日から起算して障害等級に該当する程度の障害の状態に該当することなく**3年**を経過し、かつ、②**65歳**に達しているときに、消滅する。

㉗答4 ○ 法53条2号。設問の通り正しい。甲が**65歳に達した日**において、障害等級に該当する程度の障害の状態に該当しなくなった日から起算して障害等級に該当する程度の障害の状態に該当することなく**3年を経過していない**ため、65歳に達した時点では失権しない。

㉗答5 ○ 法53条2号。設問の通り正しい。障害厚生年金の受給権者が65歳に達した日において、障害等級に該当する程度の障害の状態に該当しなくなった日から起算して障害等級に該当する程度の障害の状態に該当することなく**3年**を経過していないときは、当該障害厚生年金の受給権は消滅しない。

27 **問6**
□□□
R2-3オ
障害等級3級の障害厚生年金の受給権者の障害の状態が障害等級に該当しなくなったため、当該障害厚生年金の支給が停止され、その状態のまま3年が経過した。その後、65歳に達する日の前日までに当該障害厚生年金に係る傷病により障害等級3級に該当する程度の障害の状態になったとしても、当該障害厚生年金は支給されない。

28 障害手当金

28 **問1**
□□□
R6-10イ
障害手当金は、疾病にかかり又は負傷し、その傷病に係る初診日において被保険者であった者が、保険料納付要件を満たし、当該初診日から起算して5年を経過する日までの間にまだその傷病が治っておらず治療中の場合でも、5年を経過した日に政令で定める程度の障害の状態にあるときは支給される。

28 **問1**
□□□
R2-10I
障害厚生年金は、その傷病が治らなくても、初診日において被保険者であり、初診日から1年6か月を経過した日において障害等級に該当する程度の状態であって、保険料納付要件を満たしていれば支給対象となるが、障害手当金は、初診日において被保険者であり、保険料納付要件を満たしていたとしても、初診日から起算して5年を経過する日までの間に、その傷病が治っていなければ支給対象にならない。

28 **問2**
□□□
H27-9D
障害手当金は初診日において被保険者であった者が保険料納付要件を満たしていても、当該初診日から起算して5年を経過する日までの間において傷病が治っていなければ支給されない。

㉗答6 ×　法53条2号、3号。支給停止された障害厚生年金の受給権者が65歳に達する日の前日までに障害等級3級に該当する程度の障害の状態となったときは、当該障害厚生年金の支給停止が解除され、支給が再開される。なお、障害厚生年金の受給権は、受給権者が、障害等級に該当する程度の障害の状態に該当しなくなった日から起算して障害等級に該当する程度の障害の状態に該当することなく3年を経過し、かつ、当該受給権者が65歳に達しているときは、消滅する。

㉘答1 ×　法55条。障害手当金は、疾病にかかり、又は負傷し、その傷病に係る初診日において被保険者であった者が、保険料納付要件を満たし、当該初診日から起算して**5年を経過する日までの間におけるその傷病の治った日**(その症状が固定し治療の効果が期待できない状態に至った日を含む。)において、その傷病により政令で定める程度の障害の状態にある場合に、その者に支給する。

㉘答1 ○　法55条。設問の通り正しい。障害手当金の支給に係る障害の程度を定めるべき日は、傷病に係る初診日から起算して5年を経過する日までの間における**その傷病の治った日**(その症状が固定し治療の効果が期待できない状態に至った日を含む。)とされている。つまり、傷病に係る初診日から起算して5年を経過する日までの間にその傷病が治らない場合には、障害手当金の支給に係る障害の程度を定めることはなく、障害手当金は支給されない。

㉘答2 ○　法55条。設問の通り正しい。

> 障害手当金は、疾病にかかり、又は負傷し、その傷病に係る初診日において被保険者であった者が、当該初診日から起算して5年を経過する日までの間におけるその傷病の治った日において、その傷病により政令で定める程度の障害の状態にある場合に、保険料納付要件を満たしている限り、その者に支給する。

28 問3
□□□
H30-2イ

在職老齢年金の仕組みにより支給停止が行われている老齢厚生年金を受給している65歳の者が、障害の程度を定めるべき日において障害手当金に該当する程度の障害の状態になった場合、障害手当金は支給される。

28 問4
□□□
R4-3D

障害手当金の受給要件に該当する被保険者が、障害手当金の障害の程度を定めるべき日において遺族厚生年金の受給権者である場合は、その者には障害手当金は支給されない。

28 問5
□□□
R元-10ウ

障害厚生年金の支給を受けている者が、当該障害厚生年金の支給要件となった傷病とは別の傷病により、障害手当金の支給を受けられる程度の障害の状態になった場合は、当該障害厚生年金と当該障害手当金を併給することができる。なお、当該別の傷病に係る初診日が被保険者期間中にあり、当該初診日の前日において、所定の保険料納付要件を満たしているものとする。

28 問6
□□□
H28-2A

障害手当金の受給要件に該当する被保険者が、当該障害手当金に係る傷病と同一の傷病により労働者災害補償保険法に基づく障害補償給付を受ける権利を有する場合には、その者には障害手当金が支給されない。

28 問7
□□□
R3-10B

第1号厚生年金被保険者期間中の60歳の時に業務上災害で負傷し、初診日から1年6か月が経過した際に傷病の症状が安定し、治療の効果が期待できない状態(治癒)になった。その障害状態において障害手当金の受給権を取得することができ、また、労災保険法に規定されている障害補償給付の受給権も取得することができた。この場合、両方の保険給付が支給される。

㉘答3 ✕　法56条1号。障害の程度を定めるべき日において老齢厚生年金の受給権者である者に障害手当金は支給されない。障害の程度を定めるべき日において年金たる保険給付の受給権者〔最後に障害等級に該当する程度の障害の状態(以下本解説において「障害状態」という。)に該当しなくなった日から起算して障害状態に該当することなく3年を経過した障害厚生年金の受給権者(現に障害状態に該当しない者に限る。)を除く。〕である者に障害手当金は支給されない。

㉘答4 ◯　法56条1号。設問の通り正しい。障害手当金の支給要件に係る「障害の程度を定めるべき日」において年金たる保険給付の受給権者〔最後に障害等級に該当する程度の障害の状態(以下本解説において「障害状態」という。)に該当しなくなった日から起算して障害状態に該当することなく3年を経過した障害厚生年金の受給権者(現に障害状態に該当しない者に限る。)を除く。〕である者には、障害手当金は支給されない。

㉘答5 ✕　法56条1号。障害手当金に係る障害の程度を定めるべき日において障害厚生年金の受給権者〔最後に障害等級に該当する程度の障害の状態に該当しなくなった日から起算して当該障害状態に該当することなく3年を経過した障害厚生年金の受給権者(現に障害状態に該当しない者に限る。)を除く。〕である者には、障害手当金は支給されない。

㉘答6 ◯　法56条3号。設問の通り正しい。

㉘答7 ✕　法56条3号。障害の程度を定めるべき日において障害手当金の支給事由に係る傷病について労災保険法の規定による障害補償給付を受ける権利を有する者には、障害手当金は支給されない。

28 問 8
□□□
H29-3ウ

障害手当金の額は、厚生年金保険法第50条第1項の規定の例により計算した額の100分の200に相当する額であるが、その額が障害等級2級に該当する者に支給する障害基礎年金の額の2倍に相当する額に満たないときは、当該額が障害手当金の額とされる。

28 問 9
□□□
R5-7E

障害手当金の額は、厚生年金保険法第50条第1項の規定の例により計算した額の100分の200に相当する額である。ただし、その額が、障害基礎年金2級の額に2を乗じて得た額に満たないときは、当該額が障害手当金の額となる。

28 問10
□□□
H27-7B

障害手当金の額の計算に当たって、給付乗率は生年月日に応じた読み替えは行わず、計算の基礎となる被保険者期間の月数が300か月に満たないときは、これを300か月として計算する。

29 遺族厚生年金－支給要件等

最新問題

29 問 1
□□□
R6-5イ

厚生年金保険の被保険者である甲は令和2年1月1日に死亡した。甲の死亡時に甲によって生計を維持されていた遺族は、妻である乙（当時40歳）と子である丙（当時10歳）であり、乙が甲の死亡に基づく遺族基礎年金と遺族厚生年金を受給していた。しかし、令和6年8月1日に、乙も死亡した。乙は死亡時に厚生年金保険の被保険者であった。また、乙によって生計を維持されていた遺族は丙だけである。この場合、丙が受給権を有する遺族厚生年金は、甲の死亡に基づく遺族厚生年金と乙の死亡に基づく遺族厚生年金である。丙は、そのどちらかを選択して受給することができる。
※なお、本問では、遺族厚生年金に係る保険料納付要件は満たされているものとする。

28 **答8** ✕ 　法57条。設問の障害手当金の最低保障額は、「障害等級 2 級に該当するものに支給する障害基礎年金の額に **4 分の 3** を乗じて得た額の **2 倍**に相当する額」である。

28 **答9** ✕ 　法57条。障害手当金の額は、法50条 1 項の規定の例により計算した額の100分の200に相当する額とする。ただし、その額が「障害等級 2 級の障害基礎年金の額に **4 分の 3** を乗じて得た額(その額に50円未満の端数が生じたときは、これを切り捨て、50円以上100円未満の端数が生じたときは、これを100円に切り上げるものとする。)に **2** を乗じて得た額」に満たないときは、当該額とする。

28 **答10** ◯ 　法50条 1 項、法57条、(60)法附則59条 1 項。設問の通り正しい。

29 **答1** ◯ 　法38条 1 項、法58条 1 項 1 号、法59条 1 項 2 号。設問の通り正しい。丙は、甲の死亡に基づく遺族厚生年金と乙の死亡に基づく遺族厚生年金の受給権を有することとなるが、これらの年金は併給することはできないため、どちらか一方を選択して受給することとなる。

㉙問2 厚生年金保険の被保険者が死亡したときに、被保険者によって
□□□ 生計を維持されていた遺族が50歳の父と54歳の母だけであった場
R6-5ウ 合、父には遺族厚生年金の受給権は発生せず、母にのみ遺族厚生年
金の受給権が発生する。
※なお、本問では、遺族厚生年金に係る保険料納付要件は満たされ
　ているものとする。

㉙問3 届出による婚姻関係にある者が重ねて他の者と内縁関係にある場
□□□ 合は、婚姻の成立が届出により法律上の効力を生ずることとされて
R6-6D いることから、届出による婚姻関係が優先される。そのため、届出
難 による婚姻関係がその実態を全く失ったものとなっているときで
も、内縁関係にある者が事実婚関係にある者として認定されること
はない。

㉙問4 離婚の届出がなされ、戸籍簿上も離婚の処理がなされているもの
□□□ の、離婚後も事実上婚姻関係と同様の事情にある者については、そ
R6-8E の者の状態が事実婚関係の認定の要件に該当すれば、これを事実婚
難 関係にある者として認定する。

過去問

㉙問1 20歳未満の厚生年金保険の被保険者が死亡した場合、死亡した
□□□ 者によって生計を維持していた一定の遺族に遺族厚生年金が支給さ
H28-37改 れる。

㉙問2 保険料納付要件を満たしている被保険者が行方不明となり、その
□□□ 後失踪の宣告を受けた場合、死亡した者によって生計を維持してい
H28-3イ改 た一定の遺族に遺族厚生年金が支給される。

㉙答2　×　法59条1項1号。設問の父及び母に、遺族厚生年金の受給権は発生しない。父母については、被保険者等の死亡当時55歳以上である場合に限り、遺族厚生年金を受けることができる遺族とされる。

㉙答3　×　平成23.3.23年発0323第1号。届出による婚姻関係がその実態を全く失ったものとなっているときに限り、内縁関係にある者を事実婚関係にある者として認定するものとされている。

㉙答4　○　平成23.3.23年発0323第1号。設問の通り正しい。

㉙答1　○　法58条1項1号。設問の通り正しい。

死亡日において20歳未満の厚生年金保険の被保険者は、死亡日の属する月の前々月までに国民年金の被保険者期間がある場合には、その期間はすべて第2号被保険者としての被保険者期間（保険料納付済期間）であることから保険料納付要件を満たすこととなる。

㉙答2　○　法58条1項1号。設問の通り正しい。なお、保険料納付要件及び生計維持関係は、被保険者が行方不明となった時を基準に問われる。

63歳の厚生年金保険の被保険者が平成30年4月に死亡した場合であって、死亡日の前日において、その者について国民年金の被保険者期間があり、かつ、当該被保険者期間に係る保険料納付済期間と保険料免除期間とを合算した期間が、当該被保険者期間の3分の2未満であり、保険料納付済期間と保険料免除期間とを合算した期間が25年に満たないが、60歳から継続して厚生年金保険の被保険者であった場合、死亡した者によって生計を維持していた一定の遺族に遺族厚生年金が支給される。

保険料納付要件を満たした厚生年金保険の被保険者であった者が被保険者の資格を喪失した後に、被保険者であった間に初診日がある傷病により、当該初診日から起算して5年を経過する日前に死亡した場合、死亡した者によって生計を維持していた一定の遺族に遺族厚生年金が支給される。

被保険者であった者が、被保険者の資格を喪失した後に、被保険者であった間に初診日がある傷病により当該初診日から起算して5年を経過する日前に死亡したときは、死亡した者が遺族厚生年金の保険料納付要件を満たしていれば、死亡の当時、死亡した者によって生計を維持していた一定の遺族に遺族厚生年金が支給される。

㉙**答3** ○ 法58条1項ただし書、(60)法附則64条2項。設問の通り正しい。設問の者の死亡日は令和8年4月1日前であり、かつ、死亡日において65歳未満である。また、60歳から継続して厚生年金保険の被保険者(国民年金の第2号被保険者)であったことから、死亡日の前日において、当該死亡日の属する月の前々月までの1年間のうちに保険料納付済期間及び保険料免除期間以外の国民年金の被保険者期間がないことが判断できる。以上のことから、設問の者は、特例による保険料納付要件を満たしていることとなる。

㉙**答4** ○ 法58条1項2号。設問の通り正しい。

Point

遺族厚生年金の支給要件等

	支給事由	保険料納付要件
短期要件	① 被保険者(失踪の宣告を受けた被保険者であった者であって、行方不明となった当時被保険者であったものを含む。)が、死亡したとき	問われる
	② 被保険者であった者が、被保険者の資格を喪失した後に、被保険者であった間に初診日がある傷病により当該初診日から起算して5年を経過する日前に死亡したとき	
	③ 障害等級の1級又は2級に該当する障害の状態にある障害厚生年金の受給権者が、死亡したとき	
長期要件	④ 老齢厚生年金の受給権者(原則として、保険料納付済期間と保険料免除期間とを合算した期間が25年以上である者に限る)又は原則として、保険料納付済期間と保険料免除期間とを合算した期間が25年以上である者が、死亡したとき	問われない

㉙**答5** ○ 法58条1項2号。設問の通り正しい。㉙**答4**の **Point** 参照。

㉙問6
□□□
R3-5イ

厚生年金保険の被保険者であった甲は令和3年4月1日に厚生年金保険の被保険者資格を喪失したが、厚生年金保険の被保険者期間中である令和3年3月15日に初診日がある傷病により令和3年8月1日に死亡した(死亡時の年齢は50歳であった。)。この場合、甲について国民年金の被保険者期間があり、当該国民年金の被保険者期間に係る保険料納付済期間と保険料免除期間とを合算した期間が、当該国民年金の被保険者期間の3分の2未満である場合であっても、令和2年7月から令和3年6月までの間に保険料納付済期間及び保険料免除期間以外の国民年金の被保険者期間がないときには、遺族厚生年金の支給対象となる。

㉙問7
□□□
R元-3D

障害等級1級又は2級に該当する障害の状態にある障害厚生年金の受給権者が死亡したときは、遺族厚生年金の支給要件について、死亡した当該受給権者の保険料納付要件が問われることはない。

㉙問8
□□□
R5-10I

遺族厚生年金は、障害等級1級又は2級に該当する程度の障害の状態にある障害厚生年金の受給権者が死亡したときにも、一定の要件を満たすその者の遺族に支給されるが、その支給要件において、その死亡した者について保険料納付要件を満たすかどうかは問わない。

㉙問9
□□□
R2-1C

老齢厚生年金の受給権者(保険料納付済期間と保険料免除期間とを合算した期間が25年以上ある者とする。)が行方不明になり、その後失踪の宣告を受けた場合、失踪者の遺族が遺族厚生年金を受給するに当たっての生計維持に係る要件については、行方不明となった当時の失踪者との生計維持関係が問われる。

㉙問10
□□□
R3-5ア

老齢厚生年金の受給権者(被保険者ではないものとする。)が死亡した場合、国民年金法に規定する保険料納付済期間と保険料免除期間とを合算した期間が10年であったとしても、その期間と同法に規定する合算対象期間を合算した期間が25年以上である場合には、厚生年金保険法第58条第1項第4号に規定するいわゆる長期要件に該当する。

㉙**答6** ◯ 法58条１項２号、(60)法附則64条２項。設問の通り正しい。設問の者は、被保険者の資格を喪失した後に、被保険者であった間に初診日がある傷病により当該初診日から起算して５年を経過する日前に死亡しており、特例(経過措置)による保険料納付要件(死亡日の属する月の前々月までの１年間のうちに未納期間がないこと。)を満たす場合には、遺族厚生年金の支給対象となる。

㉙**答7** ◯ 法58条１項２号。設問の通り正しい。㉙**答4**の **Point** 参照。

Point 障害等級１級又は２級に該当する障害厚生年金の受給権者が死亡したことを支給事由とする遺族厚生年金については、保険料納付要件は問われない。

㉙**答8** ◯ 法58条１項３号。設問の通り正しい。㉙**答4**の **Point** 参照。

㉙**答9** ◯ 法58条１項４号、法59条１項カッコ書。設問の通り正しい。

㉙**答10** ◯ 法58条１項４号、法附則14条１項。設問の通り正しい。厚生年金保険の被保険者期間を有する者のうち、保険料納付済期間と保険料免除期間とを合算した期間が25年に満たない者であって保険料納付済期間、保険料免除期間及び合算対象期間を合算した期間が25年以上であるものは、厚生年金保険法第58条第１項第４号(長期要件)の規定の適用については、保険料納付済期間と保険料免除期間とを合算した期間が25年以上であるものとみなす。

㉙問11
□□□
R3-10A

20歳から30歳まで国民年金の第1号被保険者、30歳から60歳まで第2号厚生年金被保険者であった者が、60歳で第1号厚生年金被保険者となり、第1号厚生年金被保険者期間中に64歳で死亡した。当該被保険者の遺族が当該被保険者の死亡当時生計を維持されていた60歳の妻のみである場合、当該妻に支給される遺族厚生年金は、妻が別段の申出をしたときを除き、厚生年金保険法第58条第1項第4号に規定するいわゆる長期要件のみに該当する遺族厚生年金として年金額が算出される。

㉙問12
□□□
H30-5C

第1号厚生年金被保険者が月の末日に死亡したときは、被保険者の資格喪失日は翌月の1日になるが、遺族厚生年金の受給権は死亡した日に発生するので、当該死亡者の遺族が遺族厚生年金を受給できる場合には、死亡した日の属する月の翌月から遺族厚生年金が支給される。

㉙問13
□□□
R元-2D

被保険者であった妻が死亡した当時、当該妻により生計を維持していた54歳の夫と21歳の当該妻の子がいた場合、当該子は遺族厚生年金を受けることができる遺族ではないが、当該夫は遺族厚生年金を受けることができる遺族である。

㉙問14
□□□
R3-5ウ

85歳の老齢厚生年金の受給権者が死亡した場合、その者により生計を維持していた未婚で障害等級2級に該当する程度の障害の状態にある60歳の当該受給権者の子は、遺族厚生年金を受けることができる遺族とはならない。

㉙問15
□□□
R2-10オ

遺族厚生年金は、被保険者の死亡当時、当該被保険者によって生計維持されていた55歳以上の夫が受給権者になることはあるが、子がいない場合は夫が受給権者になることはない。

㉙問16
□□□
H29-8E

被保険者の死亡の当時その者と生計を同じくしていたが、年収850万円以上の給与収入を将来にわたって有すると認められたため、遺族厚生年金の受給権を得られなかった配偶者について、その後、給与収入が年収850万円未満に減少した場合は、当該減少したと認められたときから遺族厚生年金の受給権を得ることができる。

㉙**答11** ✕ 法58条 1 項 1 号、 4 号、法58条 2 項。設問のように、死亡した者が、短期要件(被保険者が死亡したこと)に該当し、かつ、長期要件(保険料納付済期間と保険料免除期間とを合算した期間が25年以上である者が死亡したこと)にも該当するときは、その遺族が遺族厚生年金を請求したときに**別段の申出をした場合を除き、短期要件のみに該当し、長期要件には該当しないものとみなされる。**

㉙**答12** 〇 法14条 1 号、法36条 1 項、法58条 1 項。設問の通り正しい。年金の支給は、**年金を支給すべき事由が生じた月の翌月から**始めるものとされている。

㉙**答13** ✕ 法59条 1 項。設問の夫及び子は、いずれも遺族厚生年金を受けることができる遺族とされない。

㉙**答14** 〇 法59条 1 項 2 号。設問の通り正しい。子については、18歳に達する日以後の最初の 3 月31日までの間にあるか、又は**20歳未満で障害等級の 1 級若しくは 2 級に該当する障害の状態**にあり、かつ、現に婚姻をしていないことが、遺族厚生年金を受けることができる遺族の要件とされている。

㉙**答15** ✕ 法59条 1 項。子がいることは、夫が遺族厚生年金を受けることができる遺族となるための要件とされていない。

㉙**答16** ✕ 令 3 条の10、平成23.3.23年発0323第 1 号。遺族厚生年金の支給に係る生計維持関係の認定は、死亡当時に限り行われる。したがって、設問のように、死亡当時生計維持関係があるものと認定されず受給権を得られなかった者については、その後、給与収入が減少した場合であっても、再度生計維持関係の認定を行うことはないため、遺族厚生年金の受給権を得ることはできない。

㉙問17
□□□
R5-5E

被保険者又は被保険者であった者の死亡の当時、その者と生計を同じくしていた配偶者で、前年収入が年額800万円であった者は、定期昇給によって、近い将来に収入が年額850万円を超えることが見込まれる場合であっても、その被保険者又は被保険者であった者によって生計を維持していたと認められる。

㉙問18
□□□
H27-7A

被保険者又は被保険者であった者の死亡の当時胎児であった子が出生したときは、厚生年金保険法第59条第1項に規定する遺族厚生年金を受けることができる遺族の範囲の適用については、将来に向かって、その子は、被保険者又は被保険者であった者の死亡の当時その者によって生計を維持していた子とみなす。

㉙問19
□□□
H29-10E

被保険者が死亡した当時、妻、15歳の子及び65歳の母が当該被保険者により生計を維持していた。妻及び子が当該被保険者の死亡により遺族厚生年金の受給権を取得したが、その1年後に妻が死亡した。この場合、母が当該被保険者の死亡による遺族厚生年金の受給権を取得することはない。

㉙問20
□□□
R2-5B

被保険者の死亡当時10歳であった遺族厚生年金の受給権者である被保険者の子が、18歳に達した日以後の最初の3月31日が終了したことによりその受給権を失った場合において、その被保険者の死亡当時その被保険者によって生計を維持していたその被保険者の父がいる場合でも、当該父が遺族厚生年金の受給権者となることはない。

㉙問21
□□□
H28-9A

第1号厚生年金被保険者期間が15年、第3号厚生年金被保険者期間が18年ある老齢厚生年金の受給権者が死亡したことにより支給される遺族厚生年金は、それぞれの被保険者期間に応じてそれぞれの実施機関から支給される。

㉙**答17** ◯ 　令３条の10、平成23.3.23年発0323第１号。設問の通り正しい。

㉙**答18** ◯ 　法59条３項。設問の通り正しい。設問の子に対する遺族厚生年金の受給権は、被保険者又は被保険者であった者の死亡の当時に遡って発生するのではなく、出生したときに発生する。

㉙**答19** ◯ 　法59条２項。設問の通り正しい。母は、配偶者又は子が遺族厚生年金の受給権を取得したときは、遺族厚生年金を受けることができる遺族としない。

> **Point**　遺族厚生年金には、いわゆる転給の制度はない。
> 父母は、配偶者又は子が遺族厚生年金の受給権を取得したときは、その者が失権した後も遺族厚生年金を受けることができる遺族とはならない。

㉙**答20** ◯ 　法59条２項。設問の通り正しい。父母は、配偶者又は子が遺族厚生年金の受給権を取得したときは、遺族厚生年金を受けることができる遺族としない。

㉙**答21** ◯ 　法78条の32,2項。設問の通り正しい。２以上の種別の被保険者であった期間を有する者の遺族に係る長期要件の遺族厚生年金については、各号の厚生年金被保険者期間に係る被保険者期間ごとに(各実施機関が)支給するものとする。

最新問題

30 問 1
□□□
R6-10I

現在55歳の自営業者の甲は、20歳から5年間会社に勤めていたので、厚生年金保険の被保険者期間が5年あり、この他の期間はすべて国民年金の第1号被保険者期間で保険料はすべて納付済みとなっている。もし、甲が現時点で死亡した場合、一定要件を満たす遺族に支給される遺族厚生年金の額は、厚生年金保険の被保険者期間を300月として計算した額となる。

30 問 2
□□□
R6-5オ

繰下げにより増額された老齢厚生年金を受給している夫(厚生年金保険の被保険者ではない。)が死亡した場合、夫によって生計を維持されていた妻には、夫の受給していた老齢厚生年金の額(繰下げによる加算額を含む。)の4分の3が遺族厚生年金として支給される。なお、妻は老齢厚生年金の受給権を有しておらず、老齢基礎年金のみを受給しているものとする。

30 問 3
□□□
R6-5ア

死亡した者が短期要件に該当する場合は、遺族厚生年金の年金額を算定する際に、死亡した者の生年月日に応じた給付乗率の引上げが行われる。

30 問 4
□□□
R6-5I

夫(70歳)と妻(70歳)は、厚生年金保険の被保険者期間を有しておらず、老齢基礎年金を受給している。また、夫妻と同居していた独身の子は厚生年金保険の被保険者であったが、3年前に死亡しており、夫妻は、それに基づく遺族厚生年金も受給している。この状況で夫が死亡し、遺族厚生年金の受給権者の数に増減が生じたときは、増減が生じた月の翌月から、妻の遺族厚生年金の年金額が改定される。

30 答1 ×　法58条１項４号、法60条１項。甲が現時点で死亡した場合、死亡した日において厚生年金保険の被保険者ではなく、また、保険料納付済期間が25年以上であるため、長期要件に該当する。長期要件に該当することにより支給される遺族厚生年金については、その額の計算の基礎となる被保険者期間の月数が300に満たないときであっても、これを300として計算はせず、実際の被保険者期間の月数に基づき計算する。

30 答2 ×　法60条１項１号。設問の妻には、夫の受給していた老齢厚生年金の額(繰下げによる加算額を含まない。)の４分の３に相当する額が遺族厚生年金として支給される。

30 答3 ×　法60条１項、(60)法附則59条１項。死亡した者が「長期要件」に該当する場合には、遺族厚生年金の年金額を算定する際に、死亡した者(昭和21年４月１日以前に生まれた者)の生年月日に応じた給付乗率の読替えが行われる。

30 答4 ○　法61条１項。設問の通り正しい。配偶者以外の者に遺族厚生年金を支給する場合において、受給権者の数に増減を生じたときは、**増減を生じた月の翌月**から、年金の額を改定する。

30 問 5
□□□
R6-8B

遺族厚生年金に加算される中高齢寡婦加算の金額は、国民年金法第38条に規定する遺族基礎年金の額に４分の３を乗じて得た額（その額に50円未満の端数が生じたときはこれを切り捨て、50円以上100円未満の端数が生じたときはこれを100円に切り上げるものとする。）である。また、中高齢寡婦加算は、65歳以上の者に支給されることはない。

過去問

30 問 1
□□□
H28-10E

被保険者が死亡したことによる遺族厚生年金の額は、死亡した者の被保険者期間を基礎として同法第43条第１項の規定の例により計算された老齢厚生年金の額の４分の３に相当する額とする。この額が、遺族基礎年金の額に４分の３を乗じて得た額に満たないときは、当該４分の３を乗じて得た額を遺族厚生年金の額とする。

30 問 2
□□□
R元-9E

被保険者又は被保険者であった者の死亡の当時胎児であった子が出生したときは、その妻の有する遺族厚生年金に当該子の加給年金額が加算される。

30 問 3
□□□
H27-5A改

老齢厚生年金の受給権者（保険料納付済期間と保険料免除期間とを合算した期間が25年以上である者に限る。）が死亡したことにより支給される遺族厚生年金の額の計算における給付乗率については、死亡した者が昭和21年４月１日以前に生まれた者であるときは、生年月日に応じた読み替えを行った乗率が適用される。

30 問 4
□□□
R3-8C

63歳の被保険者の死亡により、その配偶者（老齢厚生年金の受給権を有し、65歳に達している者とする。）が遺族厚生年金を受給したときの遺族厚生年金の額は、死亡した被保険者の被保険者期間を基礎として計算した老齢厚生年金の額の４分の３に相当する額と、当該遺族厚生年金の受給権者の有する老齢厚生年金の額に３分の２を乗じて計算した額のうちいずれか多い額とする。

30答 5 〇 法62条1項。設問の通り正しい。

30答 1 × 法60条1項。遺族厚生年金の額について、設問のような最低保障額の規定は設けられていない。

30答 2 × 法60条他。遺族厚生年金に加給年金額は加算されない。

30答 3 〇 法60条1項1号、(60)法附則59条1項、同法附則別表第7。設問の通り正しい。長期要件に該当することにより支給される遺族厚生年金の額を計算する際には、死亡した者が昭和21年4月1日以前に生まれた者であるときは、生年月日に応じた給付乗率の読替えを行う。

Point 長期要件による遺族厚生年金の額は、老齢厚生年金の額の規定の例によるものとされており、被保険者期間300月の最低保障は適用されないが、生年月日に応じた給付乗率により、計算するものとされている。

30答 4 × 法60条1項2号、法附則17条の2,1項。老齢厚生年金の受給権を有する65歳以上の配偶者が遺族厚生年金の受給権を取得したとき(同一の支給事由に基づく遺族基礎年金の支給を受けるときを除く。)は、「死亡した者の老齢厚生年金相当額の4分の3に相当する額(以下本解説において「原則の遺族厚生年金の額」という。)」又は「原則の遺族厚生年金の額に3分の2を乗じて得た額と当該配偶者の老齢厚生年金の額(加給年金額を除く。)に2分の1を乗じて得た額を合算した額」のうちいずれか多い額を当該配偶者に支給する遺族厚生年金の額とする。

30 問 5
□□□
R2-8D

配偶者以外の者に遺族厚生年金を支給する場合において、受給権者の数に増減を生じたときは、増減を生じた月の翌月から、年金の額を改定する。

30 問 6
□□□
H30-10A

障害等級1級の障害厚生年金の受給権者(厚生年金保険法第58条第1項第4号に規定するいわゆる長期要件には該当しないものとする。)が死亡し、その者が2以上の被保険者の種別に係る被保険者であった期間を有していた場合、遺族厚生年金の額については、その死亡した者に係る2以上の被保険者の種別に係る被保険者であった期間を合算し、1の被保険者の種別に係る被保険者であった期間に係る被保険者期間のみを有するものとみなして額の計算をする。なお、それぞれの期間を合算しても300か月に満たない場合は、300か月として計算する。

30 問 7
□□□
R3-7E
難

2以上の種別の被保険者であった期間を有する老齢厚生年金の受給権者が死亡した場合における遺族厚生年金(中高齢の寡婦加算額が加算されるものとする。)は、各号の厚生年金被保険者期間に係る被保険者期間ごとに支給するものとし、そのそれぞれの額は、死亡した者に係る2以上の被保険者の種別に係る被保険者であった期間を合算し、1の期間に係る被保険者期間のみを有するものとみなして遺族厚生年金の額の計算に関する規定により計算した額に中高齢の寡婦加算額を加算し、それぞれ1の期間に係る被保険者期間を計算の基礎として計算した額に応じて按分した額とする。

30 問 8
□□□
H27-10D

子のない妻が、被保険者である夫の死亡による遺族厚生年金の受給権を取得したときに30歳以上40歳未満であった場合、妻が40歳に達しても中高齢寡婦加算は加算されない。

⑳答5 ○　法61条1項。設問の通り正しい。

⑳答6 ○　法78条の32,1項、令3条の13の6,1項。設問の通り正しい。

⑳答7 ×　法78条の32,3項、令3条の13の7。2以上の種別の被保険者であった期間を有する者の遺族に支給する遺族厚生年金について中高齢寡婦加算額が加算される場合は、原則として、各号の厚生年金被保険者期間のうち最も長い一の期間に基づく遺族厚生年金について当該加算額が加算される。

⑳答8 ○　法62条1項。設問の通り正しい。中高齢寡婦加算は、遺族厚生年金(長期要件に該当することにより支給されるものであって、その額の計算の基礎となる被保険者期間の月数が240未満であるものを除く。)の受給権者である妻であって次の①又は②のいずれかに該当するものが65歳未満であるときに、行われる。設問の妻は、①及び②のいずれの要件にも該当しない。

①	遺族厚生年金の受給権を取得した当時**40歳以上65歳未満**であったもの
②	**40歳**に達した当時被保険者又は被保険者であった者の**子**で**遺族基礎年金**を受けることができる者と生計を同じくしていたもの

30 問9
□□□
R4-10C

被保険者であった45歳の夫が死亡した当時、当該夫により生計を維持していた子のいない38歳の妻は遺族厚生年金を受けることができる遺族となり中高齢寡婦加算も支給されるが、一方で、被保険者であった45歳の妻が死亡した当時、当該妻により生計を維持していた子のいない38歳の夫は遺族厚生年金を受けることができる遺族とはならない。

30 問10
□□□
R3-1A

夫の死亡により、厚生年金保険法第58条第1項第4号に規定するいわゆる長期要件に該当する遺族厚生年金(その額の計算の基礎となる被保険者期間の月数が240以上であるものとする。)の受給権者となった妻が、その権利を取得した当時60歳であった場合は、中高齢寡婦加算として遺族厚生年金の額に満額の遺族基礎年金の額が加算されるが、その妻が、当該夫の死亡により遺族基礎年金も受給できるときは、その間、当該加算される額に相当する部分の支給が停止される。

30 問11
□□□
H28-77

被保険者の死亡により妻が中高齢寡婦加算額が加算された遺族厚生年金の受給権を取得した場合において、その遺族厚生年金は、妻に当該被保険者の死亡について国民年金法による遺族基礎年金が支給されている間、中高齢寡婦加算額に相当する部分の支給が停止される。

30 問12
□□□
R5-4I

中高齢寡婦加算が加算された遺族厚生年金の受給権者である妻が、被保険者又は被保険者であった者の死亡について遺族基礎年金の支給を受けることができるときは、その間、中高齢寡婦加算は支給が停止される。

30 問13
□□□
H27-5D改

老齢厚生年金の受給権者(その計算の基礎となる被保険者期間の月数は240か月以上であり、かつ、保険料納付済期間と保険料免除期間とを合算した期間が25年以上である者。)が死亡したことによりその妻(昭和25年4月2日生まれ)に支給される遺族厚生年金は、その権利を取得した当時、妻が65歳以上であっても、経過的寡婦加算が加算される。なお、当該妻は障害基礎年金及び遺族基礎年金の受給権を有しないものとする。

30答9 ✕ 法59条1項、法65条。夫が死亡した当時、当該夫により生計を維持していた子のいない38歳の妻は、遺族厚生年金を受けることができる遺族となることはできるが、当該妻に中高齢寡婦加算は支給されない。なお、設問後半の記述については正しい。

30答10 ✕ 法62条1項、法65条。中高齢寡婦加算の額は、法38条に規定する遺族基礎年金の額に**4分の3を乗じて得た額**に端数処理をして得た額である。なお、設問の通り、妻が遺族基礎年金の支給を受けることができるときは、その間、中高齢寡婦加算の額に相当する部分の支給は停止される。

30答11 ◯ 法65条。設問の通り正しい。

30答12 ◯ 法65条。設問の通り正しい。

30答13 ◯ 法58条1項4号、法62条1項カッコ書、法65条、(60)法附則73条1項、2項。設問の通り正しい。

30 問14
□□□
R3-1B

昭和32年４月１日生まれの妻は、遺族厚生年金の受給権者であり、中高齢寡婦加算が加算されている。当該妻が65歳に達したときは、中高齢寡婦加算は加算されなくなるが、経過的寡婦加算の額が加算される。

30 問15
□□□
R5-4オ

経過的寡婦加算が加算された遺族厚生年金の受給権者である妻が、障害基礎年金の受給権を有し、当該障害基礎年金の支給がされているときは、その間、経過的寡婦加算は支給が停止される。

30 問16
□□□
H29-1B改

国外に居住する障害等級２級の障害厚生年金の受給権者が死亡した。死亡の当時、この者は、国民年金の被保険者ではなく、また、保険料納付済期間と保険料免除期間とを合算した期間が25年に満たなかった。この者によって生計を維持していた遺族が５歳の子１人であった場合、その子には遺族基礎年金は支給されないが、その子に支給される遺族厚生年金の額に遺族基礎年金の額に相当する額が加算される。

31 遺族厚生年金－支給停止等

過去問

31 問1
□□□
R元-7E

遺族厚生年金は、当該被保険者又は被保険者であった者の死亡について労働基準法第79条の規定による遺族補償の支給が行われるべきものであるときは、死亡の日から６年間、その支給を停止する。

31 問2
□□□
H29-2B

昭和27年４月２日生まれの遺族厚生年金の受給権者が65歳に達し、老齢厚生年金の受給権を取得した場合、当該遺族厚生年金は、当該老齢厚生年金の額(加給年金額が加算されている場合は、その額を除く。)に相当する部分の支給が停止される。

31 問3
□□□
H30-1E

被保険者の死亡により、その妻と子に遺族厚生年金の受給権が発生した場合、子に対する遺族厚生年金は、妻が遺族厚生年金の受給権を有する期間、その支給が停止されるが、妻が自己の意思で妻に対する遺族厚生年金の全額支給停止の申出をしたときは、子に対する遺族厚生年金の支給停止が解除される。

㉚答14 ✕ (60)法附則73条１項、同法附則別表第９。経過的寡婦加算額が加算されるのは、**昭和31年４月1日以前**に生まれた妻に支給する遺族厚生年金に限る。したがって、設問の昭和32年４月１日生まれの妻に支給する遺族厚生年金に経過的寡婦加算額は加算されない。

㉚答15 ◯ (60)法附則73条１項。設問の通り正しい。

㉚答16 ◯ (60)法附則74条２項。設問の通り正しい。子に支給する遺族厚生年金の額は、当該厚生年金保険の被保険者又は被保険者であった者の死亡につきその子が遺族基礎年金の受給権を取得しないときは、遺族厚生年金の額の規定の例により計算した額に「遺族基礎年金の額及び子の加算額の規定の例により計算した額」を加算した額とする。

㉛答1 ◯ 法64条。設問の通り正しい。

㉛答2 ◯ 法64条の２、法60条１項２号ロ,カッコ書。設問の通り正しい。

㉛答3 ✕ 法66条１項。設問の妻が自己の意思で妻に対する遺族厚生年金の全額支給停止の申出をしたときであっても、子に対する遺族厚生年金の支給停止は解除されない。

問4 遺族基礎年金と遺族厚生年金の受給権を有する妻が、障害基礎年金と障害厚生年金の受給権を取得した。妻は、障害基礎年金と障害厚生年金を選択したため、遺族基礎年金と遺族厚生年金は全額支給停止となった。妻には生計を同じくする子がいるが、子の遺族基礎年金については、引き続き支給停止となるが、妻の遺族厚生年金が全額支給停止であることから、子の遺族厚生年金は支給停止が解除される。

`R3-10C`

問5 夫の死亡による遺族基礎年金と遺族厚生年金を受給していた甲が、新たに障害厚生年金の受給権を取得した。甲が障害厚生年金の受給を選択すれば、夫の死亡当時、夫によって生計を維持されていた甲の子（現在10歳）に遺族厚生年金が支給されるようになる。

`R5-5B`

問6 配偶者と離別した父子家庭の父が死亡し、当該死亡の当時、生計を維持していた子が遺族厚生年金の受給権を取得した場合、当該子が死亡した父の元配偶者である母と同居することになったとしても、当該子に対する遺族厚生年金は支給停止とはならない。

`R5-5D`

問7 死亡した被保険者に死亡の当時生計を維持していた妻と子があった場合、妻が国民年金法による遺族基礎年金の受給権を有しない場合であって、子が当該遺族基礎年金の受給権を有していても、その間、妻に対する遺族厚生年金は支給される。

`R5-3B`

問8 夫（障害の状態にない）に対する遺族厚生年金は、当該夫が60歳に達するまでの期間、支給停止されるが、夫が妻の死亡について遺族基礎年金の受給権を有するときは、支給停止されない。

`H27-5E`

問9 15歳の子と生計を同じくする55歳の夫が妻の死亡により遺族基礎年金及び遺族厚生年金の受給権を取得した場合、子が18歳に達した日以後の最初の3月31日までの間は遺族基礎年金と遺族厚生年金を併給することができるが、子が18歳に達した日以後の最初の3月31日が終了したときに遺族基礎年金は失権し、その翌月から夫が60歳に達するまでの間は遺族厚生年金は支給停止される。なお、本問の子は障害の状態にはなく、また、設問中にある事由以外の事由により遺族基礎年金又は遺族厚生年金は失権しないものとする。

`H29-5E`

31答4 ✕ 法66条1項、国年法41条2項。子に対する遺族基礎年金及び遺族厚生年金は、配偶者が遺族基礎年金及び遺族厚生年金の受給権を有する期間、原則として、その支給を停止するとされており、設問のようにその配偶者が他の年金たる保険給付を選択受給することにより配偶者に対する遺族基礎年金及び遺族厚生年金の支給が停止される場合であっても、子に対する遺族基礎年金及び遺族厚生年金の支給停止は解除されず、引き続き支給停止となる。

31答5 ✕ 法66条1項。甲が障害厚生年金の受給を選択した場合であっても、甲の子に対する遺族厚生年金の支給停止は解除されない。

31答6 ◯ 法66条1項他。設問の通り正しい。子に対する遺族厚生年金は、遺族基礎年金とは異なり、生計を同じくするその子の父又は母があることを理由に、その支給を停止しない。

31答7 ✕ 法66条2項。設問の場合、妻に対する遺族厚生年金の支給は停止される。配偶者に対する遺族厚生年金は、当該被保険者又は被保険者であった者の死亡について、配偶者が国民年金法による遺族基礎年金の受給権を有しない場合であって子が当該遺族基礎年金の受給権を有するときは、その間、その支給を停止する。

31答8 ◯ 法65条の2。設問の通り正しい。なお、夫については、妻の死亡の当時55歳以上でなければ、遺族厚生年金の受給権者とならない。

31答9 ◯ 法59条1項、法65条の2項他。設問の通り正しい。夫に対する遺族厚生年金は、同一の支給事由による遺族基礎年金の受給権を有するときを除き、**60歳**に達するまでの期間、その**支給を停止する**。

31 問10
□□□
R元-1E

平成26年4月1日以後に被保険者又は被保険者であった者が死亡し、その者の夫と子に遺族厚生年金の受給権が発生した。当該夫に対する当該遺族厚生年金は、当該被保険者又は被保険者であった者の死亡について、当該夫が国民年金法の規定による遺族基礎年金の受給権を有する場合でも、60歳に到達するまでの間、その支給を停止する。

31 問11
□□□
R5-10ウ

遺族厚生年金を受けることができる遺族のうち、夫については、被保険者又は被保険者であった者の死亡の当時その者によって生計を維持していた者で、55歳以上であることが要件とされており、かつ、60歳に達するまでの期間はその支給が停止されるため、国民年金法による遺族基礎年金の受給権を有するときも、55歳から遺族厚生年金を受給することはない。

31 問12
□□□
R元-7D

配偶者に対する遺族厚生年金は、その配偶者の所在が1年以上明らかでないときは、遺族厚生年金の受給権を有する子の申請によって、申請の日からその支給を停止する。

31 問13
□□□
H28-6E

配偶者以外の者に対する遺族厚生年金の受給権者が2人いる場合において、そのうちの1人の所在が1年以上明らかでない場合は、所在が不明である者に対する遺族厚生年金は、他の受給権者の申請により、その申請のあった日の属する月の翌月から、その支給が停止される。

31 問14
□□□
R2-8B

死亡した被保険者の2人の子が遺族厚生年金の受給権者である場合に、そのうちの1人の所在が1年以上明らかでないときは、他の受給権者の申請によってその所在が明らかでなくなった時にさかのぼってその支給が停止されるが、支給停止された者はいつでもその支給停止の解除を申請することができる。

答10 ×　法65条の2。夫に対する遺族厚生年金は、当該被保険者又は被保険者であった者の死亡について、当該夫が国民年金法の規定による**遺族基礎年金の受給権を有する場合**には、**60歳**に到達するまでの間、その**支給を停止しない**。

答11 ×　法59条1項1号、法65条の2。遺族厚生年金の受給権を取得した当時55歳以上60歳未満の夫が、国民年金法による遺族基礎年金の受給権を有するときは、夫が60歳に達するまでの期間について、遺族厚生年金の支給は停止されない。

答12 ×　法67条1項。配偶者に対する遺族厚生年金は、その配偶者の所在が1年以上明らかでないときは、遺族厚生年金の受給権を有する子の申請によって、その**所在が明らかでなくなった時にさかのぼって**、その支給を停止する。

答13 ×　法68条1項。設問の所在が不明である者に対する遺族厚生年金は、他の受給権者の申請により、**所在が明らかでなくなった時にさかのぼって**、その支給が停止される。

答14 ○　法68条1項、2項。設問の通り正しい。

過去問

32 問1
□□□
R5-5A
夫の死亡による遺族厚生年金を受給している者が、死亡した夫の血族との姻族関係を終了させる届出を提出した場合でも、遺族厚生年金の受給権は失権しない。

32 問2
□□□
R3-10E
第1号厚生年金被保険者が死亡したことにより、当該被保険者の母が遺族厚生年金の受給権者となった。その後、当該母に事実上の婚姻関係にある配偶者が生じた場合でも、当該母は、自身の老齢基礎年金と当該遺族厚生年金の両方を受給することができる。

32 問3
□□□
H29-9ｲ
子の有する遺族厚生年金の受給権は、その子が母と再婚した夫の養子となったときは消滅する。

32 問4
□□□
R3-5I
厚生年金保険の被保険者であった甲には妻の乙と、甲の前妻との間の子である15歳の丙がいたが、甲が死亡したことにより、乙と丙が遺族厚生年金の受給権者となった。その後、丙が乙の養子となった場合、丙の遺族厚生年金の受給権は消滅する。

32 問5
□□□
H27-5B
遺族厚生年金の受給権者である妻が実家に復籍して姓も婚姻前に戻した場合であっても、遺族厚生年金の失権事由である離縁による親族関係の終了には該当しないため、その受給権は消滅しない。

32 問6
□□□
R3-5ｵ
厚生年金保険の被保険者の死亡により、被保険者の死亡当時27歳で子のいない妻が遺族厚生年金の受給権者となった。当該遺族厚生年金の受給権は、当該妻が30歳になったときに消滅する。

答1 ○　法63条。設問の通り正しい。「死亡した夫の血族との姻族関係の終了」は、遺族厚生年金の失権事由に該当しない。

答2 ×　法63条1項2号。遺族厚生年金の受給権は、受給権者が婚姻（届出をしていないが、事実上婚姻関係と同様の事情にある場合を含む。）をしたときは、消滅する。

答3 ×　法63条1項3号。遺族厚生年金の受給権は、受給権者が直系血族及び直系姻族以外の者の養子となったときは、消滅する。設問の母と再婚した夫は、設問の子にとって直系姻族に当たるため、当該夫の養子となっても、当該子の有する遺族厚生年金の受給権は、消滅しない。

答4 ×　法63条1項3号。遺族厚生年金の受給権は、受給権者が直系血族及び直系姻族以外の者の養子（届出をしていないが、事実上養子縁組関係と同様の事情にある者を含む。）となったときは、消滅する。設問の乙は、丙にとって直系姻族に当たるため、丙が乙の養子となった場合であっても、丙の遺族厚生年金の受給権は消滅しない。

答5 ○　法63条1項4号、昭和32.2.9保文発9485号。設問の通り正しい。

答6 ×　法63条1項5号イ。遺族厚生年金の受給権を取得した当時30歳未満である妻が当該遺族厚生年金と同一の支給事由に基づく国民年金法による遺族基礎年金の受給権を取得しないときは、当該遺族厚生年金の受給権を取得した日から起算して5年を経過したときに、その受給権は消滅する。

32問7
□□□
H29-10A

遺族厚生年金及び当該遺族厚生年金と同一の支給事由に基づく遺族基礎年金の受給権を取得した妻について、当該受給権の取得から1年後に子の死亡により当該遺族基礎年金の受給権が消滅した場合であって、当該消滅した日において妻が30歳に到達する日前であった場合は、当該遺族厚生年金の受給権を取得した日から起算して5年を経過したときに当該遺族厚生年金の受給権は消滅する。

32問8
□□□
R5-10オ

遺族厚生年金と当該遺族厚生年金と同一の支給事由に基づく遺族基礎年金の受給権も有している妻が、30歳に到達する日前に当該遺族基礎年金の受給権が失権事由により消滅した場合、遺族厚生年金の受給権は当該遺族基礎年金の受給権が消滅した日から5年を経過したときに消滅する。

32問9
□□□
H27-7D改

老齢厚生年金の受給権者（保険料納付済期間と保険料免除期間とを合算した期間が25年以上である者に限る。）が死亡したことにより、子が遺族厚生年金の受給権者となった場合において、その子が障害等級3級に該当する障害の状態にあるときであっても、18歳に達した日以後の最初の3月31日が終了したときに、子の有する遺族厚生年金の受給権は消滅する。

32問10
□□□
R元-9B

障害等級2級に該当する障害の状態にある子に遺族厚生年金の受給権が発生し、16歳のときに障害等級3級に該当する障害の状態になった場合は、18歳に達した日以後の最初の3月31日が終了したときに当該受給権は消滅する。一方、障害等級2級に該当する障害の状態にある子に遺族厚生年金の受給権が発生し、19歳のときに障害等級3級に該当する障害の状態になった場合は、20歳に達したときに当該受給権は消滅する。

32問11
□□□
R2-2E

被保険者又は被保険者であった者の死亡の当時胎児であった子が出生したときは、父母、孫又は祖父母の有する遺族厚生年金の受給権は消滅する。一方、被保険者又は被保険者であった者の死亡の当時胎児であった子が出生したときでも、妻の有する遺族厚生年金の受給権は消滅しない。

32答7 ×　法63条1項5号ロ。設問の場合、**遺族基礎年金の受給権が消滅した日**から起算して**5年**を経過したときに遺族厚生年金の受給権は消滅する。

32答8 ○　法63条1項5号ロ。設問の通り正しい。

32答9 ○　法63条2項1号。設問の通り正しい。子の有する遺族厚生年金の受給権は、その子が18歳に達した日以後の最初の3月31日が終了したときに障害等級1級又は2級に該当する障害の状態にない場合には、消滅する。

> **Point** 遺族厚生年金の受給権者である子又は孫の失権事由は、①18歳に達した日以後の最初の3月31日が終了したとき（障害等級1級又は2級に該当する障害の状態にあるときを除く。）、②障害等級1級又は2級に該当する障害の状態がやんだとき（18歳に達する日以後の最初の3月31日までの間にあるときを除く。）、③20歳に達したとき等である。

32答10 ×　法63条2項。障害等級2級に該当する障害の状態にある子に遺族厚生年金の受給権が発生し、19歳のときに障害等級3級に該当する障害の状態になった場合には、障害等級3級に該当する障害の状態になったときに、当該受給権は消滅する。なお、設問文前段の記述については正しい。

32答11 ○　法63条3項。設問の通り正しい。妻と子は同順位であるため、子が出生しても妻の有する遺族厚生年金の受給権は消滅しない。

33問1
□□□
R6-8A

脱退一時金の支給額は、被保険者であった期間の平均標準報酬額に支給率を乗じた額である。この支給率は、最終月(最後に被保険者の資格を喪失した日の属する月の前月)の属する年の前年10月(最終月が1月から8月までの場合は、前々年10月)の保険料率に2分の1を乗じて得た率に、被保険者であった期間に応じて政令で定める数を乗じて得た率である。なお、当該政令で定める数の最大値は60である。

33問2
□□□
R6-10オ

2以上の種別の被保険者であった期間を有する者に係る脱退一時金については、その者の2以上の被保険者の種別に係る被保険者であった期間に係る被保険者期間を合算し、一の期間に係る被保険者期間のみを有する者に係るものとみなして支給要件を判定する。

33問1
□□□
R2-9E

障害厚生年金の支給を受けたことがある場合でも、障害の状態が軽減し、脱退一時金の請求時に障害厚生年金の支給を受けていなければ脱退一時金の支給を受けることができる。

33問2
□□□
H30-3オ

脱退一時金は、最後に国民年金の被保険者の資格を喪失した日(同日において日本国内に住所を有していた者にあっては、同日後初めて、日本国内に住所を有しなくなった日)から起算して2年を経過しているときは、請求することができない。

33問3
□□□
R3-9C

ある日本国籍を有しない者について、最後に厚生年金保険の被保険者資格を喪失した日から起算して2年が経過しており、かつ、最後に国民年金の被保険者資格を喪失した日(同日において日本国内に住所を有していた者にあっては、同日後初めて、日本国内に住所を有しなくなった日)から起算して1年が経過した。この時点で、この者が、厚生年金保険の被保険者期間を6か月以上有しており、かつ、障害厚生年金等の受給権を有したことがない場合、厚生年金保険法に定める脱退一時金の請求が可能である。

33答1 ○　法附則29条4項、令12条の2。設問の通り正しい。

33答1 ○　法附則30条。設問の通り正しい。

33答1 ×　法附則29条1項2号。障害厚生年金の受給権を有したことがある者は、脱退一時金の支給を請求することはできない。

33答2 ○　法附則29条1項3号。設問の通り正しい。

33答3 ○　法附則29条1項。最後に国民年金の被保険者の資格を喪失した日(同日において日本国内に住所を有していた者にあっては、同日後初めて、日本国内に住所を有しなくなった日)から 起算して2年が経過していなければ、脱退一時金の他の支給要件を満たす限り、その支給を請求することができる。

33 問4
□□□
H29-8A

2以上の種別の被保険者であった期間を有する者の脱退一時金は、それぞれの種別の被保険者であった期間ごとに6か月以上の期間がなければ受給資格を得ることはできない。

33 問5
□□□
R元-9D

被保険者期間が6か月以上ある日本国籍を有しない者は、所定の要件を満たす場合に脱退一時金の支給を請求することができるが、かつて、脱退一時金を受給した者が再入国し、適用事業所に使用され、再度、被保険者期間が6か月以上となり、所定の要件を満たした場合であっても、再度、脱退一時金の支給を請求することはできない。

33 問6
□□□
H27-9E

脱退一時金の額の計算に用いる支給率は、最後に被保険者の資格を喪失した日の属する月の前月の属する年の前年9月の保険料率に2分の1を乗じて得た率に、被保険者であった期間に応じた数を乗じて得た率とする。

33 問7
□□□
R3-9D

脱退一時金の額の計算における平均標準報酬額の算出に当たっては、被保険者期間の計算の基礎となる各月の標準報酬月額と標準賞与額に再評価率を乗じることはない。

33 問8
□□□
R3-3E

脱退一時金の額の計算に当たっては、平成15年3月31日以前の被保険者期間については、その期間の各月の標準報酬月額に1.3を乗じて得た額を使用する。

34 厚生年金保険事業の財政

過去問

34 問1
□□□
R5-8D
難

国民年金法による年金たる給付及び厚生年金保険法による年金たる保険給付については、モデル年金の所得代替率が100分の50を上回ることとなるような給付水準を将来にわたり確保するものとされている。この所得代替率の分母の基準となる額は、当該年度の前年度の男子被保険者の平均的な標準報酬額に相当する額から当該額に係る公租公課の額を控除して得た額に相当する額である。

㉝答4 × 法附則30条。2以上の種別の被保険者であった期間を有する者に係る脱退一時金の支給要件については、その者の2以上の被保険者の種別に係る被保険者であった期間に係る被保険者期間を合算し、一の期間に係る被保険者期間のみを有する者に係るものとみなして判定する。

㉝答5 × 法附則29条1項。かつて脱退一時金を受給した者であっても、所定の要件を満たした場合には、再度脱退一時金の支給を請求することができる。

㉝答6 × 法附則29条4項。設問の支給率は、原則として、最後に被保険者の資格を喪失した日の属する月の前月の属する年の**前年**「10月」の保険料率に2分の1を乗じて得た率に、被保険者であった期間に応じた数を乗じて得た率とされている。

㉝答7 ○ 法附則29条3項。設問の通り正しい。

㉝答8 ○ (12)法附則22条1項。設問の通り正しい。

㉞答1 ○ (16)法附則2条1項。設問の通り正しい。

34問2
□□□
H30-7A
　財政の現況及び見通しにおける財政均衡期間は、財政の現況及び見通しが作成される年以降おおむね100年間とされている。

34問3
□□□
R5-8C
　政府は、令和元年8月に、国民年金及び厚生年金に係る財政の現況及び見通しを公表した。そのため、遅くとも令和7年12月末までには、新たな国民年金及び厚生年金に係る財政の現況及び見通しを作成しなければならない。

34問4
□□□
H30-7B
　厚生年金保険法に基づく保険料率は、国民の生活水準、賃金その他の諸事情に著しい変動が生じた場合には、変動後の諸事情に応ずるため、速やかに改定の措置が講ぜられなければならない。

35 支給期間等

最新問題

35問1
□□□
R6-8D
　未支給の保険給付の支給を請求できる遺族として、死亡した受給権者とその死亡の当時生計を同じくしていた妹と祖父がいる場合、祖父が先順位者になる。

35問2
□□□
R6-10ウ
　年金たる保険給付(厚生年金保険法の他の規定又は他の法令の規定によりその全額につき支給を停止されている年金たる保険給付を除く。)は、その受給権者の申出により、その全額の支給を停止することとされている。ただし、厚生年金保険法の他の規定又は他の法令の規定によりその額の一部につき支給を停止されているときは、停止されていない部分の額の支給を停止する。

34答2 ○　法2条の4,2項。設問の通り正しい。

34答3 ×　法2条の4,1項、国年法4条の3,1項。政府は、**少なくとも5年**ごとに、国民年金及び厚生年金に係る財政の現況及び見通しを作成しなければならない。

34答4 ×　法2条の2他。保険料率について、設問のような規定は設けられていない。なお、厚生年金保険法による年金たる保険給付の額は、国民の生活水準、賃金その他の諸事情に著しい変動が生じた場合には、変動後の諸事情に応ずるため、速やかに改定の措置が講ぜられなければならないこととされている。

35答1 ○　法37条4項、令3条の2。設問の通り正しい。未支給の保険給付を受けるべき者の順位は、死亡した者の配偶者、子(死亡した者が遺族厚生年金の受給権者である夫であった場合における被保険者又は被保険者であった者の子であってその者の死亡によって遺族厚生年金の支給の停止が解除されたものを含む。)、父母、孫、祖父母、兄弟姉妹及びこれらの者以外の3親等内の親族の順序とする。

35答2 ○　法38条の2,1項。設問の通り正しい。なお、設問ただし書のその額の一部につき支給を停止されている年金たる保険給付について、厚生年金保険法の他の規定又は他の法令の規定による支給停止が解除されたときは、設問本文の年金たる保険給付の全額の支給を停止する。

35問1
□□□
H28-6A
　障害認定日において障害等級に該当する程度の障害の状態にある場合の障害厚生年金は、原則として障害認定日の属する月の翌月分から支給される。ただし、障害認定日が月の初日である場合にはその月から支給される。

35問2
□□□
R元-6A
　行方不明となった航空機に乗っていた被保険者の生死が3か月間わからない場合は、遺族厚生年金の支給に関する規定の適用については、当該航空機の到着予定日から3か月が経過した日に当該被保険者が死亡したものと推定される。

35問3
□□□
R5-5C
　船舶が行方不明となった際、現にその船舶に乗っていた被保険者若しくは被保険者であった者の生死が3か月間分からない場合は、遺族厚生年金の支給に関する規定の適用については、当該船舶が行方不明になった日に、その者は死亡したものと推定される。

35問4
□□□
H30-9C
　保険給付の受給権者が死亡した場合において、その死亡した者に支給すべき保険給付でまだその者に支給しなかったものがあるときは、その者の死亡の当時その者と生計を同じくしていた者であれば、その者の配偶者、子、父母、孫、祖父母、兄弟姉妹又はこれらの者以外の3親等内の親族は、自己の名で、その未支給の保険給付の支給を請求することができる。

35問5
□□□
H27-6D
　未支給の保険給付を受けるべき者の順位は、死亡した者と生計を同じくしていたもののうち、死亡した者の配偶者、子(死亡した者が遺族厚生年金の受給権者である夫であった場合における被保険者又は被保険者であった者の子であってその者の死亡によって遺族厚生年金の支給の停止が解除されたものを含む。)、父母、孫、祖父母、兄弟姉妹及びこれらの者以外の三親等内の親族の順序とする。

35問6
□□□
H29-9オ
　未支給の保険給付を受けるべき同順位者が2人以上あるときは、その1人のした請求は、全員のためその全額につきしたものとみなされ、その1人に対してした支給は、全員に対してしたものとみなされる。

答1 × 法36条1項、法47条1項。障害認定日が月の初日である場合においても、障害認定日の属する月の翌月分から支給される。

答2 × 法59条の2。設問の場合における遺族厚生年金の支給に関する規定の適用については、当該**航空機が行方不明となった日**に、当該被保険者が死亡したものと推定される。

答3 ○ 法59条の2。設問の通り正しい。

答4 ○ 法37条1項。設問の通り正しい。

> 未支給の保険給付は、死亡した受給権者が死亡前にその保険給付を請求（裁定請求）していなかった場合でも、未支給の保険給付の請求権者は、**自己の名で**、その保険給付を請求（裁定請求）することができる。

答5 ○ 令3条の2。設問の通り正しい。

> 死亡した者が遺族厚生年金の受給権者である妻であった場合における被保険者又は被保険者であった者の子であってその者の死亡によって遺族厚生年金の支給の停止が解除されたものは、未支給の保険給付の支給を請求することができる子とみなされている。

答6 ○ 法37条5項。設問の通り正しい。

35問7
□□□
R4-10E

保険給付の受給権者が死亡し、その死亡した者に支給すべき保険給付でまだその者に支給しなかったものがあるときにおいて、未支給の保険給付を受けるべき同順位者が2人以上あるときは、その1人のした請求は、全員のためその全額につきしたものとみなし、その1人に対しての支給は、全員に対してしたものとみなされる。

35問8
□□□
R元-9A

夫の死亡により、前妻との間に生まれた子(以下「夫の子」という。)及び後妻に遺族厚生年金の受給権が発生した。その後、後妻が死亡した場合において、死亡した後妻に支給すべき保険給付でまだ後妻に支給しなかったものがあるときは、後妻の死亡当時、後妻と生計を同じくしていた夫の子であって、後妻の死亡によって遺族厚生年金の支給停止が解除された当該子は、自己の名で、その未支給の保険給付の支給を請求することができる。

35問9
□□□
R2-1B

年金たる保険給付は、厚生年金保険法の他の規定又は同法以外の法令の規定によりその額の一部につき支給を停止されている場合は、その受給権者の申出により、停止されていない部分の額の支給を停止することとされている。

35問10
□□□
H27-8C

障害厚生年金を受ける権利は、譲り渡し、又は差し押えることはできず、また、障害厚生年金として支給を受けた金銭を標準として、租税その他の公課を課すこともできない。

35問11
□□□
R2-5D

障害厚生年金の保険給付を受ける権利は、国税滞納処分による差し押さえはできない。

35問12
□□□
R2-5E

老齢厚生年金の保険給付として支給を受けた金銭を標準として、租税その他の公課を課すことはできない。

35答7 ○ 法37条5項。設問の通り正しい。

35答8 ○ 法37条2項。設問の通り正しい。

35答9 ○ 法38条の2,1項ただし書。設問の通り正しい。

35答10 ○ 法41条。設問の通り正しい。

> 「受給権の保護及び公課の禁止」の例外には、次のようなものがある。
> ・老齢厚生年金、脱退手当金及び脱退一時金を受ける権利を国税滞納処分により差し押えること
> ・老齢厚生年金及び脱退手当金として支給を受けた金銭を標準として、租税その他の公課を課すること

35答11 ○ 法41条1項。設問の通り正しい。

35答12 × 法41条2項。老齢厚生年金については、保険給付として支給を受けた金銭を標準として、租税その他の公課を課することができる。

36 内払処理・充当処理

最新問題

36問1
□□□
R6-3A

同一人に対して国民年金法による年金たる給付の支給を停止して年金たる保険給付(厚生労働大臣が支給するものに限る。以下本肢において同じ。)を支給すべき場合において、年金たる保険給付を支給すべき事由が生じた月の翌月以後の分として同法による年金たる給付の支払いが行われたときは、その支払われた同法による年金たる給付は、年金たる保険給付の内払いとみなすことができる。

37 併給調整

過去問

37問1
□□□
R4-1

次のアからオの記述のうち、厚生年金保険法第38条第1項及び同法附則第17条の規定によってどちらか一方の年金の支給が停止されるものの組合せとして正しいものはいくつあるか。ただし、いずれも、受給権者は65歳に達しているものとする。

ア　老齢基礎年金と老齢厚生年金
イ　老齢基礎年金と障害厚生年金
ウ　障害基礎年金と老齢厚生年金
エ　障害基礎年金と遺族厚生年金
オ　遺族基礎年金と障害厚生年金

A　一つ
B　二つ
C　三つ
D　四つ
E　五つ

37問2
□□□
R2-5C

第1号厚生年金被保険者期間と第2号厚生年金被保険者期間を有する者について、第1号厚生年金被保険者期間に基づく老齢厚生年金と、第2号厚生年金被保険者期間に基づく老齢厚生年金は併給される。

36答1 ○ 法39条3項。設問の通り正しい。なお、国民年金法による年金たる給付と厚生労働大臣以外の実施機関が支給する年金たる保険給付との間においては、設問の規定による内払処理は行われない。

37答1 **正解　B（イ・オの二つ）**
ア　× 法38条1項、法附則17条。老齢基礎年金と老齢厚生年金は併給される。
イ　○ 法38条1項、法附則17条。設問の通り正しい。老齢基礎年金と障害厚生年金は併給されず、どちらか一方の年金の支給が停止される。
ウ　× 法38条1項、法附則17条。障害基礎年金と老齢厚生年金（受給権者が65歳に達しているものに限る。）は併給される。
エ　× 法38条1項、法附則17条。障害基礎年金と遺族厚生年金（受給権者が65歳に達しているものに限る。）は併給される。
オ　○ 法38条1項、法附則17条。設問の通り正しい。遺族基礎年金と障害厚生年金は併給されず、どちらか一方の年金の支給が停止される。

37答2 ○ 法78条の22。設問の通り正しい。

37 問 3
□□□
H30-5D

障害厚生年金及び当該障害厚生年金と同一の支給事由に基づく障害基礎年金の受給権者が60歳に達して特別支給の老齢厚生年金の受給権を取得した場合、当該障害厚生年金と当該特別支給の老齢厚生年金は併給されないのでどちらか一方の選択になるが、いずれを選択しても当該障害基礎年金は併給される。

37 問 4
□□□
H28-9B

障害等級3級の障害厚生年金の受給権者が65歳になり、老齢基礎年金の受給権を取得したとしても、それらは併給されないため、いずれか一方のみを受給することができるが、遺族厚生年金の受給権者が65歳になり、老齢基礎年金の受給権を取得したときは、それらの両方を受給することができる。

37 問 5
□□□
H28-2D

経過的寡婦加算が加算された遺族厚生年金の受給権者が国民年金法による障害基礎年金の支給を受ける場合には、遺族厚生年金の経過的寡婦加算の額に相当する部分の支給が停止される。

38 給付制限等

過去問

38 問 1
□□□
R元-6E

被保険者が故意に障害を生ぜしめたときは、当該障害を支給事由とする障害厚生年金又は障害手当金は支給されない。また、被保険者が重大な過失により障害を生ぜしめたときは、保険給付の全部又は一部を行わないことができる。

38 問 2
□□□
R2-8E

年金たる保険給付の受給権者が、正当な理由がなくて、実施機関が必要があると認めて行った受給権者の身分関係に係る事項に関する職員の質問に応じなかったときは、年金たる保険給付の額の全部又は一部につき、その支給を停止することができる。

37 答 3 ✕ 法38条1項、法附則17条。障害基礎年金と特別支給の老齢厚生年金は、併給されない。なお、受給権者が65歳に達している場合には、障害厚生年金又は老齢厚生年金のいずれを選択しても、障害基礎年金は併給される。

37 答 4 〇 法38条1項、法附則17条。設問の通り正しい。

 Point 受給権者が65歳に達している場合には、「『老齢基礎年金及び付加年金』と『遺族厚生年金』」、又は「『障害基礎年金』と『遺族厚生年金』」の組合せで併給することができる。

37 答 5 〇 (60)法附則73条1項ただし書。設問の通り正しい。

Point 経過的寡婦加算額が加算された遺族厚生年金は、その受給権者が、障害基礎年金の受給権を有するとき(その支給を停止されているときを除く。)又は当該被保険者又は被保険者であった者の死亡について遺族基礎年金の支給を受けることができるときは、その間、経過的寡婦加算額に相当する部分の支給を停止する。

38 答 1 〇 法73条、法73条の2。設問の通り正しい。

38 答 2 〇 法77条1号、法96条1項。設問の通り正しい。

38 問 3
□□□
H27-5C

被保険者が、自己の故意の犯罪行為により、死亡の原因となった事故を生じさせたときは、保険給付の全部又は一部を行なわないことができることとなっており、被保険者が精神疾患のため自殺した場合には遺族厚生年金は支給されない。

38 問 4
□□□
H27-6E改

老齢厚生年金の額に加算される加給年金額の対象となっている障害の状態にある19歳の子が、実施機関が必要と認めた受診命令に従わなかったときは、厚生年金保険法第77条の規定による支給停止が行われることがある。

38 問 5
□□□
H29-5B

実施機関は、障害厚生年金の受給権者が、故意若しくは重大な過失により、又は正当な理由がなくて療養に関する指示に従わないことにより、その障害の程度を増進させ、又はその回復を妨げたときは、実施機関の診査による改定を行わず、又はその者の障害の程度が現に該当する障害等級以下の障害等級に該当するものとして、改定を行うことができる。

38 問 6
□□□
H27-8B

保険料を徴収する権利が時効によって消滅したときは、当該保険料に係る被保険者であった期間に基づく保険給付は行われないが、当該被保険者であった期間に係る被保険者資格の取得について事業主の届出があった後に、保険料を徴収する権利が時効によって消滅したものであるときは、この限りでないとされている。

38 問 7
□□□
H30-37

保険料を徴収する権利が時効によって消滅したときは、当該保険料に係る被保険者であった期間に基づく保険給付は行わない。当該被保険者であった期間に係る被保険者の資格の取得について、厚生年金保険法第31条第1項の規定による確認の請求があった後に、保険料を徴収する権利が時効によって消滅したものであるときも同様に保険給付は行わない。

38 問 8
□□□
H27-7E改

第1号厚生年金被保険者期間に基づく保険給付の受給権者が、正当な理由がなくて厚生年金保険法第98条第3項の規定による届出をせず又は書類その他の物件を提出しないときは、保険給付の支払を一時差し止めることができる。

答3 ✕　法73条の2、昭和35.10.6保険発123号。自殺は故意の犯罪行為に該当しないため、設問の給付制限の対象とはならない。なお、自殺により保険事故を生じた場合の遺族厚生年金の給付制限については、自殺行為は何らかの精神異常に起因して行われる場合が多く、たとえ当該行為者が外見上通常人と全く同様の状態にあったとしても、これをもって直ちに故意に保険事故を発生せしめたものとして給付制限を行うことは適当ではないと考えられている。

答4 ◯　法77条2号、法97条1項。設問の通り正しい。

答5 ◯　法74条。設問の通り正しい。

答6 ◯　法75条。設問の通り正しい。

> 「事業主の届出」のほか、被保険者資格の確認の請求又は厚生年金保険原簿記録の訂正の請求があった後に、保険料を徴収する権利が時効によって消滅したものであるときにも、当該保険料に係る被保険者であった期間に基づく保険給付は行われる。

答7 ✕　法75条。法31条1項の規定による確認の請求があった後に、保険料を徴収する権利が時効によって消滅したものであるときは、当該保険料に係る被保険者であった期間に基づく保険給付は行うものとされている。

答8 ◯　法78条1項。設問の通り正しい。

> 一時差止めは、支給停止と異なり、差止め事由が消滅したときは、さかのぼって支払が行われる。

38 問9
□□□
H30-4I

第1号厚生年金被保険者期間に基づく老齢厚生年金の受給権者（加給年金額の対象者があるものとする。）は、その額の全部につき支給が停止されている場合を除き、正当な理由なくして、厚生年金保険法施行規則第35条の3に規定する加給年金額の対象者がある老齢厚生年金の受給権者に係る現況の届書を提出しないときは、当該老齢厚生年金が支給停止され、その後、当該届書が提出されれば、提出された月から支給停止が解除される。

38 問10
□□□
H29-2D

政府等は、第三者の行為によって生じた事故により保険給付を行ったときは、その給付の価額の限度で、受給権者が第三者に対して有する損害賠償の請求権を取得する。また、政府等は、受給権者が当該第三者から同一の事由について損害賠償を受けたときは、その価額の限度で、保険給付をしないことができる。

38 問11
□□□
R3-6B
難

事故が第三者の行為によって生じた場合において、2以上の種別の被保険者であった期間を有する者に係る保険給付の受給権者が、当該第三者から同一の事由について損害賠償を受けたときは、政府及び実施機関（厚生労働大臣を除く。）は、その価額をそれぞれの保険給付の価額に応じて按分した価額の限度で、保険給付をしないことができる。

39 合意分割の請求等

過去問

39 問1
□□□
H27-10C

離婚等をした場合に当事者が行う標準報酬の改定又は決定の請求について、請求すべき按分割合の合意のための協議が調わないときは、当事者の一方の申立てにより、家庭裁判所は当該対象期間における保険料納付に対する当事者の寄与の程度その他一切の事情を考慮して、請求すべき按分割合を定めることができる。

39 問2
□□□
R元-57

離婚の届出をしていないが、夫婦としての共同生活が営まれておらず、事実上離婚したと同様の事情にあると認められる場合であって、両当事者がともに当該事情にあると認めている場合には、いわゆる合意分割の請求ができる。

38答9 ×　法78条1項、則35条の3,1項、則36条。正当な理由がなくて、設問の届書を提出しないときは、老齢厚生年金の支払を**一時差し止める**ことができることとされている。

38答10 ○　法32条カッコ書、法40条。設問の通り正しい。

38答11 ○　法40条2項、法78条の25。設問の通り正しい。

39答1 ○　法78条の2,2項。設問の通り正しい。

39答2 ×　則78条他。設問の場合には、いわゆる合意分割の請求はできない。

39問3 □□□ R3-10D 難 　平成13年4月から平成23年3月までの10年間婚姻関係であった夫婦が平成23年3月に離婚が成立し、その後事実上の婚姻関係を平成23年4月から令和3年3月までの10年間続けていたが、令和3年4月2日に事実上の婚姻関係を解消することになった。事実上の婚姻関係を解消することになった時点において、平成13年4月から平成23年3月までの期間についての厚生年金保険法第78条の2に規定するいわゆる合意分割の請求を行うことはできない。なお、平成13年4月から平成23年3月までの期間においては、夫婦共に第1号厚生年金被保険者であったものとし、平成23年4月から令和3年3月までの期間においては、夫は第1号厚生年金被保険者、妻は国民年金の第3号被保険者であったものとする。

39問4 □□□ H29-6D 難 　離婚が成立したが、合意分割の請求をする前に当事者の一方が死亡した場合において、当事者の一方が死亡した日から起算して1か月以内に、当事者の他方から所定の事項が記載された公正証書を添えて当該請求があったときは、当事者の一方が死亡した日の前日に当該請求があったものとみなされる。

39問5 □□□ H29-6E 　第1号改定者及び第2号改定者又はその一方は、実施機関に対して、厚生労働省令の定めるところにより、標準報酬改定請求を行うために必要な情報の提供を請求することができるが、その請求は、離婚等が成立した日の翌日から起算して3か月以内に行わなければならない。

39問6 □□□ R3-1C 　2以上の種別の被保険者であった期間を有する者について、3号分割標準報酬改定請求の規定を適用する場合においては、各号の厚生年金被保険者期間のうち1の期間に係る標準報酬についての当該請求は、他の期間に係る標準報酬についての当該請求と同時に行わなければならない。

39答3 ◯　法78条の2,1項ただし書、則78条の2、則78条の3,1項1号他。設問の通り正しい。設問の法律婚の期間と事実婚の期間は対象期間として通算はされず、平成23年3月における離婚が成立した日の翌日から起算して2年を経過しているため、平成13年4月から平成23年3月までの法律婚の期間についてのいわゆる合意分割の請求を行うことはできない。

39答4 ◯　令3条の12の7、則78条の4、則78条の12。設問の通り正しい。

39答5 ✕　法78条の2,1項ただし書、法78条の4,1項。設問の情報の提供の請求は、離婚等が成立した日の翌日から起算して2年以内に行わなければならない。

情報の提供の請求は、離婚等をしたときから**2年**を経過した場合及び情報の提供を受けた日の翌日から3月を経過していない場合（一定の場合を除く。）にも、行うことができない。

39答6 ◯　法78条の36,1項。設問の通り正しい。

40 合意分割の効果

過去問

40問1
□□□
H28-9C

厚生年金保険法第78条の6第1項及び第2項の規定によるいわゆる合意分割により改定され、又は決定された標準報酬は、その改定又は決定に係る標準報酬改定請求のあった日から将来に向かってのみその効力を有する。

40問2
□□□
H29-6C

離婚時みなし被保険者期間は、特別支給の老齢厚生年金の定額部分の額の計算の基礎とはされない。

40問3
□□□
R5-6B

特別支給の老齢厚生年金の受給資格要件の1つは、1年以上の被保険者期間を有することであるが、この被保険者期間には、離婚時みなし被保険者期間を含めることができる。

40問4
□□□
R3-8E

老齢厚生年金に配偶者の加給年金額が加算されるためには、老齢厚生年金の年金額の計算の基礎となる被保険者期間の月数が240以上という要件があるが、当該被保険者期間には、離婚時みなし被保険者期間を含めることはできない。

40問5
□□□
H27-10B

厚生年金保険の被保険者期間が離婚時みなし被保険者期間としてみなされた期間のみである者は、特別支給の老齢厚生年金を受給することはできない。

40問6
□□□
H28-3ウ改

国民年金の第1号被保険者期間のみを有していた者が離婚時みなし被保険者期間を有するに至ったことにより老齢厚生年金の受給権を取得した後に死亡した場合(保険料納付済期間、保険料免除期間及び合算対象期間を合算した期間が25年以上である場合に限る。)、死亡した者によって生計を維持していた一定の遺族に遺族厚生年金が支給される。

⓵答1 ○ 法78条の6,4項。設問の通り正しい。

⓵答2 ○ 法附則17条の10他。設問の通り正しい。離婚時みなし被保険者期間及び被扶養配偶者みなし被保険者期間は、老齢厚生年金の報酬比例部分の額の計算の基礎となる被保険者期間には含まれるが、定額部分の額の計算の基礎となる被保険者期間には含まないものとされている。

⓵答3 × 法附則17条の10。特別支給の老齢厚生年金の支給要件の１つである「１年以上の被保険者期間を有すること」の判定において、当該被保険者期間から離婚時みなし被保険者期間は除かれる。

⓵答4 ○ 法44条１項、法78条の11。設問の通り正しい。老齢厚生年金の額の計算の基礎となる被保険者期間の月数が240以上であることが、加給年金額の加算要件の一つとされているが、この場合、離婚時みなし被保険者期間を除いた(実際の)被保険者期間の月数が240以上であることを要する。

⓵答5 ○ 法附則17条の10。設問の通り正しい。なお、「被扶養配偶者みなし被保険者期間」についても同様である。

⓵答6 ○ 法58条１項４号、法78条の11。設問の通り正しい。例えば、厚生年金保険の被保険者であったことがなく、国民年金の第１号被保険者期間のみで保険料納付済期間を25年有する者が、離婚時みなし被保険者期間を１月以上有するに至ったことにより老齢厚生年金の受給権を取得した後に死亡した場合には、その者の一定の遺族に遺族厚生年金が支給されることとなる。

40問7
□□□
H29-6A

障害厚生年金の額の計算の基礎となる被保険者期間に係る標準報酬が、合意分割により改定又は決定がされた場合は、改定又は決定後の標準報酬を基礎として年金額が改定される。ただし、年金額の計算の基礎となる被保険者期間の月数が300月に満たないため、これを300月として計算された障害厚生年金については、離婚時みなし被保険者期間はその計算の基礎とされない。

41 3号分割の請求

過去問

41問1
□□□
H29-6B

厚生年金保険法第78条の14の規定によるいわゆる3号分割の請求については、当事者が標準報酬の改定及び決定について合意している旨の文書は必要とされない。

41問2
□□□
R2-4A

離婚した場合の3号分割標準報酬改定請求における特定期間(特定期間は複数ないものとする。)に係る被保険者期間については、特定期間の初日の属する月は被保険者期間に算入し、特定期間の末日の属する月は被保険者期間に算入しない。ただし、特定期間の初日と末日が同一の月に属するときは、その月は、特定期間に係る被保険者期間に算入しない。

41問3
□□□
H30-5B

厚生年金保険法第78条の14第1項の規定による3号分割標準報酬改定請求のあった日において、特定被保険者の被扶養配偶者が第3号被保険者としての国民年金の被保険者の資格(当該特定被保険者の配偶者としての当該資格に限る。)を喪失し、かつ、離婚の届出はしていないが当該特定被保険者が行方不明になって2年が経過していると認められる場合、当該特定被保険者の被扶養配偶者は3号分割標準報酬改定請求をすることができる。

㊵答7 ○ 法78条の10,2項。設問の通り正しい。

㊶答1 ○ 法78条の14,1項。設問の通り正しい。

> 平成20年4月1日前の期間については、3号分割の対象とはならないが、合意分割による標準報酬の改定又は決定の請求をすることができる。

㊶答2 ○ 令3条の12の12。設問の通り正しい。

㊶答3 × 則78条の14,2号イ。設問文中「2年」を「3年」に置き換えると正しい記述となる。

41 問4
□□□
R元-5I

離婚の届出をしていないが、夫婦としての共同生活が営まれておらず、事実上離婚したと同様の事情にあると認められる場合であって、両当事者がともに当該事情にあると認めている場合に該当し、かつ、特定被保険者（厚生年金保険法第78条の14に規定する特定被保険者をいう。）の被扶養配偶者が第3号被保険者としての国民年金の被保険者の資格を喪失している場合でも、いわゆる3号分割の請求はできない。

41 問5
□□□
H28-2C

厚生年金保険法第78条の14に規定する特定被保険者（以下本問において「特定被保険者」という。）が障害厚生年金の受給権者である場合、当該障害厚生年金の計算の基礎となった被保険者期間は、3号分割標準報酬改定請求により標準報酬月額及び標準賞与額が改定される期間から除かれる。

41 問6
□□□
R元-3E

障害厚生年金の受給権者である特定被保険者（厚生年金保険法第78条の14に規定する特定被保険者をいう。）の被扶養配偶者が3号分割標準報酬改定請求をする場合における特定期間に係る被保険者期間については、当該障害厚生年金の額の計算の基礎となった特定期間に係る被保険者期間を改定又は決定の対象から除くものとする。

41 問7
□□□
R3-1E

厚生年金保険法第78条の14に規定する特定被保険者が、特定期間の全部をその額の計算の基礎とする障害厚生年金の受給権者であったとしても、当該特定被保険者の被扶養配偶者は3号分割標準報酬改定請求をすることができる。

41 問8
□□□
R3-1D

3号分割標準報酬改定請求は、離婚が成立した日の翌日から起算して2年を経過したときまでに行う必要があるが、3号分割標準報酬改定請求に併せて厚生年金保険法第78条の2に規定するいわゆる合意分割の請求を行う場合であって、按分割合に関する審判の申立てをした場合は、その審判が確定した日の翌日から起算して2年を経過する日までは3号分割標準報酬改定請求を行うことができる。

41答4　×　則78条の14,2号ロ。設問の場合には、いわゆる3号分割の請求ができ得る。

41答5　○　令3条の12の11、則78条の17,1項1号カッコ書。設問の通り正しい。特定期間の一部のみが障害厚生年金の額の計算の基礎となっている場合には、特定期間のうち障害厚生年金の額の計算の基礎となっていた被保険者期間を除いて、3号分割標準報酬改定請求をすることができる。

41答6　○　令3条の12の11、則78条の17,1項1号カッコ書。設問の通り正しい。特定期間の一部のみが障害厚生年金の額の計算の基礎となっている場合には、特定期間のうち障害厚生年金の額の計算の基礎となっていた被保険者期間を除いて、3号分割標準報酬改定請求をすることができる。

41答7　×　法78条の14,1項ただし書、則78条の17,1項1号カッコ書、令3条の12の11。特定被保険者が、特定期間の全部をその額の計算の基礎とする障害厚生年金の受給権者であった場合には、当該特定被保険者の被扶養配偶者は、3号分割標準報酬改定請求をすることができない。なお、特定期間の一部のみが障害厚生年金の額の計算の基礎となっている場合には、特定期間のうち障害厚生年金の額の計算の基礎となっていた被保険者期間を除いて、3号分割標準報酬改定請求をすることができる。

41答8　×　則78条の3,2項1号、則78条の17,2項。離婚が成立した日の翌日から起算して**2年を経過した日以後**に、又は離婚が成立した日の翌日から起算して**2年を経過した日前6月以内**に、請求すべき按分割合を定めた審判が確定したときは、その**確定した日の翌日から起算して6月を経過する日**までは3号分割標準報酬改定請求を行うことができる。

41 問9
□□□
H28-2E
🈔

離婚をし、その1年後に、特定被保険者が死亡した場合、その死亡の日から起算して1か月以内に被扶養配偶者（当該特定被保険者の配偶者として国民年金法に規定する第3号被保険者であった者）から3号分割標準報酬改定請求があったときは、当該特定被保険者が死亡した日の前日に当該請求があったものとみなされる。

41 問10
□□□
R2-3イ
🈔

特定被保険者が死亡した日から起算して1か月以内に被扶養配偶者（当該死亡前に当該特定被保険者と3号分割標準報酬改定請求の事由である離婚又は婚姻の取消しその他厚生年金保険法施行令第3条の12の10に規定する厚生労働省令で定めるこれらに準ずるものをした被扶養配偶者に限る。）から3号分割標準報酬改定請求があったときは、当該特定被保険者が死亡した日に3号分割標準報酬改定請求があったものとみなす。

42 不服申立て

【最新問題】

42 問1
□□□
R6-1A

厚生労働大臣による被保険者の資格に関する処分に不服がある者は、社会保険審査会に対して審査請求をすることができる。

42 問2
□□□
R6-1B

厚生労働大臣による保険料の賦課の処分に不服がある者は、社会保険審査官に対して審査請求をすることができる。

42 問3
□□□
R6-1C

厚生労働大臣による脱退一時金に関する処分に不服がある者は、社会保険審査会に対して審査請求をすることができる。

42 問4
□□□
R6-1D

第1号厚生年金被保険者が厚生年金保険原簿の訂正請求をしたが、厚生労働大臣が訂正をしない旨を決定した場合、当該被保険者が当該処分に不服がある場合は、社会保険審査官に対して審査請求をすることができる。

41 答9 ○ 令3条の12の14,1項。設問の通り正しい。

41 答10 × 令3条の12の14。設問の場合、当該特定被保険者が死亡した日の前日に3号分割標準報酬改定請求があったものとみなされる。

42 答1 × 法90条1項。厚生労働大臣による被保険者の資格に関する処分に不服がある者は、「**社会保険審査官に対して審査請求**」をし、その決定に不服がある者は、「**社会保険審査会に対して再審査請求**」をすることができる。

42 答2 × 法91条1項。厚生労働大臣による保険料の賦課の処分に不服がある者は、「**社会保険審査会**」に対して審査請求をすることができる。

42 答3 ○ 法附則29条6項。設問の通り正しい。

42 答4 × 法90条1項ただし書。厚生年金保険原簿の訂正請求に対する厚生労働大臣の訂正をしない旨の決定については、社会保険審査官に対する審査請求の対象とされていない。

42 問 5
□□□
R6-1E
被保険者の資格又は標準報酬に関する処分が確定した場合でも、その処分についての不服を当該処分に基づく保険給付に関する処分についての不服の理由とすることができる。

---

42 問 1
□□□
H28-7イ
第1号厚生年金被保険者の資格に関する処分に不服がある者が、平成28年4月8日に、社会保険審査官に審査請求をした場合、当該請求日から2か月以内に決定がないときは、社会保険審査官が審査請求を棄却したものとみなして、社会保険審査会に対して再審査請求をすることができる。

42 問 2
□□□
R2-2B
厚生労働大臣による被保険者の資格に関する処分に不服がある者が行った審査請求は、時効の完成猶予及び更新に関しては、裁判上の請求とみなされる。

42 問 3
□□□
H29-2C
第1号厚生年金被保険者に係る厚生労働大臣による保険料の滞納処分に不服がある者は社会保険審査官に対して、また、第1号厚生年金被保険者に係る脱退一時金に関する処分に不服がある者は社会保険審査会に対して、それぞれ審査請求をすることができる。

43 時効等

43 問 1
□□□
H29-5A改
障害手当金の給付を受ける権利は、その支給すべき事由が生じた日から2年を経過したときは、時効によって消滅する。

43 問 2
□□□
R4-9C
保険給付を受ける権利に基づき支払期月ごとに支払うものとされる保険給付の支給を受ける権利については、「支払期月の翌月の初日」がいわゆる時効の起算点とされ、各起算点となる日から5年を経過したときに時効によって消滅する。

42答5 ✕ 法90条5項。被保険者の資格又は標準報酬に関する処分が確定したときは、その処分についての不服を当該処分に基づく保険給付に関する処分についての不服の理由とすることが<u>できない</u>。

42答1 ○ 法90条3項。設問の通り正しい。

42答2 ○ 法90条4項。設問の通り正しい。

42答3 ✕ 法91条1項、法附則29条6項。第1号厚生年金被保険者に係る厚生労働大臣による保険料の滞納処分に不服がある者は、**社会保険審査会**に対して、審査請求をすることができる。なお、脱退一時金に関する処分の不服申立て先に関する記述については、設問の通りである。

43答1 ✕ 法92条1項。障害手当金を受ける権利は、その支給すべき事由が生じた日から**5年**を経過したときは、時効によって消滅する。

43答2 ○ 法92条1項。設問の通り正しい。保険給付を受ける権利に基づき支払期月ごとに支払うものとされる保険給付の支給を受ける権利は、保険給付を支給すべき事由が生じた日の属する月の翌月以後に到来する当該保険給付の支給に係る法第36条第3項本文に規定する支払期月の翌月の初日から5年を経過したときは、時効によって、消滅する。

❹❸問3 年金たる保険給付を受ける権利の時効は、当該年金たる保険給付
□□□ がその全額につき支給を停止されている間であっても進行する。
H30-3ウ

❹❸問4 厚生年金保険の保険給付及び国民年金の給付に係る時効の特例等
□□□ に関する法律の施行日(平成19年7月6日)において厚生年金保険
H30-3イ 法による保険給付を受ける権利を有する者について、厚生年金保険
🈔 法第28条の規定により記録した事項の訂正がなされた上で当該保
険給付を受ける権利に係る裁定が行われた場合においては、その裁
定による当該記録した事項の訂正に係る保険給付を受ける権利に基
づき支払期月ごとに支払うものとされる保険給付の支給を受ける権
利について当該裁定の日までに消滅時効が完成した場合において
も、当該権利に基づく保険給付を支払うものとされている。

44 雑則・罰則

過去問

❹❹問1 実施機関は、必要があると認めるときは、障害等級に該当する程
□□□ 度の障害の状態にあることにより、年金たる保険給付の受給権を有
H30-9D し、又は厚生年金保険法第44条第1項の規定によりその者につい
て加給年金額の加算が行われている子に対して、その指定する医師
の診断を受けるべきことを命じ、又は当該職員をしてこれらの者の
障害の状態を診断させることができる。

❹❹問2 第1号厚生年金被保険者に係る適用事業所の事業主は、厚生年
□□□ 金保険に関する書類を原則として、その完結の日から2年間、保
H29-4E 存しなければならないが、被保険者の資格の取得及び喪失に関する
ものについては、保険給付の時効に関わるため、その完結の日から
5年間、保存しなければならない。

❹❹問3 厚生労働大臣は、被保険者の資格、標準報酬、保険料又は保険給
□□□ 付に関する決定に関し、必要があると認めるときは、当該職員をし
H29-9ウ改 て事業所に立ち入って関係者に質問し、若しくは帳簿、書類その他
の物件を検査させることができるが、この規定は第2号厚生年金
被保険者、第3号厚生年金被保険者又は第4号厚生年金被保険者
及びこれらの者に係る適用事業所等の事業主については適用されな
い。

㊸答3 ✕ 法92条2項。年金たる保険給付を受ける権利の時効は、当該年金たる保険給付がその**全額につき支給を停止**されている間は、**進行しない**。

㊸答4 ◯ 年金時効特例法1条。設問の通り正しい。

㊹答1 ◯ 法97条1項。設問の通り正しい。

㊹答2 ✕ 則28条。設問文後段のような例外規定はない。

㊹答3 ◯ 法100条1項、4項。設問の通り正しい。

44 問 4
□□□
H29-2A

第1号厚生年金被保険者を使用する事業主が、正当な理由がなく厚生年金保険法第27条の規定に違反して、厚生労働大臣に対し、当該被保険者に係る報酬月額及び賞与額に関する事項を届け出なければならないにもかかわらず、これを届け出なかったときは、6か月以下の懲役又は50万円以下の罰金に処する旨の罰則が定められている。

㊹答4 ○ 法102条1項1号。設問の通り正しい。

★問1
□□□
H27-選改

次の文中の　　　　　　の部分を対応する選択肢群の中の最も適切な語句で埋め、完全な文章とせよ。

　昭和30年4月2日生まれの男子（特定警察職員等である者を除く。）に係る特別支給の老齢厚生年金について、報酬比例部分の支給開始年齢は62歳であり、定額部分の支給は受けられないが、

(1)　厚生年金保険法附則第9条の2第1項及び第5項各号に規定する、傷病により障害等級に該当する程度の障害の状態にあるとき

(2)　被保険者期間が　　A　　以上であるとき

(3)　坑内員たる被保険者であった期間と船員たる被保険者であった期間とを合算した期間が　　B　　以上であるとき

のいずれかに該当する場合には、60歳台前半に定額部分の支給を受けることができる。

　上記の(1)から(3)のうち、「被保険者でない」という要件が求められるのは、　　C　　であり、定額部分の支給を受けるために受給権者の請求が必要（請求があったものとみなされる場合を含む。）であるのは、　　D　　である。

　また(3)に該当する場合、この者に支給される定額部分の年金額（平成27年度）は、　　E　　に改定率を乗じて得た額（その額に50銭未満の端数が生じたときは、これを切り捨て、50銭以上1円未満の端数が生じたときは、これを1円に切り上げる。）に被保険者期間の月数（当該月数が480か月を超えるときは、480か月とする。）を乗じて得た額である。

選択肢

A	① 42年		② 43年	
	③ 44年		④ 45年	
B	① 10年		② 15年	
	③ 20年		④ 25年	
C	① (1)及び(2)		② (1)、(2)及び(3)	
	③ (2)のみ		④ (2)及び(3)	
D	① (1)のみ		② (1)及び(2)	
	③ (1)及び(3)		④ (1)、(2)及び(3)	
E	① 1,628円		② 1,628円に生年月日に応じて政令で定める率である1.032を乗じて得た額	
	③ 1,676円		④ 1,676円に生年月日に応じて政令で定める率である1.032を乗じて得た額	

★答1 法附則8条の2,1項、3項、法附則9条の2,1項、2項、5項、法附則9条の3,1項、法附則9条の4,1項、(6)法附則15条3項。

A ③ **44年**

B ② **15年**

C ① **(1)及び(2)**

D ① **(1)のみ**

E ① **1,628円**

★問 2 　次の文中の □□□□□ の部分を選択肢の中の最も適切な語句で埋
□□□ め、完全な文章とせよ。
H28-選改

1　厚生年金保険法第46条第１項の規定によると、60歳台後半の老齢厚
　生年金の受給権者が被保険者（前月以前の月に属する日から引き続き当
　該被保険者の資格を有する者に限る。）である日（厚生労働省令で定める
　日を除く。）が属する月において、その者の標準報酬月額とその月以前
　の１年間の標準賞与額の総額を12で除して得た額とを合算して得た額
　（以下「 A 」という。）及び老齢厚生年金の額（厚生年金保険法第
　44条第１項に規定する加給年金額及び同法第44条の３第４項に規定
　する加算額を除く。以下同じ。）を12で除して得た額（以下「基本月額」
　という。）との合計額が B を超えるときは、その月の分の当該
　老齢厚生年金について、 A と基本月額との合計額から B
　を控除して得た額の２分の１に相当する額に12を乗じて得た額（以下
　「 C 」という。）に相当する部分の支給を停止する。ただし、
　 C が老齢厚生年金の額以上であるときは老齢厚生年金の全部
　（同法第44条の３第４項に規定する加算額を除く。）の支給を停止するも
　のとされている。
2　厚生年金保険法第79条の規定によると、政府等は、厚生年金保険事
　業の円滑な実施を図るため、厚生年金保険に関し、次に掲げる事業を行
　うことができるとされている。
　(1)　教育及び広報を行うこと。
　(2)　被保険者、受給権者その他の関係者（以下「被保険者等」という。）
　　に対し、 D を行うこと。
　(3)　被保険者等に対し、被保険者等が行う手続きに関する情報その他の
　　被保険者等の利便の向上に資する情報を提供すること。
　（法改正により空欄Ｅに係る設問文削除）

───── 選択肢 ─────
① 株式会社日本政策金融公庫　② 支給調整開始額
③ 支給調整基準額　④ 支給停止開始額
⑤ 支給停止額　⑥ 支給停止基準額
⑦ 支給停止調整額　⑧ 生活設計の支援
⑨ 制度の周知　⑩ 相談その他の援助
⑪ 総報酬月額　⑫ 総報酬月額相当額
⑬ 定額部分　⑭ 独立行政法人福祉医療機構
⑮ 都道府県社会福祉協議会　⑯ 年金積立金管理運用独立行政法人
⑰ 標準賞与月額相当額　⑱ 平均標準報酬月額
⑲ 報酬比例部分　⑳ 老後の支援

★答2　法46条1項、法79条1項。

A　⑫　**総報酬月額相当額**
B　⑦　**支給停止調整額**
C　⑥　**支給停止基準額**
D　⑩　**相談その他の援助**
E　（法改正により削除）

★問3 次の文中の ☐☐☐ の部分を選択肢の中の最も適切な語句で埋め、完全な文章とせよ。

H29-選改

1 厚生年金保険法第80条第1項の規定により、国庫は、毎年度、厚生年金保険の実施者たる政府が負担する ☐ A ☐ に相当する額を負担する。

2 遺族厚生年金に加算される中高齢寡婦加算の額は、国民年金法第38条に規定する遺族基礎年金の額に ☐ B ☐ を乗じて得た額(その額に50円未満の端数が生じたときは、これを切り捨て、50円以上100円未満の端数が生じたときは、これを100円に切り上げるものとする。)として算出される。

3 厚生年金保険法第78条の14の規定によるいわゆる3号分割における標準報酬の改定請求の対象となる特定期間は、☐ C ☐ 以後の期間に限られる。

4 厚生年金保険法第78条の2の規定によるいわゆる合意分割の請求は、離婚等をした日の翌日から起算して2年を経過したときは、原則として行うことはできないが、離婚等をした日の翌日から起算して2年を経過した日前に請求すべき按分割合に関する審判の申立てがあったときであって、当該按分割合を定めた審判が離婚等をしたときから2年を経過した後に確定したときは、当該確定した日 ☐ D ☐ を経過する日までは合意分割の請求を行うことができる。

　また、合意分割で請求すべき按分割合は、当事者それぞれの対象期間標準報酬総額の合計額に対する、☐ E ☐ の範囲内で定められなければならない。

―― 選択肢 ――――――――――――――――――――――――――

① 2分の1 ② 3分の2

③ 4分の3 ④ 100分の125

⑤ から起算して6か月 ⑥ から起算して3か月

⑦ 基礎年金拠出金の額の2分の1

⑧ 基礎年金拠出金の額の3分の1

⑨ 事務の執行に要する費用の2分の1

⑩ 昭和61年4月1日

⑪ 第1号改定者の対象期間標準報酬総額の割合を超え2分の1以下

⑫ 第1号改定者の対象期間標準報酬総額の割合を超え第2号改定者の
対象期間標準報酬総額の割合以下

⑬ 第2号改定者の対象期間標準報酬総額の割合を超え2分の1以下

⑭ 第2号改定者の対象期間標準報酬総額の割合を超え第1号改定者の
対象期間標準報酬総額の割合以下

⑮ の翌日から起算して6か月 ⑯ の翌日から起算して3か月

⑰ 平成12年4月1日 ⑱ 平成19年4月1日

⑲ 平成20年4月1日 ⑳ 保険給付費の2分の1

★答3 法62条1項、法80条1項、法78条の3,1項、(16)法附則49条、
則78条の3,2項1号。

A ⑦ 基礎年金拠出金の額の2分の1

B ③ 4分の3

C ⑲ 平成20年4月1日

D ⑮ の翌日から起算して6か月

E ⑬ 第2号改定者の対象期間標準報酬総額の割合を超え2分の1以
下

★**問4** 次の文中の □□□□ の部分を選択肢の中の最も適切な語句で埋め、完全な文章とせよ。

H30-選

1　厚生年金保険法第83条第2項の規定によると、厚生労働大臣は、納入の告知をした保険料額が当該納付義務者が納付すべき保険料額をこえていることを知ったとき、又は納付した保険料額が当該納付義務者が納付すべき保険料額をこえていることを知ったときは、そのこえている部分に関する納入の告知又は納付を、その │ A │ 以内の期日に納付されるべき保険料について納期を繰り上げてしたものとみなすことができるとされている。

2　厚生年金保険法第79条の2の規定によると、積立金(特別会計積立金及び実施機関積立金をいう。以下同じ。)の運用は、積立金が厚生年金保険の │ B │ の一部であり、かつ、将来の保険給付の貴重な財源となるものであることに特に留意し、│ C │ の利益のために、長期的な観点から、安全かつ効率的に行うことにより、将来にわたって、厚生年金保険事業の運営の安定に資することを目的として行うものとされている。

3　厚生年金保険法第26条第1項の規定によると、3歳に満たない子を養育し、又は養育していた被保険者又は被保険者であった者が、主務省令で定めるところにより実施機関に申出(被保険者にあっては、その使用される事業所の事業主を経由して行うものとする。)をしたときは、当該子を養育することとなった日(厚生労働省令で定める事実が生じた日にあっては、その日)の属する月から当該子が3歳に達したときに該当するに │ D │ までの各月のうち、その標準報酬月額が当該子を養育することとなった日の属する月の前月(当該月において被保険者でない場合にあっては、当該月前 │ E │ における被保険者であった月のうち直近の月。以下「基準月」という。)の標準報酬月額(同項の規定により当該子以外の子に係る基準月の標準報酬月額が標準報酬月額とみなされている場合にあっては、当該みなされた基準月の標準報酬月額。以下「従前標準報酬月額」という。)を下回る月(当該申出が行われた日の属する月前の月にあっては、当該申出が行われた日の属する月の前月までの2年間のうちにあるものに限る。)については、従前標準報酬月額を当該下回る月の厚生年金保険法第43条第1項に規定する平均標準報酬額の計算の基礎となる標準報酬月額とみなすとされている。

選択肢

① 1年以内
② 1年6か月以内
③ 2年以内
④ 6か月以内
⑤ 至った日の属する月
⑥ 至った日の属する月の前月
⑦ 至った日の翌日の属する月
⑧ 至った日の翌日の属する月の前月
⑨ 事業主から徴収された保険料
⑩ 事業主から徴収された保険料及び国庫負担
⑪ 納入の告知又は納付の日から1年
⑫ 納入の告知又は納付の日から6か月
⑬ 納入の告知又は納付の日の翌日から1年
⑭ 納入の告知又は納付の日の翌日から6か月
⑮ 被保険者から徴収された保険料
⑯ 被保険者から徴収された保険料及び国庫負担
⑰ 広く国民
⑱ 広く国民年金の被保険者
⑲ 専ら厚生年金保険の被保険者
⑳ 専ら適用事業所

★答4 法26条1項、法79条の2、法83条2項。

A ⑭ 納入の告知又は納付の日の翌日から6か月
B ⑮ 被保険者から徴収された保険料
C ⑲ 専ら厚生年金保険の被保険者
D ⑧ 至った日の翌日の属する月の前月
E ① 1年以内

次の文中の ◻◻◻ の部分を選択肢の中の最も適切な語句で埋め、完全な文章とせよ。

1　保険料の納付義務者が保険料を滞納した場合には、厚生労働大臣は納付義務者に対して期限を指定してこれを督促しなければならないが、この期限は督促状を ◻ A ◻ 以上を経過した日でなければならない。これに対して、当該督促を受けた者がその指定の期限までに保険料を納付しないときは、厚生労働大臣は国税滞納処分の例によってこれを処分することができるが、厚生労働大臣は所定の要件に該当する場合にはこの権限を財務大臣に委任することができる。この要件のうち、滞納の月数と滞納の金額についての要件は、それぞれ ◻ B ◻ である。

2　政府は、財政の現況及び見通しを作成するに当たり、厚生年金保険事業の財政が、財政均衡期間の終了時に保険給付の支給に支障が生じないようにするために必要な積立金(年金特別会計の厚生年金勘定の積立金及び厚生年金保険法第79条の2に規定する実施機関積立金をいう。)を政府等が保有しつつ当該財政均衡期間にわたってその均衡を保つことができないと見込まれる場合には、◻ C ◻ を調整するものとされている。

3　年金は、毎年2月、4月、6月、8月、10月及び12月の6期に、それぞれその前月分までを支払うが、前支払期月に支払うべきであった年金又は権利が消滅した場合若しくは年金の支給を停止した場合におけるその期の年金は、その額に1円未満の端数が生じたときはこれを切り捨てて、支払期月でない月であっても、支払うものとする。また、毎年 ◻ D ◻ までの間において上記により切り捨てた金額の合計額(1円未満の端数が生じたときは、これを切り捨てた額)については、これを ◻ E ◻ の年金額に加算するものとする。

選択肢

①	1月から12月	②	3月から翌年2月
③	4月から翌年3月	④	9月から翌年8月
⑤	12か月分以上及び1億円以上	⑥	12か月分以上及び5千万円以上
⑦	24か月分以上及び1億円以上	⑧	24か月分以上及び5千万円以上
⑨	国庫負担金の額	⑩	次年度の4月の支払期月
⑪	支払期月でない月	⑫	受領した日から起算して10日
⑬	受領した日から起算して20日	⑭	積立金の額
⑮	当該2月の支払期月	⑯	当該12月の支払期月
⑰	発する日から起算して10日	⑱	発する日から起算して20日
⑲	保険給付の額	⑳	保険料の額

★答5 法34条1項、法36条の2,2項、法86条4項、令4条の2の16,1
号、3号、則99条、則101条。

A ⑰ **発する日から起算して10日**

B ⑧ **24か月分以上及び5千万円以上**

C ⑲ **保険給付の額**

D ② **3月から翌年2月**

E ⑮ **当該2月の支払期月**

★問6　次の文中の　　　　　　　の部分を選択肢の中の最も適切な語句で埋め、完全な文章とせよ。

1　厚生年金保険法第31条の２の規定によると、実施機関は、厚生年金保険制度に対する　　A　　を増進させ、及びその信頼を向上させるため、主務省令で定めるところにより、被保険者に対し、当該被保険者の保険料納付の実績及び将来の給付に関する必要な情報を分かりやすい形で通知するものとするとされている。

2　厚生年金保険法第44条の３第１項の規定によると、老齢厚生年金の受給権を有する者であってその　　B　　前に当該老齢厚生年金を請求していなかったものは、実施機関に当該老齢厚生年金の支給繰下げの申出をすることができるとされている。ただし、その者が当該老齢厚生年金の受給権を取得したときに、他の年金たる給付（他の年金たる保険給付又は国民年金法による年金たる給付（　　C　　を除く。）をいう。）の受給権者であったとき、又は当該老齢厚生年金の　　B　　までの間において他の年金たる給付の受給権者となったときは、この限りでないとされている。

3　厚生年金保険法第78条の２第１項の規定によると、第１号改定者又は第２号改定者は、離婚等をした場合であって、当事者が標準報酬の改定又は決定の請求をすること及び請求すべき　　D　　について合意しているときは、実施機関に対し、当該離婚等について対象期間に係る被保険者期間の標準報酬の改定又は決定を請求することができるとされている。ただし、当該離婚等をしたときから　　E　　を経過したときその他の厚生労働省令で定める場合に該当するときは、この限りでないとされている。

┌─ 選択肢 ─────────────────────────────

① 　1　　年　　　　　　　　② 　2　　年

③ 　3　　年　　　　　　　　④ 　6 か月

⑤ 　按分割合　　　　　　　　⑥ 　改定額

⑦ 　改定請求額　　　　　　　⑧ 　改定割合

⑨ 　国民の理解　　　　　　　⑩ 　受給権者の理解

⑪ 　受給権を取得した日から起算して 1 か月を経過した日

⑫ 　受給権を取得した日から起算して 1 年を経過した日

⑬ 　受給権を取得した日から起算して 5 年を経過した日

⑭ 　受給権を取得した日から起算して 6 か月を経過した日

⑮ 　被保険者及び被保険者であった者の理解

⑯ 　被保険者の理解

⑰ 　付加年金及び障害基礎年金並びに遺族基礎年金

⑱ 　老齢基礎年金及び障害基礎年金並びに遺族基礎年金

⑲ 　老齢基礎年金及び付加年金並びに遺族基礎年金

⑳ 　老齢基礎年金及び付加年金並びに障害基礎年金

└──────────────────────────────────

★**答6**　法31条の 2 、法44条の3,1項、法78条の2,1項。

A　⑨　**国民の理解**

B　⑫　**受給権を取得した日から起算して 1 年を経過した日**

C　⑳　**老齢基礎年金及び付加年金並びに障害基礎年金**

D　⑤　**按分割合**

E　②　**2　　年**

★問7 次の文中の □□□ の部分を選択肢の中の最も適切な語句で埋め、完全な文章とせよ。

1 　厚生年金保険法における賞与とは、賃金、給料、俸給、手当、賞与その他いかなる名称であるかを問わず、労働者が労働の対償として受ける全てのもののうち、□ A □受けるものをいう。

2 　厚生年金保険法第84条の3の規定によると、政府は、政令で定めるところにより、毎年度、実施機関(厚生労働大臣を除く。以下本問において同じ。)ごとに実施機関に係る□ B □として算定した金額を、当該実施機関に対して□ C □するとされている。

3 　厚生年金保険法第8条の2第1項の規定によると、2以上の適用事業所(□ D □を除く。)の事業主が同一である場合には、当該事業主は、□ E □当該2以上の事業所を1の事業所とすることができるとされている。

選択肢

① 2か月を超える期間ごとに　　② 3か月を超える期間ごとに

③ 4か月を超える期間ごとに　　④ 拠出金として交付

⑤ 国又は地方公共団体　　　　⑥ 厚生年金保険給付費等

⑦ 厚生労働大臣に届け出ることによって、

⑧ 厚生労働大臣の確認を受けることによって、

⑨ 厚生労働大臣の承認を受けて、⑩ 厚生労働大臣の認可を受けて、

⑪ 交付金として交付　　　　　⑫ 執行に要する費用等

⑬ 事務取扱費等　　　　　　　⑭ 船　舶

⑮ その事業所に使用される労働者の数が政令で定める人数以下のもの

⑯ 特定適用事業所　　　　　　⑰ 特別支給金として支給

⑱ 納付金として支給　　　　　⑲ 予備費等

⑳ 臨時に

★答7　法3条1項4号、法8条の2,1項、法84条の3。

A　②　**3か月を超える期間ごとに**

B　⑥　**厚生年金保険給付費等**

C　⑪　**交付金として交付**

D　⑭　**船　舶**

E　⑨　**厚生労働大臣の承認を受けて、**

★問8　次の文中の　　　　　　の部分を選択肢の中の最も適切な語句で埋め、完全な文章とせよ。

1　厚生年金保険法第81条の2の2第1項の規定によると、産前産後休業をしている被保険者が使用される事業所の事業主が、主務省令で定めるところにより実施機関に申出をしたときは、同法第81条第2項の規定にかかわらず当該被保険者に係る保険料であってその産前産後休業を　　A　　からその産前産後休業が　　B　　までの期間に係るものの徴収は行わないとされている。

2　厚生年金保険の被保険者であるX（50歳）は、妻であるY（45歳）及びYとYの先夫との子であるZ（10歳）と生活を共にしていた。XとZは養子縁組をしていないが、事実上の親子関係にあった。また、Xは、Xの先妻であるV（50歳）及びXとVとの子であるW（15歳）にも養育費を支払っていた。V及びWは、Xとは別の都道府県に在住している。この状況で、Xが死亡した場合、遺族厚生年金が最初に支給されるのは、　　C　　である。なお、遺族厚生年金に係る保険料納付要件及び生計維持要件は満たされているものとする。

3　令和4年4月から、65歳未満の在職老齢年金制度が見直されている。令和4年度では、総報酬月額相当額が41万円、老齢厚生年金の基本月額が10万円の場合、支給停止額は　　D　　となる。

4　厚生年金保険法第47条の2によると、疾病にかかり、又は負傷し、かつ、その傷病に係る初診日において被保険者であった者であって、障害認定日において同法第47条第2項に規定する障害等級（以下「障害等級」という。）に該当する程度の障害の状態になかったものが、障害認定日から同日後　　E　　までの間において、その傷病により障害の状態が悪化し、障害等級に該当する程度の障害の状態に該当するに至ったときは、その者は、その期間内に障害厚生年金の支給を請求することができる。なお、障害厚生年金に係る保険料納付要件は満たされているものとする。

選択肢

① １年半を経過する日　　　② ５年を経過する日

③ 60歳に達する日の前日　　④ 65歳に達する日の前日

⑤ 開始した日の属する月　　⑥ 開始した日の属する月の翌月

⑦ 開始した日の翌日が属する月

⑧ 開始した日の翌日が属する月の翌月

⑨ 月額２万円　　　　　　　⑩ 月額４万円

⑪ 月額５万円　　　　　　　⑫ 月額10万円

⑬ 終了する日の属する月　　⑭ 終了する日の属する月の前月

⑮ 終了する日の翌日が属する月

⑯ 終了する日の翌日が属する月の前月

⑰ V　　　　　　　　　　　⑱ W

⑲ Y　　　　　　　　　　　⑳ Z

★**答8**　法47条の2,1項、法59条１項、法66条、法81条の２の2,1項、法
附則11条１項、改定率改定令５条、国年法37条の2,1項他。

A　⑤　**開始した日の属する月**

B　⑯　**終了する日の翌日が属する月の前月**

C　⑱　**W**

D　⑨　**月額２万円**

E　④　**65歳に達する日の前日**

※　設問文２について、生計維持要件を満たす妻Ｙと子Ｗの２者が遺族
厚生年金の受給権者となり、また、「子」のないＹが遺族基礎年金の受
給権を取得することができないのに対して、死亡したＸの「子」である
Ｗは、遺族基礎年金の受給権も取得することになる。この状況は、「配
偶者に対する支給停止（法66条２項）」、「子に対する支給停止の例外（法
66条１項ただし書）」に該当することから、遺族厚生年金が最初に支給
されるのはＷとなる。

※　設問文３について、令和４年度における支給停止調整額は、47万円
であった。

(41万円＋10万円－47万円)×1/2＝２万円

★**問9**　次の文中の 　　　　　 の部分を選択肢の中の最も適切な語句で埋
□□□　め、完全な文章とせよ。

R5-選

1　厚生年金保険法第100条の9の規定によると、同法に規定する厚生労
　働大臣の権限(同法第100条の5第1項及び第2項に規定する厚生労働
　大臣の権限を除く。)は、厚生労働省令(同法第28条の4に規定する厚生
　労働大臣の権限にあっては、政令)で定めるところにより、 　A　 に
　委任することができ、 　A　 に委任された権限は、厚生労働省令(同
　法第28条の4に規定する厚生労働大臣の権限にあっては、政令)で定め
　るところにより、 　B　 に委任することができるとされている。

2　甲は20歳の誕生日に就職し、厚生年金保険の被保険者の資格を取得
　したが、40代半ばから物忘れによる仕事でのミスが続き、46歳に達し
　た日に退職をし、その翌日に厚生年金保険の被保険者の資格を喪失し
　た。退職した後、物忘れが悪化し、退職の3か月後に、当該症状につ
　いて初めて病院で診察を受けたところ、若年性認知症の診断を受けた。
　その後、当該認知症に起因する障害により、障害認定日に障害等級2
　級に該当する程度の障害の状態にあると認定された。これにより、甲は
　障害年金を受給することができたが、障害等級2級に該当する程度の
　障害の状態のまま再就職することなく、令和5年4月に52歳で死亡し
　た。甲には、死亡の当時、生計を同一にする50歳の妻(乙)と17歳の未
　婚の子がおり、乙の前年収入は年額500万円、子の前年収入は0円であ
　った。この事例において、甲が受給していた障害年金と乙が受給できる
　遺族年金をすべて挙げれば、 　C　 となる。

3　令和X年度の年金額改定に用いる物価変動率がプラス0.2%、名目手
　取り賃金変動率がマイナス0.2%、マクロ経済スライドによるスライド
　調整率がマイナス0.3%、前年度までのマクロ経済スライドの未調整分
　が0%だった場合、令和X年度の既裁定者(令和X年度が68歳到達年度
　以後である受給権者)の年金額は、前年度から 　D　 となる。なお、
　令和X年度においても、現行の年金額の改定ルールが適用されているも
　のとする。

4　厚生年金保険法第67条第1項の規定によれば、配偶者又は子に対す
　る遺族厚生年金は、その配偶者又は子の所在が 　E　 以上明らかで
　ないときは、遺族厚生年金の受給権を有する子又は配偶者の申請によっ
　て、その所在が明らかでなくなったときにさかのぼって、その支給を停
　止する。

┌─ 選択肢 ─────────────────────────────┐
① 0.1％の引下げ   ② 0.2％の引下げ
③ 0.5％の引下げ   ④ 1か月
⑤ 1年   ⑥ 3か月
⑦ 3年   ⑧ 国税庁長官
⑨ 財務大臣   ⑩ 市町村長
⑪ 障害基礎年金、遺族基礎年金
⑫ 障害基礎年金、遺族基礎年金、遺族厚生年金
⑬ 障害基礎年金、障害厚生年金、遺族基礎年金
⑭ 障害基礎年金、障害厚生年金、遺族基礎年金、遺族厚生年金
⑮ 据置き   ⑯ 地方厚生局長
⑰ 地方厚生支局長   ⑱ 都道府県知事
⑲ 日本年金機構理事長   ⑳ 年金事務所長
└──────────────────────────────────┘

★**答9**　法43条の5,4項、法47条、法58条1項4号、法59条1項、法67
条1項、法100条の9,1項、2項、国年法30条、同法37条1号、
4号、同法37条の2,1項。

A　⑯　**地方厚生局長**

B　⑰　**地方厚生支局長**

C　⑫　**障害基礎年金、遺族基礎年金、 遺族厚生年金**

D　②　**0.2％の引下げ**

E　⑤　**1年**

　次の文中の ［　　　　　］ の部分を選択肢の中の最も適切な語句で埋め、完全な文章とせよ。

1　厚生年金保険法第80条第2項の規定によると、国庫は、毎年度、予算の範囲内で、厚生年金保険事業の事務(基礎年金拠出金の負担に関する事務を含む。)の執行(実施機関(厚生労働大臣を除く。)によるものを除く。)に要する ［　Ａ　］ を負担するものとされている。

2　実施機関は、被保険者が賞与を受けた月において、その月に当該被保険者が受けた賞与額に基づき、これに1,000円未満の端数を生じたときはこれを切り捨てて、その月における標準賞与額を決定するが、当該標準賞与額が ［　Ｂ　］ (標準報酬月額の等級区分の改定が行われたときは政令で定める額)を超えるときは、これを ［　Ｂ　］ とする。

3　保険給付を受ける権利は、譲り渡し、担保に供し、又は差し押えることができない。ただし、［　Ｃ　］ を受ける権利を国税滞納処分により差し押える場合は、この限りでない。

4　厚生年金保険法第58条第1項第2号の規定により、厚生年金保険の被保険者であった者が、被保険者の資格を喪失した後に、被保険者であった間に初診日がある傷病により ［　Ｄ　］ を経過する日前に死亡したときは、死亡した者によって生計を維持していた一定の遺族に遺族厚生年金が支給される。ただし、死亡した者が遺族厚生年金に係る保険料納付要件を満たしていない場合は、この限りでない。

5　甲(66歳)は35歳のときに障害等級3級に該当する程度の障害の状態にあると認定され、障害等級3級の障害厚生年金の受給を開始した。その後も障害の程度に変化はなく、また、老齢基礎年金と老齢厚生年金の合計額が障害等級3級の障害厚生年金の年金額を下回るため、65歳以降も障害厚生年金を受給している。一方、乙(66歳)は35歳のときに障害等級2級に該当する程度の障害の状態にあると認定され、障害等級2級の障害基礎年金と障害厚生年金の受給を開始した。しかし、40歳時点で障害の程度が軽減し、障害等級3級の障害厚生年金を受給することになった。その後、障害の程度に変化はないが、65歳以降は老齢基礎年金と老齢厚生年金を受給している。今後、甲と乙の障害の程度が増進した場合、障害年金の額の改定請求は、［　Ｅ　］。

┌─ 選択肢 ──────────────────────────────

① 100万円　　　　　　　② 150万円

③ 200万円　　　　　　　④ 250万円

⑤ 遺族厚生年金　　　　　⑥ 甲のみが行うことができる

⑦ 甲も乙も行うことができない　⑧ 甲も乙も行うことができる

⑨ 乙のみが行うことができる　⑩ 障害厚生年金

⑪ 障害手当金　　　　　　⑫ 脱退一時金

⑬ 当該初診日から起算して3年　⑭ 当該初診日から起算して5年

⑮ 被保険者の資格を喪失した日から起算して3年

⑯ 被保険者の資格を喪失した日から起算して5年

⑰ 費用　　　　　　　　　⑱ 費用の2分の1

⑲ 費用の3分の1　　　　　⑳ 費用の4分の3

└────────────────────────────────────

★答10 法24条の4,1項、法41条1項、法52条7項、法58条1項2号、法80条2項、法附則16条の3,2項、法附則29条9項、令14条。

A　⑰　費用

B　②　150万円

C　⑫　脱退一時金

D　⑭　当該初診日から起算して5年

E　⑨　乙のみが行うことができる

過去問検索索引

　改正等により、問題の趣旨を損なわずに補正することが困難であると判断した問題および規定自体がなくなってしまった問題の頁数欄には、「―」と表記しています。

　また、MEMO欄には、お手持ちのテキストの該当頁数などを書き込んで、学習に役立ててください。

【選択式】

●国年

問題番号	頁数	MEMO
H27-選	194	
H28-選	196	
H29-選	198	
H30-選	200	
R元-選	202	
R2-選	204	
R3-選	206	
R4-選	208	
R5-選	210	
R6-選	212	

●厚年

問題番号	頁数	MEMO
H27-選	414	
H28-選	416	
H29-選	418	
H30-選	420	
R元-選	422	
R2-選	424	
R3-選	426	
R4-選	428	
R5-選	430	
R6-選	432	

【択一式】
●国年

問題番号	頁数	MEMO
H27-1A	18	
H27-1B	26	
H27-1C	26	
H27-1D	12	
H27-1E	12	
H27-2ア	146	
H27-2イ	112	
H27-2ウ	134	
H27-2エ	142	
H27-2オ	140	
H27-3A	132	
H27-3B	62	
H27-3C	—	
H27-3D	66	
H27-3E	184	
H27-4A	178	
H27-4B	48	
H27-4C	180	
H27-4D	176	
H27-4E	182	
H27-5A	162	
H27-5B	98	
H27-5C	172	
H27-5D	156	
H27-5E	186	
H27-6ア	18	
H27-6イ	24	
H27-6ウ	52	
H27-6エ	58	
H27-6オ	108	
H27-7A	14	
H27-7B	20	
H27-7C	90	
H27-7D	52	
H27-7E	42	

H27

問題番号	頁数	MEMO
H27-8A	32	
H27-8B	38	
H27-8C	30	
H27-8D	36	
H27-8E	36	
H27-9A	82	
H27-9B	86	
H27-9C	86	
H27-9D	88	
H27-9E	84	
H27-10A	78	
H27-10B	78	
H27-10C	78	
H27-10D	78	
H27-10E	78	
H28-1ア	58	
H28-1イ	66	
H28-1ウ	68	
H28-1エ	60	
H28-1オ	10	
H28-2A	144	
H28-2B	—	
H28-2C	38	
H28-2D	138	
H28-2E	158	
H28-3A	122	
H28-3B	130	
H28-3C	130	
H28-3D	112	
H28-3E	124	
H28-4ア	84	
H28-4イ	18	
H28-4ウ	184	
H28-4エ	186	
H28-4オ	4	

H27 / H28

問題番号	頁数	MEMO
H28-5A	162	
H28-5B	144	
H28-5C	160	
H28-5D	24	
H28-5E	112	
H28-6A	14	
H28-6B	66	
H28-6C	50	
H28-6D	62	
H28-6E	68	
H28-7A	18	
H28-7B	42	
H28-7C	72	
H28-7D	8	
H28-7E	10	
H28-8A	100	
H28-8B	102	
H28-8C	100	
H28-8D	120	
H28-8E	120	
H28-9A	—	
H28-9B	—	
H28-9C	—	
H28-9D	—	
H28-9E	—	
H28-10A	78	
H28-10B	78	
H28-10C	78	
H28-10D	78	
H28-10E	78	
H29-1A	30	
H29-1B	32	
H29-1C	32	
H29-1D	28	
H29-1E	34	

H28 / H29

問題番号	頁数	MEMO
H29-2ア	126	
H29-2イ	160	
H29-2ウ	118	
H29-2エ	108	
H29-2オ	98	
H29-3A	26	
H29-3B	24	
H29-3C	22	
H29-3D	26	
H29-3E	22	
H29-4A	52	
H29-4B	58	
H29-4C	46	
H29-4D	60	
H29-4E	64	
H29-5A	178	
H29-5B	180	
H29-5C	180	
H29-5D	178	
H29-5E	180	
H29-6A	98	
H29-6B	186	
H29-6C	90	
H29-6D	136	
H29-6E	90	
H29-7A	146	
H29-7B	74	
H29-7C	34	
H29-7D	102	
H29-7E	166	
H29-8A	162	
H29-8B	138	
H29-8C	148	
H29-8D	138	
H29-8E	134	

（左欄の縦ラベル：H29）

問題番号	頁数	MEMO
H29-9A	158	
H29-9B	168	
H29-9C	164	
H29-9D	166	
H29-9E	158	
H29-10A	18	
H29-10B	46	
H29-10C	12	
H29-10D	26	
H29-10E	4	
H30-1A	172	
H30-1B	182	
H30-1C	174	
H30-1D	42	
H30-1E	50	
H30-2A	188	
H30-2B	94	
H30-2C	132	
H30-2D	134	
H30-2E	146	
H30-3A	122	
H30-3B	64	
H30-3C	46	
H30-3D	50	
H30-3E	4	
H30-4A	186	
H30-4B	8	
H30-4C	92	
H30-4D	84	
H30-4E	114	
H30-5ア	130	
H30-5イ	86	
H30-5ウ	170	
H30-5エ	130	
H30-5オ	84	

（左欄の縦ラベル：H29／H30）

問題番号	頁数	MEMO
H30-6A	28	
H30-6B	140	
H30-6C	60	
H30-6D	70	
H30-6E	48	
H30-7A	176	
H30-7B	176	
H30-7C	48	
H30-7D	22	
H30-7E	38	
H30-8A	118	
H30-8B	128	
H30-8C	122	
H30-8D	130	
H30-8E	128	
H30-9A	114	
H30-9B	82	
H30-9C	72	
H30-9D	168	
H30-9E	154	
H30-10A	104	
H30-10B	148	
H30-10C	108	
H30-10D	102	
H30-10E	112	
R元-1ア	40	
R元-1イ	8	
R元-1ウ	172	
R元-1エ	38	
R元-1オ	50	
R元-2A	96	
R元-2B	132	
R元-2C	124	
R元-2D	158	
R元-2E	180	

（左欄の縦ラベル：H30／R元）

438

問題番号	頁数	MEMO
R5-5A	8	
R5-5B	62	
R5-5C	72	
R5-5D	28	
R5-5E	112	
R5-6A	114	
R5-6B	162	
R5-6C	94	
R5-6D	172	
R5-6E	132	
R5-7A	50	
R5-7B	100	
R5-7C	124	
R5-7D	164	
R5-7E	16	
R5-8A	154	
R5-8B	46	
R5-8C	64	
R5-8D	74	
R5-8E	80	
R5-9A	134	
R5-9B	88	
R5-9C	56	
R5-9D	160	
R5-9E	178	
R5-10ア	114	
R5-10イ	110	
R5-10ウ	168	
R5-10エ	132	
R5-10オ	158	
R6-1A	44	
R6-1B	54	
R6-1C	44	
R6-1D	42	
R6-1E	4	

左欄グループ: R5（R5-5A～R5-10オ）、R6（R6-1A～R6-1E）

問題番号	頁数	MEMO
R6-2ア	94	
R6-2イ	110	
R6-2ウ	96	
R6-2エ	178	
R6-2オ	178	
R6-3A	184	
R6-3B	136	
R6-3C	182	
R6-3D	152	
R6-3E	188	
R6-4A	10	
R6-4B	10	
R6-4C	20	
R6-4D	20	
R6-4E	20	
R6-5A	28	
R6-5B	54	
R6-5C	54	
R6-5D	72	
R6-5E	54	
R6-6A	104	
R6-6B	108	
R6-6C	116	
R6-6D	116	
R6-6E	116	
R6-7ア	166	
R6-7イ	88	
R6-7ウ	88	
R6-7エ	90	
R6-7オ	156	
R6-8ア	152	
R6-8イ	156	
R6-8ウ	44	
R6-8エ	156	
R6-8オ	166	

中欄グループ: R6

問題番号	頁数	MEMO
R6-9A	12	
R6-9B	88	
R6-9C	44	
R6-9D	152	
R6-9E	174	
R6-10A	116	
R6-10B	128	
R6-10C	142	
R6-10D	96	
R6-10E	66	

右欄グループ: R6

【択一式】
●厚年

問題番号	頁数	MEMO
H27-1ア	250	
H27-1イ	246	
H27-1ウ	250	
H27-1エ	252	
H27-1オ	278	
H27-2A	234	
H27-2B	250	
H27-2C	238	
H27-2D	226	
H27-2E	232	
H27-3ア	324	
H27-3イ	324	
H27-3ウ	324	
H27-3エ	324	
H27-3オ	326	
H27-4A	342	
H27-4B	342	
H27-4C	332	
H27-4D	340	
H27-4E	344	
H27-5A	364	
H27-5B	376	
H27-5C	394	
H27-5D	368	
H27-5E	372	
H27-6A	276	
H27-6B	280	
H27-6C	282	
H27-6D	386	
H27-6E	394	
H27-7A	360	
H27-7B	350	
H27-7C	294	
H27-7D	378	
H27-7E	394	

(H27)

問題番号	頁数	MEMO
H27-8A	312	
H27-8B	394	
H27-8C	388	
H27-8D	218	
H27-8E	306	
H27-9A	—	
H27-9B	304	
H27-9C	296	
H27-9D	346	
H27-9E	382	
H27-10A	258	
H27-10B	400	
H27-10C	396	
H27-10D	366	
H27-10E	268	
H28-1ア	222	
H28-1イ	220	
H28-1ウ	222	
H28-1エ	220	
H28-1オ	220	
H28-2A	348	
H28-2B	336	
H28-2C	404	
H28-2D	392	
H28-2E	406	
H28-3ア	352	
H28-3イ	352	
H28-3ウ	400	
H28-3エ	354	
H28-3オ	354	
H28-4A	—	
H28-4B	308	
H28-4C	308	
H28-4D	308	
H28-4E	328	

(H27／H28)

問題番号	頁数	MEMO
H28-5A	298	
H28-5B	298	
H28-5C	300	
H28-5D	290	
H28-5E	294	
H28-6A	386	
H28-6B	276	
H28-6C	242	
H28-6D	338	
H28-6E	374	
H28-7ア	368	
H28-7イ	408	
H28-7ウ	314	
H28-7エ	316	
H28-7オ	302	
H28-8A	290	
H28-8B	282	
H28-8C	296	
H28-8D	232	
H28-8E	226	
H28-9A	360	
H28-9B	392	
H28-9C	400	
H28-9D	344	
H28-9E	244	
H28-10A	240	
H28-10B	338	
H28-10C	330	
H28-10D	236	
H28-10E	364	
H29-1A	254	
H29-1B	370	
H29-1C	304	
H29-1D	238	
H29-1E	252	

(H28／H29)

問題番号		頁数	MEMO
	R元-3A	330	
	R元-3B	332	
	R元-3C	336	
	R元-3D	356	
	R元-3E	404	
	R元-4A	222	
	R元-4B	220	
	R元-4C	220	
	R元-4D	246	
	R元-4E	250	
	R元-5ア	396	
	R元-5イ	404	
	R元-5ウ	232	
	R元-5エ	236	
	R元-5オ	236	
	R元-6A	386	
	R元-6B	254	
R元	R元-6C	254	
	R元-6D	254	
	R元-6E	392	
	R元-7A	266	
	R元-7B	264	
	R元-7C	266	
	R元-7D	374	
	R元-7E	370	
	R元-8A	256	
	R元-8B	264	
	R元-8C	246	
	R元-8D	246	
	R元-8E	340	
	R元-9A	388	
	R元-9B	378	
	R元-9C	326	
	R元-9D	382	
	R元-9E	364	

問題番号		頁数	MEMO
	R元-10ア	252	
	R元-10イ	320	
R元	R元-10ウ	348	
	R元-10エ	—	
	R元-10オ	254	
	R2-1A	256	
	R2-1B	388	
	R2-1C	356	
	R2-1D	342	
	R2-1E	292	
	R2-2A	252	
	R2-2B	408	
	R2-2C	246	
	R2-2D	250	
	R2-2E	378	
	R2-3ア	274	
	R2-3イ	406	
	R2-3ウ	218	
	R2-3エ	218	
R2	R2-3オ	346	
	R2-4A	402	
	R2-4B	330	
	R2-4C	340	
	R2-4D	336	
	R2-4E	330	
	R2-5A	262	
	R2-5B	360	
	R2-5C	390	
	R2-5D	388	
	R2-5E	388	
	R2-6A	218	
	R2-6B	222	
	R2-6C	250	
	R2-6D	250	
	R2-6E	224	

問題番号		頁数	MEMO
	R2-7ア	228	
	R2-7イ	228	
	R2-7ウ	230	
	R2-7エ	230	
	R2-7オ	234	
	R2-8A	256	
	R2-8B	374	
	R2-8C	258	
	R2-8D	366	
R2	R2-8E	392	
	R2-9A	290	
	R2-9B	248	
	R2-9C	234	
	R2-9D	232	
	R2-9E	380	
	R2-10ア	354	
	R2-10イ	314	
	R2-10ウ	—	
	R2-10エ	346	
	R2-10オ	358	
	R3-1A	368	
	R3-1B	370	
	R3-1C	398	
	R3-1D	404	
	R3-1E	404	
	R3-2A	288	
	R3-2B	288	
R3	R3-2C	248	
	R3-2D	248	
	R3-2E	248	
	R3-3A	296	
	R3-3B	294	
	R3-3C	318	
	R3-3D	318	
	R3-3E	382	

執　筆　者

国民年金法(国年)　…………………………………………………大原　　寛

厚生年金保険法(厚年)　………………………………………川島　隆良

2025年度版 よくわかる社労士
合格するための過去10年本試験問題集4　国年・厚年

（2013年度版　2012年10月15日　初　版　第1刷発行）
2024年10月11日　初　版　第1刷発行

編 著 者	Ｔ Ａ Ｃ 株 式 会 社
	（社会保険労務士講座）
発 行 者	多　　田　　敏　　男
発 行 所	Ｔ Ａ Ｃ株式会社　出版事業部
	（ＴＡＣ出版）

〒101-8383
東京都千代田区神田三崎町3-2-18
電話　03（5276）9492（営業）
FAX　03（5276）9674
https://shuppan.tac-school.co.jp

| 印　　　刷 | 株式会社　ワ　　コ　　ー |
| 製　　　本 | 東京美術紙工協業組合 |

© TAC 2024　　　Printed in Japan

ISBN978-4-300-11385-1
N.D.C.364

社会保険労務士講座

2025年合格目標 開講コース

学習レベル・スタート時期にあわせて選べます!

一般教育訓練給付制度の指定コースがあります。
詳細は、TAC各校へお問い合わせください。

初学者対象	**順次開講中** まずは年金から着実に学習スタート! **総合本科生Basic**（ベーシック） 初めて学ぶ方も無理なく合格レベルに到達できるコース。Basic講義で年金科目の基礎を理解した後は、労働基準法から効率的に基礎力&答案作成力を身につけます。
初学者対象	**順次開講中** Basic講義つきのプレミアムコース! **総合本科生Basic+Plus**（ベーシック プラス） 大好評のプレミアムコース「総合本科生Plus」に、Basic講義がついたコースです。Basic講義から直前期のオプション講義まで豊富な内容で合格へ導きます。
初学者・受験経験者対象	**2024年9月より順次開講** 基礎知識から答案作成力まで一貫指導! **総合本科生** 長年の指導ノウハウを凝縮した、TAC社労士講座のスタンダードコースです。【基本講義 → 実力テスト → 本試験レベルの答練】と、効率よく学習を進めていきます。
初学者・受験経験者対象	**2024年9月より順次開講** 充実度プラスのプレミアムコース! **総合本科生Plus**（プラス） 「総合本科生」を更に充実させたプレミアムコースです。「総合本科生」のカリキュラムを詳細に補足する講義を加え、充実のオプション講義で万全な学習態勢です。
受験経験者対象	**2024年10月より順次開講** 今まで身につけた知識を更にレベルアップ! **上級本科生** 受験経験者(学習経験者)専用に独自開発したコース。受験経験者専用のテキストを用いた講義と問題演習を繰り返すことによって、強固な基礎力に加え応用力を身につけていきます。
受験経験者対象	**2024年11月より順次開講** インプット期から十分な演習量を実現! **上級演習本科生** コース専用に編集されたハイレベルな演習問題をインプット期から取り入れ、解説講義を行いながら知識を確認していくことで、受験経験者の得点力を更に引き上げていきます。
初学者・受験経験者対象	**2024年10月開講** 合格に必要な知識を効率よくWebで学習! **スマートWeb本科生**（ウェブ） 「スマートWeb」ならではの効率良いスマートな学習が可能なコースです。テキストを持ち歩かなくても、隙間時間にスマホ一つで楽しく学習できます。

※上記コースは諸般の事情により、開講月が変更となる場合がございます。

詳細はTAC HPまたは2025年合格目標パンフレットにてご確認ください。

ライフスタイルに合わせて選べる3つの学習メディア

【通 学】 教室講座・ビデオブース講座　　　【通 信】 Web通信講座

※「総合本科生」のみDVD通信講座もご用意しております。
※「スマートWeb本科生」はWeb通信講座のみの取り扱いとなります。

資格の学校 TAC

無料体験入学

はじめる前に体験できる。だから安心!

実際の講義を無料で体験! あなたの目で講義の質を実感してください。

お申込み前に講座の第1回目の講義を無料で受講できます。講義内容や講師、雰囲気などを体験してください。ご予約は不要です。開講日につきましては、TACホームページまたは講座パンフレットをご確認ください。

※教室での生講義のほか、TAC各校舎のビデオブースでも体験できます。ビデオブースでの体験入学は事前の予約が必要です。詳細は各校舎にお問合わせください。

https://www.tac-school.co.jp/ ➡ 社会保険労務士へ

無料公開セミナー・講座説明会

まずはこちらへお越しください

予約不要・参加無料　知りたい情報が満載!
参加者だけのうれしい特典あり

参加者に入会金免除券プレゼント!

専任講師によるテーマ別セミナーや、カリキュラムについて詳しくご案内する講座説明会を実施しています。終了後は質問やご相談にお答えする「個別受講相談」を承っております。実施日程はTAC HPまたはパンフレットにてご案内しております。ぜひお気軽にご参加ください。

TAC動画チャンネル

Web上でもセミナーが見られる!

セミナー・体験講義の映像など
役立つ情報をすべて無料で視聴できます。

●テーマ別セミナー　●体験講義　等

https://www.tac-school.co.jp/ ➡ TAC動画チャンネル へ

デジタルパンフレット

PCやスマホで快適に閲覧

紙と同じ内容のパンフレットをPCやスマートフォンで!
郵送も待たずに今すぐにご覧いただけます。

➡登録はこちらから
https://www.tac-school.co.jp/ ➡ デジタルパンフ登録フォームに入力

コチラからもアクセス! ▶ ▶

資料請求・お問い合わせはこちらから!

電話でのお問い合わせ・資料請求

通話無料 0120-509-117
ゴウカク　イイナ
※携帯・自動車電話からもご利用いただけます。

【受付時間】
10:00～19:00(月曜～金曜)
10:00～17:00(土曜・日曜・祝日)
※営業時間は変更の場合がございます。詳しくはTAC HPでご確認ください。

TACホームページからのご請求

https://www.tac-school.co.jp/

TAC出版 書籍のご案内

TAC出版では、資格の学校TAC各講座の定評ある執筆陣による資格試験の参考書をはじめ、資格取得者の開業法や仕事術、実務書、ビジネス書、一般書などを発行しています!

TAC出版の書籍

*一部書籍は、早稲田経営出版のブランドにて刊行しております。

資格・検定試験の受験対策書籍

- ✪日商簿記検定
- ✪建設業経理士
- ✪全経簿記上級
- ✪税 理 士
- ✪公認会計士
- ✪社会保険労務士
- ✪中小企業診断士
- ✪証券アナリスト

- ✪ファイナンシャルプランナー(FP)
- ✪証券外務員
- ✪貸金業務取扱主任者
- ✪不動産鑑定士
- ✪宅地建物取引士
- ✪賃貸不動産経営管理士
- ✪マンション管理士
- ✪管理業務主任者

- ✪司法書士
- ✪行政書士
- ✪司法試験
- ✪弁理士
- ✪公務員試験(大卒程度・高卒者)
- ✪情報処理試験
- ✪介護福祉士
- ✪ケアマネジャー
- ✪電験三種 ほか

実務書・ビジネス書

- ✪会計実務、税法、税務、経理
- ✪総務、労務、人事
- ✪ビジネススキル、マナー、就職、自己啓発
- ✪資格取得者の開業法、仕事術、営業術

一般書・エンタメ書

- ✪ファッション
- ✪エッセイ、レシピ
- ✪スポーツ
- ✪旅行ガイド (おとな旅プレミアム/旅コン)

2025年度版 社労士試験対策書籍のご案内

TAC出版では、独学用、およびスクール学習の副教材として、各種対策書籍を取り揃えています。
学習の各段階に対応していますので、あなたのステップに応じて、合格に向けてご活用ください！

（刊行内容、発売月、表紙は変更になることがあります。）

みんなが欲しかった！シリーズ

わかりやすさ、学習しやすさに徹底的にこだわった、TAC出版イチオシのシリーズ。
大人気の『社労士の教科書』をはじめ、合格に必要な書籍を網羅的に取り揃えています。

基礎学習

『みんなが欲しかった！
社労士合格へのはじめの一歩』
A5判、8月　貫場 恵子 著
- 初学者のための超入門テキスト！
- 概要をしっかりつかむことができる入門講義で、学習効率ぐーんとアップ！
- フルカラーの巻頭漫画とスタートアップ講座は必見！

『みんなが欲しかった！
社労士の教科書』
A5判、10月
- 資格の学校TACが独学者・初学者専用に開発！フルカラーで圧倒的にわかりやすいテキストです。
- 2冊に分解OK！セパレートBOOK形式。
- 便利な赤シートつき！

『みんなが欲しかった！
社労士の問題集』
A5判、10月
- この1冊でイッキに合格レベルに！本試験形式の択一式＆選択式の過去問、予想問を必要な分だけ収載。
- 『社労士の教科書』に完全準拠。

実力アップ

『みんなが欲しかった！
社労士合格のツボ 選択対策』
B6判、11月
- 基本事項のマスターにも最適！本試験のツボをおさえた選択式問題厳選333問!!
- 赤シートつきでパパッと対策可能！

『みんなが欲しかった！
社労士合格のツボ 択一対策』
B6判、11月
- 択一の得点アップに効く1冊！本試験のツボをおさえた一問一答問題厳選1600問!! 基本と応用の2step式で、効率よく学習できる！

『みんなが欲しかった！
社労士全科目横断総まとめ』
B6判、12月
- 各科目間の共通・類似事項をこの1冊で整理
- 赤シート対応で、まとめて覚えられるから効率

実践演習

『みんなが欲しかった！ 社労士の
年度別過去問題集　5年分』
A5判、12月
- 年度別にまとめられた5年分の過去問で知識を総仕上げ！
- 問題、解説冊子は取り外しOKのセパレートタイプ！

『みんなが欲しかった！
社労士の直前予想模試』
B5判、4月
- みんなが欲しかったシリーズの総仕上げ模試！
- 基本事項を中心とした模試で知識を一気に仕上げます！

書籍の正誤に関するご確認とお問合せについて

書籍の記載内容に誤りではないかと思われる箇所がございましたら、以下の手順にてご確認とお問合せを
してくださいますよう、お願い申し上げます。

なお、正誤のお問合せ以外の**書籍内容に関する解説および受験指導などは、一切行っておりません。**
そのようなお問合せにつきましては、お答えいたしかねますので、あらかじめご了承ください。

1 「Cyber Book Store」にて正誤表を確認する

TAC出版書籍販売サイト「Cyber Book Store」の
トップページ内「正誤表」コーナーにて、正誤表をご確認ください。

CYBER TAC出版書籍販売サイト
BOOK STORE

URL：https://bookstore.tac-school.co.jp/

2 1の正誤表がない、あるいは正誤表に該当箇所の記載がない
⇒ 下記①、②のどちらかの方法で文書にて問合せをする

★ご注意ください★

お電話でのお問合せは、お受けいたしません。

①、②のどちらの方法でも、お問合せの際には、「お名前」とともに、

「対象の書籍名（○級・第○回対策も含む）およびその版数（第○版・○○年度版など）」
「お問合せ該当箇所の頁数と行数」
「誤りと思われる記載」
「正しいとお考えになる記載とその根拠」

を明記してください。

なお、回答までに１週間前後を要する場合もございます。あらかじめご了承ください。

---

① ウェブページ「Cyber Book Store」内の「お問合せフォーム」より問合せをする

【お問合せフォームアドレス】

https://bookstore.tac-school.co.jp/inquiry/

---

② メールにより問合せをする

【メール宛先　TAC出版】

syuppan-h@tac-school.co.jp

※土日祝日はお問合せ対応をおこなっておりません。
※正誤のお問合せ対応は、該当書籍の改訂版刊行月末日までといたします。

乱丁・落丁による交換は、該当書籍の改訂版刊行月末日までといたします。なお、書籍の在庫状況等
により、お受けできない場合もございます。

また、各種本試験の実施の延期、中止を理由とした本書の返品はお受けいたしません。返金もいたし
かねますので、あらかじめご了承くださいますようお願い申し上げます。

（2022年7月現在）